双書現代哲学 4

断片化する理性

認識論的プラグマティズム

スティーヴン・P・スティッチ

薄井尚樹 訳

THE FRAGMENTATION OF REASON: *Preface to a Pragmatic Theory of Cognitive Evaluation*

Stephen P. Stich

keiso shobo

THE FRAGMENTATION OF REASON
by Stephen P. Stich

This translation published by arrangement with The MIT Press
through The English Agency (Japan) Ltd.

謝辞

本書がかたちをなしてきた何十年ものあいだに、わたしは、たくさんの人々と多くの機関から、多大なる助力と支援、そして励ましを受けてきた。そのうちのかなりについては本文中で言及している。それでも、それ以外の多くの人々や機関に対して、わたしの受けた恩恵を書きとめるのにふさわしい場所がなかった。また多くの場合、本文中で言及されている人々でも、簡単には記すことのできないたくさんの仕方で、わたしを助けてくれた。それゆえまず、以下に挙げる人々に対して、わたしが恩恵を受けたことを記し、感謝の意を表したい。

マイケル・ビショップ、キース・キャンベル、パトリシア・チャーチランド、ポール・チャーチランド、ロイ・ダンドラーデ、ダニエル・デネット、マイケル・デヴィット、マイケル・ディートリッヒ、ワレン・ダウ、リチャード・フェルドマン、ハートリー・フィールド、ジェリー・フォーダー、ピーター・ゴドフリー＝スミス、アルヴィン・ゴールドマン、クリフ・フッカー、エド・ハチンス、ノーバート・ホーンスタイン、フィリップ・キッチャー、エリザベス・ロイド、ブライアン・ロア、ウィリアム・ライカン、ダグラス・マクリーン、アンドリュー・ミルン、サム・ミッチェル、エドマンド・ミュレイア、リチャード・ニスベット、ドナルド・ノーマン、クリストファー・ピーコック、ウィリアム・ラムジー、ダドリー・シャピア、フランシス・スネア、キム・ステルレルニー、デイヴィッド・ストーヴ、ジョゼフ・トリヴァー、ブルース・ウィルシャー

また、最終稿の準備を手伝ってくれたトッド・ジョーンズと、いつも陽気にやさしく励ましつつ最終稿を待ってくれたベリー・スタントンとハリー・スタントンには、特別な感謝を捧げたい。

わたしの受けた最大の恩恵は、妻であるジュードと、子供のジョーナとベッカからのものだ。彼らの尽きることのない愛情と支えがなければ、本プロジェクトが完成することは決してなかったであろうし、また実際、ほとんど価値のないものとなっていたであろう。

著者

断片化する理性　認識論的プラグマティズム

目次

凡例

一、訳注は本文中に〔 〕のかたちで示した。ただし、引用文中に出てくる〔 〕内は、原則として原著者による補足説明である。

二、引用文の訳は、邦訳書があるものは原則としてそれにしたがった。引用文中の〔 〕内が邦訳者による訳注、補足である場合は、そのことを明示した。

三、原文がイタリック体で強調されている箇所には傍点をつけた。ただし、原文には強調の意味がなくともイタリック体が用いられている箇所もある。その場合、傍点はつけていない。

第一章　「まえがき」以上「序論」以下

哲学のエッセイを書き始めるうまいやりかたとはなんだろうか。そのエッセイのなかで問われる問題とそれに対して与えられる解答が、他の論者がこれまで取り組んできた問題や与えてきた解答とどのような関係にあるのかを明らかにすること、いわば、そのプロジェクトを既存の哲学的空間のなかに位置づけること。これも確かにひとつの手ではある。だが別のやりかたもある。特に、擁護される見解が一般に受け容れられている意見の多くと対立している場合は――わたしの見解に関しては確信を持ってそういえるが――自分の考えの進化の道筋について何事かを述べて、いかなる道筋を辿ってそういったオーソドックスでない見解にたどり着いたのかを説明するのもひとつの手だろう。この導入部となる章で、わたしはこれら両方のやりかたを少しずつ取り入れてやってみよう。とはいえやはり、自伝的なアプローチのほうが前に出ることになるだろう。だがそれは、わたしの知的自伝の詳細それ自体が読者の興味を引くなどと不遜にも考えたからではない。そうではなく単に、それが本書の全体像をざっと示したり、そこに登場するさまざまな主題がいかに互いに結びついているかを説明したりするのに、見通しのよい視点を与えてくれそうだからだ。確かに以下のページのさまざまな箇所で、心の哲学や言語哲学、そして心理学の哲学におけるさまざまな問題点が中心的な位置を占めることになるだろう。だが、本書全体はあくまで、認識論の領域にぴったりと収まる一群の問題を、その動機としているのである。それゆえ、認識論という領域をわたしはどのようなものとして考えているか、ということを語ることから始めることにしよう。

1―1　認識論の三つの伝統的なプロジェクト

わたしの見るところ、認識論には、伝統的に追求されてきたプロジェクトが少なくとも三つあり、それらは互いに結びついていた。もちろん当然ながら、哲学者が異なれば、どのプロジェクトが強調されるかも変わってくる。それらのプロジェクトの第一は、探究の方法の評価に焦点をあてるものだ。それは、知識の探求にとりかかるためには――比喩的にいえば、自分の信念のシステム、いわば信念の館を建てたり建て直したりするに際して――どの方法が良くてどれが悪いのか、そしてそれはなぜなのか、といったことを問うことを目指すものだ。推論は知識の探求にとって中心的なものなのだから、推論を行うにあたってのさまざまな戦略を評価することは、探究の良し悪しをはかる際にしばしば重要な役割を演じることになる。

この種の認識論的な探究を追求してきた歴史的人物には事欠かない。フランシス・ベーコンの認識論的著作の多くは、探究の戦略を評価、批判するというプロジェクトに当てられているし、デカルトの著作の多くも同様だ。より現代に近い認識論者のなかでは、ミル、カルナップ、ポパーのような、科学の論理と方法論に関心のある人々が、認識論的理論のそういった側面を強調する傾向にあった。ベーコンの時代からポパーの時代までは、認識論のこういった領域を研究する人々は、少なくとも部分的には、純然たる実践的な関心に動機づけられていたことがしばしばであった。彼らは、欠陥のある推論や悪しき探究の戦略が広く行き渡っており、そういった認識上の欠点が多くの不幸や災いの原因なのだと確信していた。彼らは、うまい推論や適切な探究の戦略について自説を展開し、なぜこれらが他の選択肢よりも良いものなのかを説明することで、人々に自分の認識の方法の誤りに気づいてほしいと願っていたのだ。そして実際、こういった哲学者の多くは、同時代人の思考に目に見えるインパクトを与えたのである。(1)

認識論の第二の伝統的なプロジェクトは、知識とはなにか、そして、それは単なる臆見や偽なる信念といった他の認識状態からいかに区別されるべきかを理解することを目的とする。プラトンや、他の多くの哲学者にとっても、知識とはなにかを理解する試みは、知識というひとつの自然種の本性を探究することだと受け取られていた。そういった探究が見出そうとしたのは、知識という自然種の形相ないし本質だった。二〇世紀の哲学における「言語論的転回」とともに、こういったプロジェクトは、「知識」という語の正しい定義、あるいは知識という概念の正しい分析を探し出す試みとして再解釈されてきた。「知識」は「正当化された真なる信念」として定義されうるのではないかという歴史ある見解に対する、ゲティアによる短い、だが大いに影響力を振るった攻撃が一九六三年に発表さ

れて以来、知識という概念を分析する企てはそれなりに繁盛しているひとつの業界へと成長していった。(2)

認識論において巨大な姿を現している第三のプロジェクトは、懐疑論者たち——歴史上実在した、ないしはより多くの場合は架空の人物であるが——の論証、すなわち、われわれが知識、確実性、あるいはなにか他の認識論的に価値あるなんらかの財産を持っているということを否定し、しばしばそれに続けて、知識や確実性などが実は手に入れられないのだと主張するような論証に対する、うまい反論を発明するというものであった。このように論ずる懐疑論者を論駁することは、デカルトからG・E・ムーア、さらに現在に至るまで、認識論における不変のモチーフであり続けている。(3)

明らかに、これら三つのプロジェクトはさまざまな仕方で関連している。懐疑論者に答えるにあたっての自然な最初のステップは、知識ないし確実性の分析を展開することであろう。そうすることでわれわれは、懐疑論者の主張においてわれわれが持っていない、あるいは持つことができないとされるものが正確にはなんであるのかを、明確にできる。さらに、知識とはなにかを述べようとする際、認識論の理論家はしばしば、うまい推論や良い探究の戦略についてなんらかの説明を与える必要がある、と考えるだろう。というのも、ある特定の信念が知識の具体例とされるかどうかは、その信念が適切な方法で到達されたかどうかに部分的には依存するとしばしば述べられるからだ。

わたし自身の関心はこれら三つのプロジェクトに等しく向けられているわけではない。それどころか、わたしの覚えている限り、後のふたつのプロジェクトは哲学における幾分退屈な分野だと考えていた。学部学生に「知識の分析」に関わる分野の研究を教える機会が少しあったのだが、その際、学生の多くは、痛々しいほど明らかに、そのプロジェクトを真剣に受け止めるのに苦労していた。まだましな学生は、「Sがpと知っているのは——のときまたそのときに限る」の空欄を埋めることを楽しめる程度には賢明だった。彼らは、その分野の研究がますます奇妙な範例で埋め尽くされていくことを理解できたし、ときには自分で新たな反例を作り出しもした。とはいえ、彼らはどうしても、誰であれなぜこんなことに興味を持つのか、納得することができなかった。いい大人がこんな単なる頭の体操にふけっていて、なおかつそれが重要だと考えていることに、学生は驚きを隠せない様子だった——そして、他のひとたちがそういったことをなしている人々に給料を払っているというのは、さらなる驚きの源だったのだ！　わたしが本心では自分の学生に賛成だったので、この種の不満はますます増幅された。ヒュームやカントの伝統を受け継ぐ賢明な哲学者たちが、奇怪な反例、たとえばひとが奇妙な仕方でフォードのオーナーになりそびれるという反例や、映画のセットのような偽の納屋だらけの奇怪な土地にまつわる反例といったものを考え出すことに自身の時間を費やすという事態に陥っているのを見ると、確かに、どこかでなにかがとてもおかしくなったのではないかと思わざるをえないのである。[4] しかし、正確になにが誤っていたのかについては、その当時のわたしには述べることができなかった。本書で展開される論証は、知識やそれ以外の認識論的な考えについての分析からは遠く離れた関心から始まるけれども、わたしは自分の立場が発展するにつれて次第に、なぜ認識論の用語を分析するというプロジェクトが非常に間違っているように思われたのかが、徐々に明確にわかり始めた。このことについては、本章の少し後のほうでさらに述べることにしよう。だが「分析哲学的認識論［analytic epistemology］」を批判するための完全な説明は第四章で詳述されることにな

るだろう。(5)

これまで告白してきたように、わたしは、およそ覚えている限りでは、認識論的な考えを分析するというプロジェクトについて、言葉ではっきりと表現できないものの、深い不信感を抱いていた。また、認識論的な懐疑論者への反論を工夫するという試みについても、似たような疑念を長いあいだ心に抱いていた。分析を行うプロジェクトの誤っている点だと自分が考えていたところが明確になるにつれて、懐疑論者への応答が時間の浪費であるように思われる理由についてもまた明確になっていった。この主題については1―4―1―1で詳しく述べることにしよう。

本書へと結実することになった研究に着手する以前、先の認識論のプロジェクトのリストに挙がっていた残りの項目――推論と探究の戦略の評価――に対するわたしの態度は、はるかにありきたりで、穏当なものだった。その分野の研究でわたしの知っていた部分は、知識の分析についての研究よりははるかに興味深く、また懐疑論者への応答の試みよりもはるかに説得力のあるものだと思われた。さらに、争点そのものが、科学の営みと、日常生活での認識活動を統御することの双方に対して、現実的で実践的な含意を持った重要なものであるように、わたしには思われた。とはいえ、わたし自身の哲学的関心はずっと言語哲学と心理学の哲学に向けられており、こういった認識論の領域はそういう分野の問題関心にまったく無関係であるように思われていたのである。

1―2　つながりを見出すこと――推論の心理学、探究の評価、志向的内容の分析

こういった領域が以前に考えていたよりも密接に関連しているらしいとわかりだしたのは、いまから一〇年ほど前に、わたしの友人でありかつての同僚でもあったリチャード・ニスベットが、興味深い問題をわたしに提示した頃だった。ニスベットの問題を説明するためには、少し脇に逸れていくらか問題の背景を補う必要があるだろう。

1—2—1　推論を経験的に研究すること

ニスベットは、他の幾人かの実験社会心理学者と一緒に次のことを調査した。通常の観察対象（実際のところは学部学生）は、なんらあせる必要のない環境でごく日常的な問題に直面した場合に、どのようにして推論に取りかかるのか。彼らの発見は、ひとをワクワクさせ、またかなり当惑させるものでもあった。彼らの観察対象は、かなり頭がいいにもかかわらず、多くの種類の問題に対して、きわめて下手に推論してしまい、また、それは多かれ少なかれ予測可能な仕方でなされるように思われたのだ。実際、いくつかの領域では、その推論が著しくまずいものであったために、ニスベットと彼の同僚たちは、自分たちの研究の持つ含意を「荒涼たるもの」と記述せざるをえないほどだった(6)。こういった研究の多くは、以後よく知られるようになってきており、入手可能な優れたサーベイもいくつかある(7)。しかし、こういった発見の持つ含意は以下のページで幾度も出てくる主題なので、その分野の研究をよく知らないかもしれない読者のために、いくつかの事例を紹介するのがもっとも良いであろう。すでにご存知のかたは、1—2—2へ進んでもらって構わない。

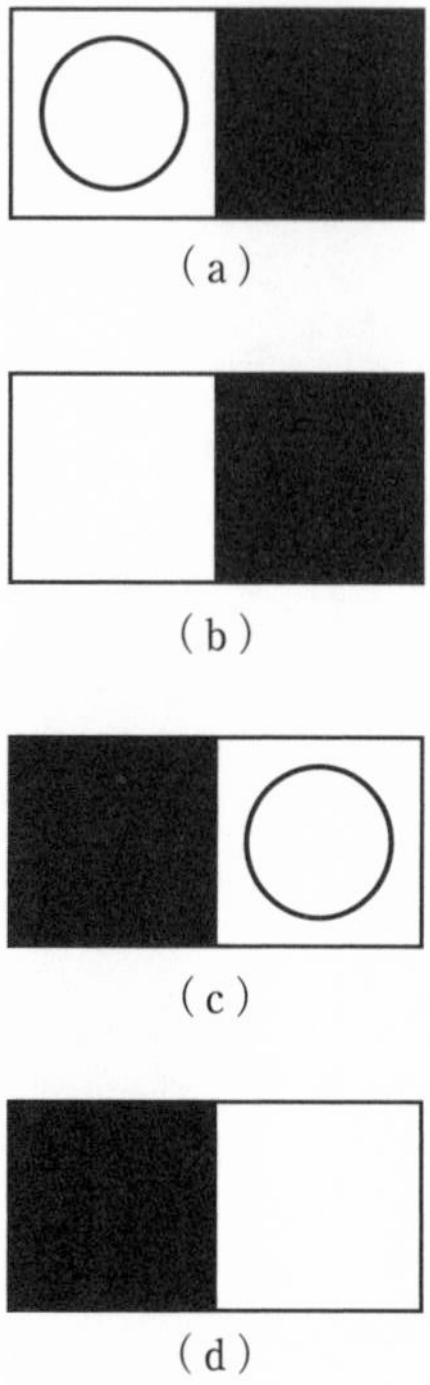

図1

1―2―1―1　選択問題　一見推論の失敗のように思える事例で、もっとも研究が進んでいるもののひとつは、ウェイソンとジョンソン＝レアードによって初めて研究された、いわゆる選択問題である(8)。典型的な選択問題の実験では、観察対象は図1にあるような四枚のカードを提示される。各々のカードの半分が隠されており、観察対象はそこで次の指示を与えられる。

次の問題にはっきりとした答えを与えるために、これらのカードの隠された部分のうちのどれを見る必要があるかを決めるのが、あなたの課題です。問題：**これらのカードにとって、左側に円があるなら右側にも円があるというのは正しいでしょうか。**

選択のチャンスは一度きりです。カードをひとつずつ調べることができると考えてはいけません。絶対に見る必要のあるカードを挙げてください。

ウェイソンとジョンソン＝レアードの発見によると、とても知的なひとを含む観察対象において、この問題の出来は典型的には非常に悪いものだった。ある一二八人の大学生からなるグループでは、正しい解答を与えたのは五人だけだった。さらに、その誤りはランダムに分布してはいないこともわかっている。もっともよくある誤答はふたつあり、それは(a)と(c)の両方を見なくてはならないというものと、(a)だけを見ればよいというものだ。つまり、観察対象は(d)をなぜ取り上げなくてはならないかがとりわけ理解しがたいと考えるのである。ウェイソンとジョンソン＝レアードが初めて選択問題を研究して以来、多くのさらなる研究がなされてきた。それらは、上の実験と関連しているがいくつかの点で異なる課題に目を向けるものだった。そういった研究のいくつかが示してきたところでは、たとえ上の問題と似たような構造を持っていたとしても、問題の主題がより現実的であったり、観察対象により馴染み深いものであったりする場合は、あるいは、あれやこれやの既存の推論のやりかたにフィットしうるものである場合には、観察対象はその問題をはるかにうまくこなすのである。これらの結果は、この種の推論の深層にある認識メカニズムを理解しようとする理論家に対して、豊かなデータベースを与えてきた。とはいえ、そのメカニズムがどのようなものなのかについては、現在のところまったくコンセンサスがとられていない(9)。

1—2—1—2　連言の誤り　推論の規範的な基準から見かけ上逸脱しているような事例を暴く研究の第二の事例は、次のことに焦点を当てる。論理的に複合的な出来事ないし事態の確率を、人々はどのようにしてはかるのか。複合的な出来事ないし事態の確率は、その構成要素となっている出来事ないし事態の確率よりも小さいか、それに等しくなくてはならない。このことは確率論のイロハである。構成要素が確率論的に独立なものだとすると、それらを複合したものの確率は、その構成要素の確率の積に等しい。その構成要素が確率論的に独立したものでないとすると、事態はより複雑になる。とはいえ、いかなる場合であれ、複合したものの確率はどの構成要素の確率よりも大きくなることはないだろう。しかし、人々がこういった確率論的推論の基本的なルールに常習的に違反し、いわゆる「連言の誤り」に陥ることを示す、いくつかの実験がある。

そういった実験のひとつで、トヴェルスキーとカーネマンは、次のようないくつかの問題を観察対象に示した。(10)

リンダは三一歳で独身、言いたいことを言うような、とても頭がいいひとです。彼女は哲学を専攻していました。彼女は学生のころ、差別と社会正義に関わる問題にとても関心を持っており、また反核運動に参加していました。

次の言明をその確率にもとづいてランクづけしてください。もっともありそうなものには一を、もっともありそうにないものには八を使用してください。

(i)リンダは小学校の教師だ。
(ii)リンダは本屋で働いていて、ヨガの授業を受けている。
(iii)リンダはフェミニズム運動に熱心だ。
(iv)リンダは精神障害者のためのソーシャルワーカーだ。

(v)リンダは女性有権者連盟のメンバーだ。
(vi)リンダは銀行の出納係だ。
(vii)リンダは保険のセールスパーソンだ。
(viii)リンダは銀行の出納係で、フェミニズム運動に熱心だ。

この実験で、観察対象の八九パーセントが(viii)を(vi)よりもありそうなものとしてランクづけた。さらに、この結果は問題を少々変えても変化しなかった。たとえば、(vi)が実際には

リンダは銀行の出納係で、フェミニズム運動に熱心ではない。

を意味するものと観察対象が暗黙のうちに受け取っているかもしれないと懸念して、トヴェルスキーとカーネマンは(vi)を

(vi′)リンダは、フェミニズム運動に熱心かどうかにかかわらず銀行の出納係だ。

に置き換えて、第二の観察対象の集まりにその新たな素材を試してみたが、その結果は本質的に同じものだったのである。さらにまた、観察対象がそれ以外の選択肢のために混乱してしまい、(vi)と(viii)の関係に注目しそこなったという可能性も残っている。この可能性を排除するために、一四二人の観察

対象に対して、もとの問題から(vi)と(viii)以外の選択肢をすべてなくしたものを与えて、残った(vi)と(viii)のどちらがよりありそうかを示すよう求めたが、八五パーセントは、連言である(viii)のほうがその連言肢(vi)よりもありそうだと述べたのである。

1―2―1―3　擬似診断性　われわれはある病気を治療する際の新薬の効果に関心があり、その病気に苦しむ患者でその新薬を服用してきた者の七九パーセントが一ヶ月以内に完全に回復したという証拠を持っているとしよう。その薬の効果についてわれわれはどのような結論を下すべきだろうか。もちろんその答えは、いまだ十分な情報がわれわれにはないというものだ。というのも、われわれは、病気がひとりでに治る割合――その薬を服用してこなかった人々の回復の割合――も知らなくてはならないからだ。そういった情報がないと、その薬が回復を促進しているのか阻んでいるのかを見分けることはできない。しかし、人々がこういった事例において、考慮されるべき基礎的な比率についての情報をまったく持っていないときでさえ、実際に結論を下してしまうことを示す、いくつかの研究がある。[11] さらに、ひとつのめざましい研究において、ドハティ、ミナット、トウィニー、シアーヴォは次のことを示した。観察対象は、情勢診断に有効な基礎的な比率についての情報が容易に利用できるときでさえ、その情報を参照しようとしないのである。[12]

これらの研究者は、ある考古学の出土品がコーラル島から出土されたものか、それともシェル島から出土されたものかを判定する課題を観察対象に与えた。その出土品は陶製の壺で、観察対象にはその壺の特徴についてのリスト（滑らかな表面かざらざらした表面か、曲がった取っ手かまっすぐの取っ手か）が与えられた。また、それ以外の多くの二者択一的な特徴についても同じように与えられた。その次に観察対象にはあるブックレットが与えられた。観察対象はそのブックレットから、そのふたつの島で作られていた壺の種類について、いくらかのデータを得ることができた。そのデータは、次の図のような仕方で与えられていたが、パーセンテージの組は図のように不透明なシールで隠されていた。

	コーラル島	シェル島
曲がった取っ手 まっすぐの取っ手	21% 79%	87% 13%
滑らかな表面 ざらざらした表面	19% 81%	91% 9%
・ ・ ・	・ ・ ・	・ ・ ・

そのブックレットのひとつのページには、全部で一二枚のシールがあり、観察対象は、必要とするデータを得るために、そのうちのどれであれ六枚を剝がすことが許された。もっとも役立つ、言い換えると「情勢診断に有効な」情報は、観察対象がある一定の横並びの列の両方のシールを取り除いた場合にのみ集められるであろう。それゆえ最適な戦略は、一列をなしているペアを三つ選択することであろう。しかしながら、一二一人の観察対象のうち一一人しか三つのペアのシールを剝がさなかった。九人がふたつのペアを剝がし、三〇人がひとつのペアを剝がした。残りの七一人の観察対象（すなわち五九パーセント）はシールをペアのかたちではまったく剝がさなかった。それゆえ、観察対象の大多数は、その壺がどちらの島から出土したかについての信念を、情勢判断に有効でない、いわば「擬似診断的」な情報に基づいて形成したのである。観察対象は、自分にとってもっとも有用だっ

たはずの情報を、容易に利用できたにもかかわらず、求めないことを選択したことになる。

こういった結果はかなり不自然な実験のフォーマットによって人工的に作られたものだと幾分考えたくなるかもしれない。しかしながら、ニスベットとロスが指摘するように、こういった実験の観察対象に見出せる論理は、「十分な教育を受けてこなかった人々が神に祈りが通じるかどうかを論じる際に示す論理にどうも似ているように思われる。彼らはこう推論するのだ。神に祈りは通じる。わたしは何度も神になにがしかのことを求めてきて、神はそれをわたしに与えてきたのだから、と」。[13]

1―2―1―4　信念の残存　見かけ上の不合理性を明らかにしてきたリサーチプログラムの最後の事例は、ロスと彼の同僚による研究であり、それは、人々は自身の信念を支える証拠がもはや受け容れられなくなったときにその信念をどのように修正するのか、という問題に取り組んだものである。[14]この研究で使用される実験の戦略のひとつは、いわゆる事後説明モデル［訳注：実験後にその目的や理由を明かすこと］だ。そこでは、まったくあてにならないと後にわかるような証拠が観察対象に与えられる。しかし観察対象は、事後説明を受けて、自分がどうだまされてきたかを明確に教えられるにもかかわらず、そのあてにならない証拠に基づいて自分が形成した信念を、かなりの程度まで保持する傾向があるのだ。

そういった実験のひとつでは、本当の自殺の遺書と偽の遺書を区別せよという課題が観察対象に与えられた。その遺書のうちのいくつかは警察によって発見されたものであり、それ以外のものは学生が学習の一環として書いたものだ、というように観察対象には教えられた。その課題に取り組んだ後、観察対象には、そのひとの出来が全体として平均レベルに近いことを示す偽のフィードバックが、(別の観察対象のグループに対しては)平均レベルよりはるかに高いことを示す偽のフィードバックが、(第三の観察対象のグループに対しては)平均レベルよりもはるかに下であることを示す偽のフィードバックが与えられた。続けて、観察対象の各々に事後説明がなされ、そのフィードバックが本当はあらかじめ決定されていたことがはっきりと説明された。観察対象には、そのひとのフィードバックが嘘だったと語られただけでなく、実験の手引きも示された。その手引きには、観察対象を、成功と失敗と平均のグループに分けることや、観察対象に与えられたフィードバックの詳細も書いてあった。その後、まったく異なる目的のために、と偽られて、観察対象は次のアンケートを埋めるよう求められた。そのアンケートは、自分のやった遺書の課題での実際の出来を見積もり、自分が同様の課題でどれほどうまくやれるかを予測し、遺書の識別やそれと似た課題に対する自分の能力を評価するよう求めるものだった。そこで次のような目覚しい発見が与えられた。すなわち、事後説明が終わったあとでさえ、最初に成功グループに割り当てられた観察対象は、自分の出来や能力を、平均グループにある観察対象がそうするよりもはるかに都合よくランクづけし続けた。そして当初失敗のグループに割り当てられた観察対象は、逆のパターンの結果を示したのである。ここでふたたび、さらなる実験が示唆したのは、これらの結果が堅固な現象を反映するということである。その現象は、その実験を主題とする多くの変奏でもはっきりと示されており、実験上の設定から離れたところで行われるものも含まれる。このような現象は「信念の残存」と名づけられてきた。

1―2―2　ニスベットの問題とグッドマンの解決

以上の実験上の発見を念頭においてニスベットがわたしに提起した問題は次のようなものだった。――わたしがこれらの実験結果をさまざまな専門家に示して、普通の人々の推論能力について明白で悲観的な結論を下したとき、人々はさまざまな種類の異議を唱えた。そうした異議のいくつかは、実験のやりかたや「生態学的妥当性」やそれに類似した問題点であり、わたしがどう取り扱うべきかを知っているようなものだ。しかしときには、ある特定の実験である解答を与える観察対象は実際に下手に推論しているのだ、というわたしの主張に異議を唱えるひとがいるだろう。そういった批判者が知りたいのは次のようなことだ。なぜ「このわたし」は、どの推論が良いものでどの推論が悪いものかを述べられるようになったのか。なぜ観察対象の推論が悪いものだと言えて、わたしが彼らがこうすべきであったと考える推論が良いものだと言えるのか。彼らが知りたいのはこのことなのだ。――ニスベットと同様、わたしも当時、下手に推論しているのは実験者ではなく観察対象のほうだと言いたい気がやまやまであった。しかし、なにか特別の理由を示すことができないなら、ニスベットとその批判者たちとのあいだの議論は、どの推論が良いものかについて両者が持つ、単なる直観の違いへと解消されてしまうだろう。では、それ以上のなにができるのだろうか、とニスベットは問うた。観察対象が下手に推論しているということは、どのようにして示されうるのであろうか。

ニスベットがそういった問題を初めてわたしに提起したとき、わたしにはその答えがわかっているように思われた。わたしは、学部学生としてネルソン・グッドマンの教えを受けていたため、推論と推論規則がいかに正当化されるべきかという疑問に対する、エレガントで強力な、そしてきわめて説得力のある解答だと理解していたものに鍛えられていたのだ。グッドマンが論じたところでは、その方法とは、ある相互調整のプロセスを経由することであり、そのプロセスを経て、特定の推論に関する判断と、推論規則に関する判断が、お互いに調和することになる。[15] 推論規則の正当化はこのようにして到達された調和に存する。ところが、ニスベットの問題への解決としてグッドマンのプロセスを提案した途端、推論の正当化についてのこのきわめて影響力のある説明がまったく正しいとは言えないことが明らかになった。つまり、どこかに欠陥があるはずなのだ。というのも、字義通りに読むと、推論が正当化されるとはどういうことかについてのグッドマンによる説明は、現実の推論の習慣に関する経験的データを自然なかたちで敷衍したものへと当てはめると、いくつかのとても奇妙な推論が正当化されてしまうように思われるからだ。当時のわたしには、そういった欠点が重要なものだとは思えなかった。必要なのは、推論の正当化についてのグッドマンの図式をいくらか微調整することだけだと思われたのである。そしてニスベットとわたしは、二～三ヶ月議論を重ねた後で、そういった微調整がどのようになされるべきかが、自分たちにはわかっていると思うようにすらなった。そこでわれわれは Stich and Nisbett（1980）において自分たちの提案を発表したのである。

その論文が公になる前にすでに、わたしは自分たちの微調整が、なんらかのさらなる微調整を必要とするだろう、と認めざるをえなくなってしまっていた。というのも、グッドマンの説明と同様に、われわれの説明もまた、いくつかのとても奇妙な、直観に反する帰結を抱いてしまっていたからだ。さらなる不適切なポイントが、コニーとフェルドマンによって、われわれの論文を批判する際に指摘された。[16] しかし、あともう少し努力し、もう少し考えてみることで、グッドマンの説明を救済する手立てが見つかり、明らかに正当化されえないと思われる推論を正当化してしまうことはなくなるだろう、と確信する理由がわたしにはあった。実際わたしは、グッドマンの説明を救済する方法があるはずだということを説明するような論証を自分は持っているのだと、思い込んですらいたのである（それはわたしが4―4で「ネオ・グッドマン流」とした論証である）。わたしの試みが成功しないのは、わたし自身の知的な才能の乏しさ以外の、なにかある別の問題点が潜んでいることのしるしではないか、と疑うようになるまで、約四年のあいだ、わたしは断続的に論証を試み、首尾一貫して失敗してきた。ただ、このように言うと、わたしの実際の歩みよりも先走って語ってしまうことになる。というのも、グッドマンを主題とする変奏で直観に反する帰結を避けるようなものをいくつか捜し求める一方で、わたしはそれとは別にいくつかのよりホットな話題に取り組んでいたからだ。

1―2―3　うまい推論と志向的内容――下手な推論は不可能だというデイヴィドソン／デネット論証

トヴェルスキー、カーネマン、ロス、ニスベットといった心理学者たちが収集した人間の推論に関するデータ。および、これらの研究者たちが、しばしば疑問視される日常的な推論のクオリティについてのデータから引き出したいと思っていた結論。それらをより良く理解するにつれて、わたしはこう考え始めた。そういった結論は、ドナルド・デイヴィドソンの大いに議論を呼んだ言語哲学の理論のある側面や、ダニエル・デネットが心の哲学において展開したいくつかのそれによく似た考え――その当時、多くの注目を浴びていた考え――と、まったく折り合わないのではないか、と。デイヴィドソンとデネットは、どちらもクワインに刺激を受けて、あるひとの発話や、そのひとがおそらく表現しているものと思われる心的状態の解釈にわれわれがどのようにして取り組むか、あるいは、そういったものにどのようにして「志向的内容」を付与するか、ということについての説明を与えていた。双方の説明とも、さまざまな仕方で異なってはいるが、志向的解釈の前提条件として高度の合理性を要求するという点では同じである。人々の信念はほとんど真でなくてはならず、彼らが下す推論は多くの場合正しいか、あるいは規範に則っているという意味で適切なはずだ。そして、もしそうでないとすれば、彼らの音声の出力になんらかの解釈を割り当てたり、彼らの心的状態になんらかの内容を帰せしめたりすることは不可能だろう、とデイヴィドソンとデネットは主張する。しかし、いかなる解釈も許さないような音声出力は言語ではないし、内容を持たない心的状態は信念や思考ではありえない。したがって、規則的な、そしてどうしようもなく不合理な推論というのは、概念上不可能なのである。そもそも、推論とは信念を生成ないし変形するプロセスである。そして、高度の合理性と真理がなければ、いかなる信念も存在しえないし、したがって、信念がなければ、いかなる推論も存在しえない。それゆえ、合理的な、あるいは規範的に見て適切な事柄からどうしようもなく規則的に逸脱するような仕方で人々が推論していると想定することは、端的に言ってつじつまが合わないのである。デイヴィドソンとデネットが正しいとすれば、人間の推論における広範な不合理性を示す証拠を持っている、と主張する心理学者は間違っているに違いない。そういった結論は概念上つじつまが合わないのだから、およそいかなる証拠もそういった結論を支持することはそもそもできないのである。

このタイプの主張には、わたしは一度も共感を抱いたことがない。哲学はその長い歴史において、科学に対してアプリオリな通告を発し、なにが事実でなくてはならず、なにがおよそ事実でありえないかということを天下り式に定めようとしてきた。だが、そういったアプリオリな命令は惨憺たる結果に終わってきた。カントには悪いが、空間はユークリッド的なものではないし、物理法則はニュートン的なものでもない。ヘーゲルには悪いが、惑星の数は九つであって、七つではないのである。とはいえ、規則的な欠陥を示す推論の可能性を否定するアプリオリな論証に対するわたしの不信の根底には、科学に制限を加えようとする哲学の試みについての一般的な懐疑論以上のものが横たわっていた。というのも、デイヴィドソンとデネットが展開した理論と、さまざまな心理学者たちによって擁護された広範囲にわたる人間の不合理性についてのテーゼとのあいだの対立を初めて目にしたとき、わたしは、志向的解釈、言い換えると「内容の帰属」についての自身の説明を、詳細に作り上げつつあったからだ。[17]

合理性と内容とのあいだには実際にある種の結びつきがあり、合理性からの著しい逸脱は内容の帰属を困難あるいは不可能なものとする。この点でわたしの説明はデイヴィドソンやデネットと一致するものだった。さらに、デネットやデイヴィドソンの説明と異なり、内容の帰属についてのわたしの説明は、なぜ内容とうまい推論が結びつけられるのかを明確にしようとするものだ。つまり、それは、その結びつきについての説明を提供するのである。しかし、わたしにはこう思われた。内容の帰属についてのわたしの説明が妥当なものであり、また、合理性と内容とのあいだの結びつきについてのわたしの説明が大雑把にいってさえ正しいものだとすれば、それはデイヴィドソン／デネット論証の結論を損なうことになるであろう、と。というのも、わたしの説明から帰結するところによると、なんの問題もなく内容を与えることができる心的状態と、ほとんどないしまったく内容を帰せしめることのできない心的状態とのあいだの区別は、理論的な関心をまったく引かないような区別なのである。それは、いかなる重要な心理学上の境界も指し示すことのない区別であり、一般性を欠き、観察者に相対的であり、文脈の影響を受けやすいものなのだ。

このことが正しいとすれば、デイヴィドソン／デネット論証が打ち立てうる不可能性は、端的に言って、不安に思うに及ばないものとなる。というのも、せいぜいのところ、そういった論証が示すのは、規則的に不合理な人々は決して「本当の」推論を行うことはできず、ただ「推論に類似した」心的プロセスを行うにすぎない、ということだけだからだ。こういったプロセスは、語の本来の意味でそう呼ばれるところの推論とはみなされない。というのも、そういったプロセスは、志向的に記述することができないがために「本当の」信念とはみなされないような心的状態を生成、変形するからだ。とはいえ、わたしが主張するように、「本当の」信念と志向的に特徴づけることのできない「信念に類似した」心的状態とのあいだの区別が曖昧で一般性を欠くものであり、いかなる重要な心理学上の境界をも示さないようなものだとすれば、同じことが、「本当の」推論と無数の「推論に類似した」プロセスとのあいだの区別にもあてはまることになる。そして、どうしようもなく不合理な人々が本当の推論とは異なった仕方で推論のようなことを行っていたとしても、その本当の推論と推論のようなこととの違いが心理学的にはほとんど意味のないものだとすると、そのような人々が厳密な意味での推論をまったく行っていなかったとしても、それは不安に思うようなことではないのである。

以上のことを詳細に擁護するのに取り組むことは、内容の帰属についてのわたしの説明が展開された著作を書き上げた後の、わたしの最初の主要なプロジェクトだった。その研究の多くは、スタンフォード行動科学高等研究センターにおいてなされた。センターはわたしに、一年にわたる教育および大学運営の義務の免除と、サンフランシスコ湾の素晴らしい眺めを一望できる壁一面の窓を備えた研究室を与えてくれた。そのどちらに対しても、わたしはいまなお深い感謝の念を抱いている。[18] 合理性、内容、デイヴィドソン／デネット論証、といったものについてのわたしの見解を擁護する最初の試みは Stich (1984a) において発表された。もっともわたしはそれ以降、その論文の幾つかの部分が満足いくものではないと考えるようになったのだが。本書の第二章は、その題材の改訂された——そして願わくは改良されたものであってほしい——バージョンである。

1―2―4　認識論的多元主義の種類

わたしは、その論文の最初のバージョンに取り掛かりつつ、最終的には本書のかなりラディカルなテーゼのひとつとなる主張のアウトラインに、ぼんやりとではあるが目を向け始めていた。そのテーゼを説明するために、一組の主張を導入することにしよう。そのいずれも、認識論的多元主義ともっともらしく名づけられうるものだ。それらを互いに区別するために、一方を記述的な認識論的多元主義、他方を規範的な認識論的多元主義、と呼ぶことにしよう。[19] 記述的なほうの主張は、社会科学者や、より最近では科学史家によって大い議論されてきたものだ。その主張によると、認識——信念やそれ以外の認識状態の形成や改訂——に取り組む仕方はひとによってかなり異なる、とされる。たとえば、いわゆる「未開の」、言い換えると無文字社会の人々は、近代西洋の科学的教育を受けた人々とはまったく異なる仕方で思考ないし推論すると、しばしば論じられてきた。[20] より身近な例としては、われわれ自身の社会においても、認識上の問題を解決する仕方は個人ごとに——深層にある認識プロセスの相違をも示すような仕方で——著しく異なると言われてきた。[21] こういった主張は経験的な主張——つまり、さまざまな種類の観察、実験、歴史的研究によって支持されうる主張——である、あるいは少なくともそのように見える。さて、認識に関する記述的多元主義の反対は記述的一元主義、すなわち、すべての人々はほとんど同じ認識プロセスを用いている、というテーゼである。明らかに、記述的一元主義と記述的多元主義とのあいだの区別は確固としたものではなく、程度の差とみなすのがもっとも良いだろう。たとえば、人々が、その推論のスピードと鋭さにおいて、ある程度まで、互いに異なっている、ということを否定するひとはいないし、認識上の問題を解決しようとする際に最初に試みられる戦略はひとごとに異なる、ということが否定されることもないだろう。しかしこういったことが、人々のあいだに見出される唯一の種類の認識上の相違であるとすれば、記述的な一元主義は妥当なものとされるだろう。他方で、人々や文化が異なれば、使用される「心理学的論理」もラディカルに異なるとか、認識状態の改訂や更新は実質的に大きく異なる原理によって制御されている、といったことがもし判明するとすれば、多元主義は堅固な足がかりをつかむことになるだろう。その相違がラディカルなものであればあるほど、われわれは記述的一元主義と記述的多元主義のあいだに横たわる連続的なスペクトルの、多元主義の極のほうへとよりいっそう近づいていくことになるだろう。

規範的な認識論的多元主義は、人々が実際に使用している認識プロセスについての主張ではない。むしろそれは、良い認識プロセス——人々が使用すべき認識プロセス——についての主張である。その主張によると、人々が使用すべき認識プロセスのシステムがただひとつだけ存在するということなどない。というのも、お互いに大いに異なるさまざまな認識プロセスのシステムがどれも同じように良いものかもしれないからだ。規範的多元主義と規範的一元主義とのあいだの区別は、それと軌を同じくする記述的な考えに対して下される区別と同様に、程度問題とみなされるのがもっとも良い。つまり、スペクトルの一元主義の側では、規範的に見て正しいとされる認識プロセスのさまざまなシステムのあいだにあるバリエーションはマイナーなものでしかないと主張されるのである。規範的に見て正しいとされるシステムのあいだの相違が実質的なものであればあるほど、われわれはますます多元主義の側に移動していることになる。

社会科学者のあいだでの規範的多元主義に対する支持の多くは、他文化の伝統や慣習に否定的な判断を下すことへのイデオロギー的な抵抗感に加えて、記述的多元主義の発見（あるいはさしあたり発見とされるもの）に起因する。そのことは歴史的に見るとおそらく正しい。とはいえ、規範的多元主義は、社会科学者のあいだでの記述的多元主義に対する唯一の応答というわけでは確かになかった。規範的なレベルでの一元主義を主張し、前近代的な民族の推論は、「原始的」「前論理的」あるいはそうでなければ規範的に低水準のものだと結論づけることで、前近代的な人々のあいだに見られる奇妙な推論パターンの発見とされているものに応答する学者も大勢いた[22]。現代の社会科学者のあいだでよ り広まっているのが規範的一元主義なのか、それとも規範的多元主義なのか、わたしには見当がつかない。しかし、哲学者のあいだでは、それが過去の歴史上の哲学者であれ現代の哲学者であれ、規範的な認識論的多元主義が少数派の見解にすぎないというのは、きわめて明らかだ。推論に取り組むにあたっての良い方法なるものはひとつしかないか、あるいはせいぜい互いに似通ったごく一握りの方法しかない、というのが支配的な哲学的見解なのである。うまい推論とは、哲学者が典型的に主張するところでは、合理的な推論である。そして、多くの哲学者の見解では、重大な仕方で相異なり、かつそのどれもが合理的であるような、互いに並び立たない推論システムが存在するなどというのは、端的に言って事実に反するのである。

ニスベットの疑問に答えて、認識論的な価値にまつわる争点について——推論の戦略を良いものとする理由はなにかということについて——真剣に考え始めたころ、わたしは、一般に広まっている先入観に躊躇なく同意しており、規範的一元主義が正しいと想定していた。規範的多元主義のほうが良い見解ではないかと考えだしたのは、一元主義的な規範的説明を繰り返し試み、そして繰り返し失敗したからにすぎない。わたしが擁護するようになった認識論的長所についての説明は、はなはだしく多元主義的なものだ。さらにそれは相対主義的なものでもある。というのもそれは、ひとが異なれば規範的に見て適切な推論システムもまた異なりうるということを含意するからだ。長いあいだ、わたしはそういった見解を持つことにかなり戸惑ってきた。というのも、そういった見解によってわたしが手をたずさえることになる哲学者はきわめて少数であり、わたしがその仕事ぶりをとても尊敬している哲学者のなかでは、さらに数えるほどしかいなかったからだ。残念なことに、わたしの盟友たる相対主義者たちの著作は、総じて、かなり曖昧でみすぼらしいものだった。とはいえ、支離滅裂に陥ることなく認識的相対主義者であることは可能だ、とわたしは確信している。これはわたしにとってうれしいことである。というのも、わたしの論証はそこへと至ることになるからだ。[23]

先に述べたように、わたしは当初、不合理であることの不可能性を示すデイヴィドソン／デネット論証に対していかなる態度をとるべきか、という仕事に取り掛かりながらも、認識論的多元主義についての危惧を抱き始めていた。[24] ここでしばらくのあいだ、それらの争点がどのように絡み合っているかを指摘することにしよう。規範的な認識論的一元主義が正しい――認識上の事柄において、良きものは多くあるのではなくひとつである――としよう。その場合、デイヴィドソン／デネットの方針が擁護可能で、うまい推論からの逸脱が実際には概念上不可能であるとすれば、記述的な認識論的一元主義も同様に正しいことになる。というのも、あらゆる真正の認識システムがおおむね合理的なものでなくてはならず、あらゆる合理的なシステムがある共通のシステムの些細なバリエーションにすぎないとすれば、実際の認識システムは、どれもお互いにとてもよく類似していなくてはならないからだ。このことは、考えてみると、まったくもって驚くべき結果である。というのも、記述的一元主義とその否定、つまり記述的多元主義のどちらも、経験的なテーゼであるように見えるからだ。ところが、記述的一元主義を支持し記述的多元主義に反対する、ここで素描されるような論証は、決して経験的な論証ではないのである。その前提の一方（デイヴィドソン／デネットテーゼ）は概念的な主張だと称し、もう一方は規範的な主張なのである。それゆえ、その論証が機能するとすれば、わたしの想定するところでは、見た目とは逆に、記述的一元主義と記述的多元主義は本当の意味での経験的なテーゼではない、と結論づける必要があるだろう。これはほとんど、「「オルタナティブな」概念枠というまさにその考え」を批判する論証においてデイヴィドソンが主張していた見解であり、彼の論証は、独特のわかりにくさを持ってはいるが、わたしが素描したものといくつかの論点を共有しているように思われる。[25] しかしながら、わたしは、これまで素描されてきた論証に共感を抱いておらず、この後、その前提の双方が誤りであると論じることになるだろう。デイヴィドソン／デネットテーゼを批判する議論は第二章で展開される。また、ある意味では、本書全体で規範的一元主義を批判する論証が繰り広げられることになるのだが、その問題は第六章で中心的に取り上げられる。

不合理性に関する経験的な研究は、人間の認識に対する驚くべき、そして当惑させるような洞察を産み出してきたし、またいまも産み出し続けているが、デイヴィドソン／デネットテーゼはそういった研究を損なってしまうのではないか。これが、合理性が認識の前提条件だとするデイヴィドソン／デネットテーゼにわたしが関心を持った最初の動機だった。第二の関心は、本書の研究が進むにつれて徐々に重要になっていったものであるが、もしそのテーゼが真だとすれば、推論や探究の戦略を評価するというプロジェクトが切迫した課題ではなくなってしまう、というものだった。この分野の認識論の研究が持つ興味と活力は、かなりの程度まで、それが取り組んでいる実践上の不安に由来している。たとえば、目の前にいる人々は下手に推論しており、そういった下手な推論は間違った理論を生じさせており、その多くが人々の生活に厄介な帰結をもたらしている、というように。ところが、デイヴィドソンとデネットが正しいとすれば、こういった懸念は誇張されたものにすぎない。認識が下手になされることなどありえないのである。おそらく、普通の（あるいは陪審員席に座っている、あるいは議会にいる）人々の推論は、規範的に見て非の打ち所がまったくないわけではないが、彼らは規範上の理念から重大な仕方で逸脱しているのではないかと不安を覚える必要はない。こういったパングロス氏［訳注：ヴォルテールの小説の登場人物で、世界のあらゆる事物は最善であるからこそ存在していると主張する］的な主張は、探求の規範的な評価を、かなり退屈で衒学的な関心事にしてしまうことになる。われわれは依然として、望むのであれば、うまい推論をうまいものとする理由はなにかを述べようと努め続けることができる。とはいえ、そういったプロジェクトが改革者の熱狂で満たされることはまずありえない。というのも、改革すべきものなどほとんどないということを、われわれは前もって知ってしまっているからだ。

1—2—5　下手な推論は不可能だという進化論的論証

デイヴィドソンとデネットが示唆するような概念的論証は、人間の認識についてのパングロス氏的な楽天主義に至る唯一の道というわけではない。ほとんど同じ結論を支持する別の論証が、デネットや、同様に他の多くの論者によってもほのめかされている。その主張によると、生物学的進化は、あらゆる正常な認識システムが合理的であるか、ほぼ合理的であることを保証する。というのも、規範的基準からあまりに徹底して逸脱した認識システムを持つ生物は、その遺伝子を子孫に伝える機会を持つ前に死滅してしまうという、大変に高いリスクを冒すことになるだろうからだ。進化論的論証が多くの論者によって「ほのめかされている」と述べる際、わたしは言葉をとても慎重に選んでいる。というのも、正式な論証に近いようなものでさえ、その分野の研究のうちに見出すことがまったくできなかったからだ。それゆえわたしは、そういった見解のもっともらしさを検討するために、自分で論証を組み立てることにした。初めて試みられた論証は Stich (1985) のうちに含まれており、そしてそこでわたしはその論証を批判した。その後のバージョンは、アデレードからヘルシンキに至る多くの聴衆の前で試みられた。彼らからの多くの有益な示唆を受けて、わたしは、これまで提供された進化論的論証のなかで一番詳細でもっともらしいバージョンだとわたしが信じているところのものを、第三章においてこしらえた。[26]

その論証はふたつの部分に分かれており、その一方は、進化が、最適にデザインされた認識システムにかなり近いものを持った生物を産み出すと主張し、もう一方は、最適にデザインされた認識システムとは合理的なシステムだと主張する。だが、わたしが第三章で確立しようとするところによると、第二の部分は大変に疑わしい。そして第一の部分はさらにひどいものだ。それは、進化と自然選択についての、深刻だが広く行き渡ってしまっている一群の誤解を用いなければ、軌道に乗り始めることすらできないのである。わたしは、進化論的論証の第一の部分になにか大変な誤りがあるということを長いあいだ認識していたが、その問題が明確になったのは、一九八六年にカリフォルニア大学サンディエゴ校（ＵＣＳＤ）の哲学科に加わった後のことである。わたしはＵＣＳＤで、フィリップ・キッチャーを、同僚として、またこれらの事柄に関する師として持つという、まれな幸運に恵まれた。わたしの進化論的論証批判は、第三章で詳細に論じられることになるが、それはキッチャーの研究を頻繁に取り入れたものであり、彼の良きアドバイスからの恩恵を多大に受けている。

1—2—6　能力、運用、反省的均衡——下手な推論は不可能だというコーエンの論証

デイヴィドソン／デネット論証と進化論的論証の結論は、推論の規範的基準から大幅に逸脱することが不可能であるか、もしくはありそうにない、というものだ。それゆえ、そういった論証は、推論を研究する心理学者によって広く保持されている信念、すなわち、一般人の認識プロセスはかなり改

良されうるであろうという信念に異議を唱えるものだ。しかし、推論についての経験的な研究は、デイヴィドソンやデネット、あるいは、その論証のさまざまなバージョンを唱える他の人々の研究事項の中心をなすものではなかった。それゆえ、そういった論証と、経験心理学上の実験結果の通常の解釈とのあいだの不一致は、おおむね注目されないままだった。[27] しかし、L・J・コーエンからすると、そのような結果は注目に値するものであり、かつパラドキシカルなものでもあった。コーエンが指摘したように、実験の対象となる学部学生の多くは、いずれ指導的な科学者、法律家、公務員になっていくだろう。それゆえコーエンはこう問うたのである。彼らがうまく推論する仕方を知らないとすると、いかにして彼らは人生においてそれほどの成功をおさめることができるのだろうか、と。

コーエンの主張した解答は、その観察対象はうまい推論の仕方を現に知っているのだ、というものだった。[28] 実際、彼の論じたところでは、観察対象がうまい推論の仕方を知らないという考えは明らかにつじつまが合わないのである。コーエンの論証の中心をなすのは、近年の言語学において大きく浮かび上がってきた、能力［competence］と運用［performance］の区別である。言語の領域では、あるひとの能力は、典型的には、そのひとが自分の言語の文法規則について暗黙に持っている知識と同一視される。コーエンの主張によると、推論の領域では、あるひとの能力は、そのひとの「心理学的論理」――彼が推論に取り組む際に用いる規則――についての暗黙の知識と同一視されうる。コーエンの論証において重要な、そしてきわめて見事なステップは、次のことを実証することにある。推論規則が正当化されるとはどういうことかについて、グッドマンの説明のようなものを採用するとしよう。すると、あるひとの推論能力を構成する規則は必ず正当化されることになる。それゆえ、推論の領域では、人々の能力は規範的に見て非の打ち所のないものでなくてはならないのである。4—2でわたしはコーエンの論証の詳細な描写に取り組むつもりだ。しかしわたしが初めてコーエンの論証を耳にしたとき、ニスベットとわたしはすでにこう確信するようになっていた。コーエンの論証が機能するために必要となる、グッドマンのバージョンの規範的説明は、間違いなく退けられる、と。かくして、合理性が避けられないものだとする論証がまたひとつ失敗に終わったのである。

1—3　認識論的評価の理論を求めて——地ならし

わたしはときどき冗談交じりに、第二章や第三章、そしてコーエンを批判するにあたっての自分の努力を、世界を不合理性にとって安全なものにする試みだと述べてきた。もちろんその論点は、不合理性が良いことだとか、下手な推論が促進されるべきだということにあるわけではない。とはいえ、下手な認識を行うことが概念上ないし生物学的に不可能だとすれば、そのことは、推論とその短所を経験的に探究することを無意味にするであろう。また、認識の規範的な理論を明確にしたり擁護したりする試みも、実践上格段重要ではないような、難解なだけの机上の空論となってしまうだろう。不合理であることは不可能だというテーゼが持つ、こういった第二の帰結は、わたしには二重に歓迎されざるものと思われるようになった。というのもわたしは、第二章や第三章に取り組む一方で、かなりの時間と労力を注ぎ込んで、グッドマンの提案を作り直して、うまい推論戦略を下手な推論戦略から区別するための規準として擁護できるものにしようとしていたからだ。

1―3―1　グッドマンのプロジェクトは不可能だと判明するかもしれない

しかしこういった研究はうまくいかなかった。時がたつにつれてわたしは、グッドマンのアイデアのバリエーションを相当量集めてきたし、またそれ以上に、そのいずれもが機能しないことを示す論証も集めることになった。そういったバリエーションのうちのいくつかと、それらを批判する論証は、第四章にまとめられている。

ネオ・グッドマン流の探求をなす意欲がすっかり失われつつあったころ、ふたつの論証方針がわたしの心のうちで形をとり始めた。その第一は、グッドマン流のプロジェクトが不可能だと判明することが大いにありうることを示唆するものだった。少なくとも当初、それはきわめて歓迎されざる結論だと思われた。というのも、認識の規範的な理論を打ち立てるにあたっては、グッドマンのアプローチが入手可能なものとして断然見込みのあるものだと、わたしは長いあいだ考えてきたからだ。しかし、そのどれもがある共通の主題を持っているような一群の考察から、次の結論がもたらされた。グッドマン流のアプローチはいくつかの経験的なテーゼを暗黙のうちに前提しており、その前提の各々が、偽だと判明しかねない幾分深刻なリスクを負っているのである。こういった経験的な前提を見てとるためには、少し脇に逸れて、より広い視点からグッドマンが従事していた課題について理解することが助けとなる。

グッドマンは、ある推論規則のシステムが合理的である、あるいは正当化されているとみなされうるのであれば合格しなくてはならない、そういった手続きないしテストを素描してきた。ニスベットとわたしを含む、他の論者たちは、グッドマンのテストが不適切なものだと論じ、さまざまな修正案を提示してきた。しかし、なにがここで、そういった説明を正しいものにするとみなされるのだろうか。合理性と正しいテストの関係はどのようなものだと想定されていて、ある推論システムがあれやこれやのテストに合格するという事実は、なぜ、そのシステムが合理的であることを示すと想定されるのだろうか。思うに、グッドマン主義者が与えることのできる一番もっともらしい答えはこうだ。[29] 正しいテストは、われわれに見出されるとすれば、合理性についてのわれわれの日常的な概念（あるいは、なにか他の認識論的評価についての常識的な概念）の分析ないし説明であるだろう。そのテスト——それは、われわれが実際に推論システムの利点を評価する際にしたがっている手続きを整理したバージョンであるだろう——は、われわれの合理性概念を明らかにするのだから、合理性にとっての必要十分条件を与えることになる。つまりそれは、そういった概念がどういうものかをわれわれに語ってくれるのである。

ところで、この種の解答を擁護しうるためには、合理性についてのわれわれの常識的な概念が実際に一義的で、多かれ少なかれ整合的なものであり、さらに、必要十分条件の見地からの分析ないし説明を許すように構築されていなくてはならない。また、あるシステムが合理的かどうかを決めるためにわれわれが使用する手続きは、実際にその概念の内容を尽くしていなくてはならない。しかし、こういったことのいずれもアプリオリに安全に想定できることではない。以上の考察から下される結論は、認識論的評価についてのわれわれの常識的な概念には、グッドマンのプロジェクトが求める類の説明を行う余地がないということではない——そう言い切るための十分な証拠はまだまだ手元にはない。そうではなく余地がないかもしれない、ということにすぎない。グッドマン流のプロジェクトが実行できるかどうかは、心理学的な事実に非常に左右される。さらに、第四章で論じられるように、概念の心的表象についてわれわれがわずかながら知っている事柄からすると、楽観主義を支持する理由はほとんど与えられないのである。

1―3―2　分析哲学的認識論の無関係性

こういった不吉な考えは、行動科学高等研究センターで過ごした年のあいだに、具体的なものとなっていった。その年の終わりに、わたしは自分の予感を、シドニー大学の客員教授として一年を過ごすことになっていたオーストラリアへと持っていった。そこでの、古典・近世哲学科の同僚たちと学生たちが持つ、オーストラリア流の胸のすくような因習打破の気風に影響を受けたのだろう、第二の論証方針が明確になっていった。それは、第一の方針よりもラディカルで解放的なものだった。その第二の方針は、グッドマン流のプロジェクトに対する、さらなる別の批判として始まるものだったが、その本当のターゲットははるかに大きいものだということがすぐに明らかになった。その論証が正しいとすれば、それは、ここ四半世紀かそれ以上にわたって英語圏で支配的であり続けた分析哲学的認識論の伝統全体を損なうことになる。認識論的評価についてのわれわれの日常的な概念の分析ないし説明のうちに認識論的評価の規準を求めることが、その伝統の顕著な特徴である。しかし、この第二の論証方針からもたらされる結論のひとつによると、認識プロセスを評価するというプロジェクトを真剣に考えるひとであれば、ほとんど誰にとっても、分析哲学的認識論は見込みのないものとなるだろう。そして、分析的な戦略が周囲にある唯一のものだとすれば、その結論はラディカルであると同時に、落胆させるものともなるであろう。しかし、分析哲学的認識論を損なう論証は、認識論的評価のための戦略として、それとはまったく別の戦略が持つ長所を強調しもするのである。

分析哲学的認識論を批判する論証は、次の考察を出発点とする。記述的な認識論的多元主義が正しいとすれば――推論への取り組みかたがひとごとにかなり著しい仕方で異なり、その方法のうちのいくつかは他の方法よりも実質的に良いものかもしれないとすれば――そういった相違の多くは文化的な違いへと辿ることができそうである。もっとも、遺伝的な要因や、個々の経験における特異な相違もまた、一定の役割を演じるかもしれないが。そういった互いに異なる戦略の評価を試みて、そのうちのどれをわれわれ自身が使用すべきかを決める際、われわれは、さまざまな文化的産物のなかから決定しようとしていることになる。分析哲学的認識論者は、そういった相違する認識プロセスを評価するにあたって、認識論的評価についてのわれわれの直観的な概念を説明し、それから、どの推論プロセスがそういった概念の外延にもっともうまく収まるかを探究しようとする。しかし、こういった認識論的評価についての直観的な概念は、それ自体ローカルな文化的産物である。それゆえ、そういった概念は、それが評価するところの認識プロセスほどには、文化間、個人間でのバリエーションを示さないだろう、と考える理由などない。こういった観点からすると、ある認識プロセスのシステムが、認識論的評価についてのなんらかの日常的な概念の外延に収まるかどうかを、多くの人々が大変に気にかけるのはなぜか――たとえば、自分の推論が合理性についての直観的な概念の境界の内部に収まるかどうかを気にかけるのはなぜか――を見てとるのは難しい。ただしそれはもちろん、そういった諸概念のうちのひとつの外延に収まることが、われわれが気にかける他の何事かと関連しあっている、と考える理由がない場合に限られるが。

確かにここにはいくつかの例外があるかもしれない。あるひとは、われわれの文化的に受け継がれてきた認識論的評価の概念によって正しいとされる認識プロセスを持つことに、内在的な価値を見出すのだ、と考えられないわけではない。ちょうどそれは、あるひとが、自身の民族の伝統的な社会的慣習に固執することに、内在的な価値を見出すかもしれないのと同じことだ。どちらの事例でも、そのひとは、問題の概念や習慣が、人々の活用しうる、あるいは実際に活用している多くの概念や習慣のなかのひとつの集まりにすぎない、ということを認識している。それでもそのひとは自分自身の概念や習慣に高い価値を置いているのであり、またそのひとがそうするのにそれ以上の理由はないのである。つまり、彼は自分の概念や習慣にそれ自体として高い価値を置いているのである。かつてわたしは、明らかにこれがデイヴィッド・ストーヴの採用する立場だと考えていた。彼はシドニーの同僚のなかでもっとも率直な物言いをする人物であり、わたしは彼を、もっとも明敏で保守的な、われわれの時代の文化批判者のひとりだとみなすようになった。しかしストーヴは、これが自分の見解のどうしようもないカリカチュアだと抗議している。読者は Stove (1986) を読んで、自分で判断してほしい。

認識の評価は、われわれの日常的な認識論的評価の概念に埋め込まれた規準で終わらなくてはならない、というウィトゲンシュタイン流の考えに惹かれた論者もいた。しかしこれは確かにナンセンスだ。われわれの認識論的評価の概念と（さらに重要な）われわれの認識プロセスそれ自体のどちらも、道具的に評価されうるのである。つまり、人々が一般に高い価値を実際に置いている事態――自然を予測できたり制御できたりするとか、面白く充実した生活に貢献するといった事態――をどれほどうまくもたらすか、といったことで、それらは評価されうるのである。認識プロセスを心的な道具とみなし、他の種類の道具と同じように評価されうるとする考えは、プラグマティズムの伝統のうちにその起源を有するものだ。わたしは最終的に、グッドマン流の戦略とそれが属する分析的伝統が、認識戦略を評価するというプロジェクトにまったく役立つものでないと確信するようになったが、ひとたびそのような確信をなすと、先の考えはわたしの思考においてかなり中心的な位置を占めるようになった。

1—3—3　真理に対する攻撃

競合する複数の探求戦略から選ぼうとする際の最終的な決定要因として、認識論的評価についてのわれわれの日常的な概念に訴えること――合理性や正当化やその他もろもろに訴えること――を、わたしは退けた。そうする際、わたしは実際には、合理性もしくは正当化が、なにか内在的な、言い換えると究極的な価値を持っている、ということを否定していたことになる。そこで当然問われるべき疑問は次のようなものだった。なにか他に、それ自体に価値があるとみなせるような、われわれの認識活動の特徴で典型的に認識論的と言えるようなものはあるのだろうか。問いがこのような仕方で立てられたとすると、明白な候補があった。すなわち真理である。しかし、最初期の言語哲学における研究以降、わたしは、真理という考えの有用性、実際には理解可能性についてさえも、ある懐疑を心に抱いていた[30]。そして、分析哲学的認識論を批判する論証を洗練する過程で、ほぼそれと軌を同じくする、真理を批判するために繰り広げられる論証があるのではないか、と思い始めた[31]。かくしてわたしはこう考えるようになった。合理的であることも真理を生成することも、認識プロセスが持つべき、それ自体として価値のある特徴だと判明することはないであろう、と。真理の価値についてのそういった議論が支持されうるとすれば、認識の規範的な理論に対して下される自然な結論は、徹底したプラグマティズムとなるであろう。徹底したプラグマティズムとは、あらゆる認識上の価値が道具的である、言い換えるとプラグマティックなものである――内在的なただひとつの認識上の価値など存在しない――と主張する立場である。そしてこれこそが、実のところ、わたしが最終的に擁護するようになった立場である。しかし、どうやらわたしはふたたび、自分の思想遍歴をめぐる物語を先に進めすぎたようだ。そこで、真理をひとつの認識論的な長所として認めることをわたしに退けさせることになった議論のステップを辿りなおすことにしよう。

真理をひとつの認識論的な長所としてまじめに受け取ってはならないという、この驚くべき結論へとわたしを導いた議論の道筋は、次の考察から始まるものだ。それによると、認識論的評価についてのさまざまな考えに対するグッドマン流の分析は、分析哲学的認識論の伝統におけるひとつのアプローチにすぎない。もうひとつのよく研究されてきた考えは次のようなものだ。それによると、ある一定の認識プロセスの集まりの合理性や被正当化性［訳注：それが正当化されるということ］は、そのプロセスが真なる信念を産み出すのに成功したか失敗したかに訴えることで説明されうる、とされる。こういった「信頼主義［reliabilism］」を主題とする変奏は数多くあるが、そのすべてが次のような分析を提供する。すなわち、認識プロセスの規範的地位は、少なくとも部分的には、そのプロセスが真なる信念をどれほどうまく産み出すかによって決まるのである[32]。信頼主義の支持者は、この種の分析が、分析哲学的認識論を批判する議論の結論を鈍らせる、と考えたくなるかもしれない。ある認識プロセスが社会的に伝えられたあれやこれやの認識論的評価の概念によって正しいとされている、という事実だけでは、そのプロセスを支持する理由とはならない。確かにそのことを信頼主義者は認めるかもしれない。しかし、評価概念が信頼主義的な方針に沿って説明されうるのだとすれば、状況はまったく異なることになる。というのも、その場合、その概念の外延に収まるプロセスは、真なる信念を産み出すという立派なことをしていることになるからだ。そしてほとんどの人々にとって、真なる信念を持つことは現にそれ自体として価値あることなのだ。

さて、実際のところ確かに、多くの人々は、問われれば、自分は真なる信念を持つことに高い価値を置いているのだと答えるであろう。とはいえ、そういった人々のほとんどは、信念が真であるとはどのようなことか重ねて問われたとしても、なにかまとまった意見を述べることができず、したがってまた、自分が高い価値を置いているということがどういうことなのかをまったく説明できないであろう。しかしながらこのことは、これらの事柄について言うべきことがなにもないということを示しているわけではない。事態はまったく逆である。近年、哲学者、特に心の哲学や言語哲学の諸問題に関心のある哲学者は、心的表象についての理論（ないし「心理学的意味論」）に、惜しみなく注意を注いできた。その中心的な関心は、信念のような心理的状態が意味論的性質――真であること、偽であること、特定のひとについてのものであること（あるいはそのひとを指示していること）などの性質

――をいかに持つようになりうるのかを説明することにある。真なる信念にはそれ自体として価値があると自分が考えていると思っている人々の思い込みを、われわれは覆しているのかどうかを見極める際に、わたしがとった戦略は次のようなものだった。すなわち、近年心の哲学や言語哲学において注意が払われてきたそれらの心的表象についての理論のうち、より説得力があり、かつ、細部まで練り上げられたもののいくつかから、信念が真であるとはどういうことかについてのその理論に基づいた説明を引き出す、という戦略である。そういった説明を入手した場合、われわれは人々に次のような質問について考えさせることができる。ある信念が真であるということが実際にそういったことだとすれば、あなたは本当に、自分の信念が真であるかどうかを気にかけるのだろうか、と。ひとたび、真なる信念を持つことがつまるところどういうことかについてのある明確な見解が人々に提供されると、彼らは本当に、真なる信念を持つことに高い価値を置くのだろうか。こういった思考実験から得られる解答は、少なくともわたし自身の場合には（そしてわたしは自分の価値観がこの点に関して奇妙なものではないと思っているのだが）首尾一貫して否定的であった。さらに、そういった否定的な判断は、真なる信念についての説明がもっとも明白で明示的であるような場合に、もっとも揺ぎないものであった。この論点についての論証は第五章で展開される。それは過不足のない要約を許すような論証ではないが、以下の簡潔なコメントが、この後にくる議論をあらかじめ見通す際にわずかでも助けとなるかもしれない。

信念から始めることにしよう。信念とはどういう種類の事物なのか。広く保持されている見解、いわゆるトークン同一説によると、信念トークン（プリンストンはニューブランズウィックの南にあるというわたしの現在の信念のような）は脳状態である——それも疑いなくかなり複雑な。こういった見解を受け容れるのだとすれば、次に問われるべき疑問はこうだ。およそ脳状態はどのようにして意味論的性質を持ちうるのだろうか。複雑な神経の出来事はどのようにして真理値を持ちうるのだろうか。もっともらしい答えはさまざまにあるが、その出発点となる考えはこうだ。信念／脳状態を、より簡単に意味論的に評価できる存在者——命題、真理条件、状況、可能な事態といった存在者——のクラスへと写像するような関数（「解釈関数〔interpretation function〕」と呼ぶことにしよう）があると考えるのである。そしてこの種の理論によると、ある信念が真であるのは、その写像先の命題が真である（あるいは可能な事態が成立するなどの）ときまたそのときに限る、とされる。とはいえもちろん、写像や関数は容易に獲得できるものだ。信念／脳状態から命題への関数がひとつあるとすれば、無数にたくさんのそういった関数があることになる。明らかに、どんな写像でもうまくいくというわけではないだろう。どの関数が正しい関数なのだろうか。

この最後の疑問はふたつの異なる仕方で読むことができる。一方の読みによると、それは、正しい解釈関数についての詳細な説明の要求である。理論家はどの信念／脳状態をどの命題へと写像するのであろうか。それを特定するような説明が要求されているのである。心的表象に関する分野の研究では、解釈関数がいかに構築されるべきかについて、多くの注意深い議論があるし、論争にも事欠かない。もう一方の読みによると、その疑問が要求しているのは、詳細な説明ではなく、そういった詳細な説明を正しいものとする規準である。一組の理論家がそれぞれ、脳状態から命題への関数について、競合する詳細な説明を提供しているとしよう。われわれはどのようにして、そのどちらが正しいかを決めるのに取り組むのであろうか。この問題に関しては、比較的わずかな議論しかその分野ではなされていない。しかしながら、第五章で論じることになるが、理論家が自らの提案する解釈関数を擁護する際に使用する論証からも明らかなように、そういった写像を正しいものとすることに課せられる、ひとつの強い制約は次のようなものだ。その写像は、その定義域にある心的状態の内容もしくは真理条件に関するわれわれの直観的な判断を、一般に捉えていなくてはならないのである。特殊な状況を除くと、直観に反する真理条件を割り当てるような関数は誤った関数なのだ。

ところで、そういった直観のなにがそれほど特別なのか。その直観はなぜ、どの解釈関数が正しいかを決める際に、そういった重要な発言権を持つようになるのだろうか。理論家が用いる直観は社会的に獲得された判断の集まりであり、それはおそらく個人ごとあるいは文化ごとに変わるものだろう。ある文化に浸透している、認識論的評価についての社会的に形成された直観的な概念は、なぜそういった浸透力を持たねばならないのか。その理由を見てとるのが難しいのと同じように、何者かが、直観的に正しいとされるわれわれの解釈関数を特別で重要なものだとみなす理由を見てとるのも難しいのである。もっとも、その解釈関数が、より一般的に高い価値が置かれている他のなにかと互いに関連している、と信じる理由がまったくないとすれば、ではあるが。ところで思い出してほしいのだが、いま問題となっている心的表象についての説明によると、ある信念が真であるのは、それが直観的に正しい﹅﹅﹅﹅とされる写像関数によって真なる命題へと写像されるときまたそのときに限る。そして、そういった直観的な関数だけが持つ特別さや重要性などない――それは単に、数多くあるなかのひとつの写像にすぎない――ということが認められると、真なる信念を持つことについても、特別なところや重要なところはなにもないと思われるであろう。もちろん依然として、真なる信念にそれ自体として価値があるとみなすことはできよう。しかし、先の考察からすると、それは、あるひとの属する民族の文化的な慣習に内在的な価値を見出すのと同じく、奇妙で文化的にローカルな価値だと思われる。あるいはまた、真なる信念に内在的な価値があるという考えを捨てて、代わりにこう主張することもできよう。真なる信念やそういったものを産み出す傾向のある認識システムは、われわれの他の目標の追求を促進するという点で、道具的に価値を持つのだ、と。この最後の考えは第五章である程度長く考察されることになる。わたしはそれを決定的に批判する論証を持ち合わせていないが、真なる信念の道具的価値を支持することでさえ、控えめに言っても容易なことではない、ということを示したい。

1—4　認識論的プラグマティズム

わたしは、合理性や真理という考えについて、きわめて悲観的な見解を披瀝したことが幾度かあったのだが、そういったとき、それが知的破壊行為——確固とした組織の外観を損ない、それに代わるものとしてなにも肯定的なものを提供しない——ではないかという批判をたびたび受けてきた。そしてわたしはこう認めざるをえないのだが、そういった批判が的を射たものではないかと思い始めたこともあった。とりわけ、さまざまな伝統的な主張の欠点が明確になる一方で、擁護可能な代替案のアウトラインが依然としてとても漠然としたものだった頃には。しかし研究が進むにつれて、わたしは徐々にこう確信するようになった。認識論的評価に関するプラグマティックな説明は、分析哲学的で認識論的評価を真理に結びつけるような説明を台無しにしてしまう困難を避けることができるだろう、と。

プラグマティックな説明にとって中心的なのは、内在的な認識論的価値などないという、非常にジェイムズ的な主張である。[33] むしろ、プラグマティストにとって、認識メカニズムやプロセスといったものは、道具もしくはポリシーとみなされるべきであり、われわれが他の道具やポリシーを評価するのとほぼ同じ仕方で評価されるべきなのだ。ある認識メカニズムのシステムが別のシステムより好ましいのは、前者のシステムを用いたほうが後者のシステムを用いるよりも、われわれがそれ自体に高い価値を置いている事柄に到達しそうな場合である。認識論的評価に関する、この種のプラグマティックな説明は、なぜ他の説明の欠点によって示唆されることになるのだろうか。第六章のはじめでわたしはその理由を示そうと思う。それに続けて、ある認識システムより別のシステムを用いたほうが、われわれは自分にとって内在的な価値のある事柄を成し遂げられそうだ、という考えを分析する際に予想される諸問題のうちのいくつかを検討する。

1―4―1　プラグマティズムに対する異議

認識論的評価に関するプラグマティックな説明が持つ魅力はかなり容易に見てとることのできるものだったが、プラグマティズムを真面目に受け取るには、わたしはかなりの時間を要した。というのも、そういった見解の長所の他に、一組の明白な反対理由があり、その各々が当初きわめて圧倒的だと思われたからだ。第一は、プラグマティズムは相対主義をもたらすというものだ。相対主義は認識論にかかわる事柄ではどんな犠牲を払っても避けられるべきだと、わたしは長いあいだ考えてきた。第二は、プラグマティズムは悪しき循環に陥るというものだ。というのも、われわれの認識システムがプラグマティックに見て好ましいものだということを示すためには、その優位を確立しようとしているまさにそのシステムを用いなくてはならないからだ。しかし、わたしがこういった異議に思いをめぐらせるにつれて、それらはそれほど問題がないように見えるようになった。

1—4—1—1　相対主義　認識論的評価に関するプラグマティックな説明が相対主義的だということは、ほとんど否定しがたい。というのも、認識システムのプラグマティックな評価は、その使用者が持つ価値と置かれている状況の双方に影響を受けるだろうからだ。それゆえ、わたしにとっては第一の認識システムのほうが第二のシステムよりもプラグマティックに見て良いものであるが、他の誰かにとっては第二のシステムのほうが第一のシステムよりもプラグマティックに見て良いものである、といったことがおそらく判明するだろう。しかし、プラグマティズムが相対主義的なのは明らかだが、わたしは次第に、それがなぜ悪いことなのかが決して自明ではないと認識するようになった。実際、相対主義に批判的な偏見が広く行き渡っているにもかかわらず、わたしにはこう思われたのだ。認識論的相対主義が歓迎されざるものである理由を示そうとする、なにかしらのもっともらしい、公になった論証を見出すことは、驚くほど困難である、と。このように、まともな論証がその分野の研究では不足していたため、わたしは、哲学上の友人に、その見解に反感を抱く根拠を問い詰めることに取り掛かった。

わたしが一番よく耳にした非難はこういうものだった。認識論的評価に関する相対主義的な説明は、良い認識戦略を悪い認識戦略から切り離そうとするいかなる真面目な試みも放棄することになるのだから、認識論的ニヒリストの術中に陥ることになる。いわく、相対主義者とニヒリストのどちらにとっても「なんでもあり」なのだから、と。しかし、6—2—1—1で論じるように、このことは、認識論的プラグマティズムに関わる限りでは、ただの誤りにすぎない。認識戦略に関するプラグマティックな評価は確かに相対主義的ではあるが、投資戦略や工学技術に関するプラグマティックな評価がそうであるのと同様に、決してニヒリスティックなものではないのである。

第二の非難はこういうものだった。相対主義、あるいは実際にはどのバージョンの規範的多元主義も、うまい推論と真理を仲たがいさせてしまうために、懐疑論をもたらすことになる。好ましいとされる推論システムがひとごとにかなり異なり、それらのシステムは、同じような感覚入力に基づいてまったく別々の信念を生成するとしよう。すると、全員がほぼ同じ証拠を持っており、全員が規範的に見て正しいとされる推論システムに訴えているのだとしても、そこから導かれる信念はそれぞれでおそらく異なるだろう。しかし、そういった状況のもと、うまい推論が真理をもたらしそうだという見解を、われわれはいったいどのようにして擁護しうるというのか。そのことを説明するのは難しい。また、言うまでもないことだが、懐疑論者の古典的な不安のひとつは、われわれの推論がどれほどうまいものであっても、それによってわれわれが真理に至ることはないだろう、といったものなのだ。認識論的プラグマティストはこういった異議にどのようにして応じうるのか。そのことについて考え始めた当初、わたしの目標は、その論証のうちになんらかの弱点を見出すことだった。6—2—2で見ることになるが、弱点を見出すことはそれほど難しいことではない。しかしそういった弱点を見出した後、自分はもっと強力でもっとラディカルな応答を使用できるのではないかとふと思われた。その応答は、論証の弱点を強化するためになされうるさまざまな戦略の成否に左右されないものだった。その理由はこうだ。認識論的評価に関する相対主義的な説明だと、うまい推論が一般に真理をもたらすことを示せないとしてみよう。たとえそう保証されるとしても、自分の認識システムに対して真なる信念を産み出すように望むなにがしかの理由をわれわれが持っているのでない限り、それはなんら懸念材料とはならないはずだ。そして、われわれの多くはそういった理由を持っていないというのが、第五章でのわたしの論証の主旨なのである。認識論的懐疑論は一般に、われわれの能力を超えているとそれが主張するところの必需品——それは確実性であったり、真理であったり、正当化であったりするのだが——の重要性ないしは望ましさを、ただ仮定しているにすぎない。そして多くの場合、懐疑論者と戦ってきた人々は、そういった仮定を共有していた。しかし、わたしの見解では、確実性や真理や知識などをわれわれが獲得できないと主張する懐疑論者に対してまずなされるべき最善の応答は、そういったことがなしうると論ずることではない。むしろこう問われるべきなのだ。だからどうだというのか、と。われわれの認識システムはある特定の性質を持った信念を生みだせるだろうか、という不安は、問題の性質を持つ信念になにがしかの価値があるだろうとわれわれが考えるのでなければ、なんの意味もないのである。それゆえわれわれは、懐疑論者の論証を検討することに努力を注ぎこむ前に、自分の信念が真かどうかがなぜ問題となるのかについて、なにがしかの説明を求めるべきなのだ。そして第五章での論証が妥当なものだとすれば、そういった説明は容易にはいかないはずなのである。

1—4—1—2　循環性　相対主義に取り組んでいるうちに、わたしは、認識論的評価を真理に結びつける説明もまた、典型的には相対主義的なものだと考えるようになった。もっとも、真理に結びつける説明を批判するひとは、めったにそのことを利用していないが[34]。批判者たちは、対照的に、真理に結びつける説明は循環であるために受け容れることができない、とずっと抗議しているのである。そしてこのことは、後に判明したのだが、わたしのプロジェクトにとって、とても都合が良かった。というのも、循環性に対する不満のターゲットが、認識論的評価を真理に結びつけるような説明ではなく、プラグマティックな説明である場合でも、その非難と応答はほぼ同じものとなるからだ。さらに都合の良いことに、認識論的評価を真理に結びつける理論に対して、ゴールドマンが近年、賞賛に値する体系的な擁護をなしており（Goldman（1986））、その本で彼は、きわめて明確かつ説得的な仕方で、そういった応答のいくつかを詳述したのである。それゆえ、わたしが6—3で、循環性批判からプラグマティックな説明を擁護するようになったころには、単にゴールドマンの論証を翻案して、少しばかり自分のものを補うだけでよかった。

1—4—2　人間の推論についての経験的研究——プラグマティズムの適用

認識論的プラグマティズムの採用へと最終的にわたしを至らしめることになった思考方針は、いまから一〇年ほど前の、ニスベットが感じた不安をその出発点とする。それはこういうものだった。人々がまずく推論していることを実証したと称する数多くの実験において、実際には、その観察対象たちはかなりうまく推論していたのだと、そのように主張する批判者に対してはどう応答すればよいのだろうか。わたしはすでに、認識論的評価に関するプラグマティックな説明が持つ利点を確信していたので、次に取るべきステップは明らかに、議論されている事例にその説明を適用することだった。ところが、それに取り掛かると、わたしは次のふたつの点で驚くほかなかった。第一の驚きはこういうものだった。プラグマティックな説明は、わたしがここまで展開してきたところでは、観察対象がうまく推論しているのかそれとも下手に推論しているのかという疑問に、実は取り組んでいなかったのである。というのも、わたしの考えだと、プラグマティックな説明とは比較による説明であるからだ――それがわれわれに語るのは、あるシステムが（ある特定の時点でのある特定のひとにとって）別のシステムよりも良いものかどうか、ということなのだ。それはわれわれに、ある特定のシステムが（ある時点でのあるひとにとって）良いものかどうかを、断定的に語るわけではないのである。そのような疑問を扱うにあたって、次のように述べたくなる。あるシステムが良いものであるのは、それが、いかなる可能な代替システムとも少なくとも同程度に、プラグマティックに見て良い場合である、と。しかしこのことは、「可能な代替システム」という考えをいかに理解すべきかを述べる、という問題を残すことになり、その問題は決してトリビアルなものではないことがわかっている。というのも、クリストファー・チャーニアクが論じてきたように、認識論の歴史ある伝統にしたがって、「可能な」が「論理的に可能な」を意味すると理解すると、「可能な代替戦略」の多くは、われわれの持つような脳が使用しうるいかなる戦略をも、莫大に越えてしまいそうなのである。そして、ある観察対象は下手に推論しているのだと判断するにあたって、脳に飛行船ほどの大きさを要求するような戦略を使用していないことを引き合いに出すのは、端的に言ってひねくれた態度だと思われる。したがって、あるひとがうまく推論しているかどうかを決める際には、われわれはそのひとの認識システムを、あらゆる論理的に可能な代替システムではなく、実行可能な代替システムのみと比較すべきだと思われる。しかしどれがそういったものなのだろうか。

この疑問にアプローチするひとつの方法は、分析哲学の標準的な戦略を採用することだろう。われわれは、実行可能性の必要十分条件の規定を試みて、それから、特定の一群の事例に関わるわれわれの直観に照らして、その条件をテストするのである。しかし、そういった戦略は非常に魅力がないように見えた。というのも、6—4で論じるように、われわれに実行可能だとみなされる事柄は、手元の目的や利用可能な技術に依存しそうだからだ。それゆえ、ある特定の推論戦略の良し悪しについての疑問が抽象的に問われてしまうと、その疑問には明確な意味がまったくないことになるのである。そういった疑問への解答を試みる前に、われわれは、ウィリアム・ジェイムズであれば疑問の「現金価値」と呼ぶような事柄について明確にする必要がある。つまり、あれやこれやの答えによってどのような種類の行為が示唆されることになるのかを問う必要があるのだ。

人々の認識プロセスの評価を伴うプロジェクトは数多くあるが、デカルトからポパーやゴールドマンに至る認識論において中心的な役割を演じてきたのは、人々の認識のパフォーマンスを改良するというプロジェクトである。既存の認識システムを評価する際のわれわれの目標がそういったものだとすると、実行可能な代替システムのクラスとして適切なのは、われわれが実際に人々に使用させようと思えばできるようなものだ。どれがそういったものかということは、なにかしらの真面目な経験的調査なくしてわれわれに発見できるようなものではない。とはいえ、チャーニアクやハーマンなどの研究からではあるが、われわれは次のことにかなりの確信を持つことができる。非常に厳しい要求をするいくつかの認識戦略、たとえば、あらゆる矛盾を消去するように要求する戦略や、自分の信念のすべてに対する証拠を憶えておくように要求する戦略は、われわれが持つような脳の活動範囲をはるかに超えてしまうのである。したがって——それはわたしの第二の驚きであったのだが——ニスベットの批判者が誤っていたかどうかはまったく明らかでないことになる。というのも、観察対象が下手に推論していたということは、決して自明ではないからだ。そうだと示すためには、われわれは、プラグマティックに見て優れた代替システムが存在すること、および、人々にそれの使いかたを実際に教えることができるということを、示す必要があるだろう。しかし驚いたことに、人々の認識プロセスを変えることを目的とするさまざまなテクニックが有する効果は、ほとんど知られていないのである。ニスベットの観察対象や、その観察対象に類似した推論を行う人々は、うまく推論しているのか、それとも下手に推論しているのか。このことについては、さらに多くのことが知られるまでは、たいていの場合述べることができないのである。

わたしの支持する類の認識論的プラグマティズムの帰結はこうだ。歴史ある一組の認識論的関心——人々の認識のパフォーマンスの評価と改良——は、心理学的な実行可能性に関する経験的研究と分かちがたく結びついているのである。そして、そういった研究は今度は、実行可能な事柄を決めるのを手助けする、さまざまな技術上の進歩状況に依存する。認識論的な疑問を経験的発見もしくは技術的発展に依存させるような提案はなんであれ即座に退ける、そういった長い伝統が認識論にはある。しかしそれは、不毛で瀕死の状態にあるとわたしが理解するところの伝統であり、ますます多くの哲学者がその志を共にしつつある。もうひとつの、ジェイムズやデューイに由来する、より新しい認識論の伝統は、認識論が科学や技術と不可分であるという示唆に、なんの不都合も見出すことがない。そういった伝統の視点からすると、以下のページで擁護される主張は、ほとんどラディカルなものには見えないのである。

第二章　うまい推論と志向的内容
――われわれはどれほど不合理でありうるのか

ひとがどれほど下手に推論しうるのかには概念上の制約があることを示そうとする、一群の影響力のある論証を検討し、そして最終的にそれを退けること。これが本章でのわたしの関心である。そういった論証の主張によると、あるひとの認識の仕方が合理性の基準から無制限に逸脱しうると想定することはまったくつじつまが合わないとされる。もしその論証が説得力のあるものだとすれば、人間の推論についての経験的な研究から生じうる「荒涼たる含意」には限界があることになるだろう。さらに、そういった概念上の制約がタイトなものであり、合理性から逸脱しうる幅が小さいとすれば、改革志向の認識論者がなしうる差し迫った研究はほとんどないことになる。人々がうまい推論の理想的基準から著しく逸脱することができないとすれば、認識に取り組む方法を改良するためにわれわれがなしうることなどほとんどないのである。

ひとが不合理でありうる程度には概念上の制約があると論じるにあたっての、自然な最初のステップは、合理性の基準が正確にはどのようなものであるのかをいくらか詳細に特定することであろう、と考えられるかもしれない。しかし、この分野の研究には、合理性についての詳細な説明が著しく欠如している。それに代わってわれわれが手に入れるのは、あれやこれやの認識パターンが明らかに合理的（あるいは明らかに不合理）である、といった主張であり、そういった主張はわれわれの直観に訴えることで支援される。以下の章では、そのように直観に訴えることが疑わしいと思われる理由が豊富に見出されることになるだろう。とはいえ、さしあたってそのことは問題にしないでおこう。こういった、不合理性の限界を支持する「概念的」論証のより深刻な欠陥は、他のところにある。

細かい点では異なるにせよ、わたしが非難しようとする原則はいずれも、クワインの『ことばと対象』における簡潔ではあるが非常に影響力のある一節を、その共通の祖先として持つものだ。2―1節は、そのクワイン主義の原典の分析と解釈に捧げられる。それは骨の折れる仕事ではある。だが、ひとがどれほど下手に推論しうるかには概念上の制約があるという主張を支持するもっともらしい論証を、クワインのテキストから取り出すことは可能だと思われる。その論証の中心的なステップでは、一方で合理的であることと、他方で「内容を持った」あるいは志向的に記述しうる認識状態を持つこととのあいだに概念上のつながりがあることが示される。それが正しいとすれば、合理性に乏しいひとは、志向的に記述しうるような認識状態をまったく持っていないことになるだろう。ところで、一般に論じられるところでは、信念とは必ず志向的に記述できるものであり、推論とは、信念が形成されたり、修正されたりするプロセスである。したがって、必要程度の合理性がなければ、ひとはまったく推論をなしえないことになるだろう。そしてもちろん、まったく推論をなしえないようなひとは、下手に推論することもできないのである。わたしが2—1で再構成するつもりの論証は、クワインと同様、志向的な記述にどれほどの合理性が必要となるかという疑問には、明らかに関与していない。あるいはその疑問をやや異なる仕方で述べるとこうなる。あるひとが、もはや信念をまったく持っていないとみなされるようになるまでに、そのひとは完全な合理性から正確にはどれほど離れることができるのだろうか。2—2では、このトピックを取り上げて、最小合理性［minimal rationality］の要求を、それよりも厳しい要求をなす一組の代替案から擁護する。信念と合理性とのあいだの相互依存が実際にあるのだとすれば、なぜそれが成り立つのかを知ることが望まれるであろう。2—3では、一組の説明を検討した上でそれらを退けて、わたし自身による説明を提供しよう。最後に2—4で、どれほど不合理であることが可能なのかという、中心的な疑問に戻ることにする。そこでのわたしの主題は、クワインの支持者は局地的な戦闘では勝っても戦争全体では負けたのだ、といったものになるだろう。

2—1　クワインの論証とその敷衍

『ことばと対象』で、クワインは数ページを割いて、われわれがどのようにして異国語の論理的な言いまわしの翻訳に取りかかるのか、ということを思案する。(1) この主題の反省を通じて彼は「「前論理的な考えかた」についての原則」と彼が呼ぶ、ある曖昧な見解を取り上げる。

極端な場合を例にして、ある種の原地人は、'p and not p'［「pであり、かつ、pでない」］という形式に翻訳可能なある文を真として受け入れていると言われている、としよう。このような主張は、われわれの［論理結合子を翻訳するための］意味論的規準のもとでは不合理である。では、われわれの規準に関して独断的でないためには、いかなる規準を提出したらよいであろうか。でたらめな翻訳は、原地語の音をいくらでも奇妙に解釈できる。よりよい翻訳は、原地語の音にわれわれの論理を課し、前論理性の問題などは回避するのである。もっとも、そのような回避すべき問題があればのことだが……（p. 58［邦訳九二頁。ただし最初の［　］は邦訳者による］）

これらすべての根底に潜む翻訳上の格率というのは、〈うわべは明らかに偽に見えるさまざまな主張も、言語の隠れた差異によってそう見える可能性が多分にある〉というものである……［邦訳九三頁］

この格率の背後にあるのは、対話者の愚かさは、あるポイントを超えると、悪しき翻訳――あるいは、同一言語内の場合は言語的逸脱――ほどにはありそうにない、という常識である。（p. 59［邦訳九四頁。ただし一部表現を変更した］）

この一節でクワインは、その奇妙な行動主義的疑念のために、信念や推論といった日常的で素朴心理学的な語彙に訴えることを好まない。この点に関する彼の神経質さは、二重に不幸なものだ。第一に、それによって、この論証が信念や推論とどのような関係にあるのかを見てとるのが困難になる。第二に、それによって、その論証は腹立たしいほど解釈が困難になり、そのため、志向性の帰属と合理性とのあいだの結びつきについての、きわめて根本的な洞察だとわたしが考える事柄を曖昧にしてしまう。その洞察を明らかにするために、わたしは、クワインのテキストをどう読むべきかに関するいくつかのパズルを提起して、その最善の説明方法だとわたしが考えるものを述べることにしよう。強調しておかなくてはならないが、わたしの目標は、クワインの言葉から、もっともらしく、かつ、適度に明確な論証を引き出すことにある。わたしが最終的に至るところの論証がクワインの意図に忠実かどうかというのは、わたしが喜んで他のひとに残しておくような疑問である。

まず、クワインが自分の翻訳の格率の背景にあるとわれわれに語る「常識的な」教訓を考察することにしよう。「対話者の愚かさは、あるポイントを超えると、悪しき翻訳——あるいは言語的逸脱——ほどにはありそうにない」。クワインが心に抱いているのは、正確にはどんな種類の愚かさなのだろうか。彼は行動主義者として、言語行動について語ることを特に好むため、それが対話者の述べる事柄の愚かさなのだと考えられる向きもあるかもしれない。つまり、あなたの述べることがあまりに愚かだとすると、わたしは自分が下手な翻訳をしたのではないかと訝るべきだ、というように。しかしこれは確かに不適切な解釈である。常識的に認められるのは、あるひとが述べうる事柄の愚かさについての教訓ではなく、そのひとが信じうる事柄の愚かさについての教訓だけなのである。わたしの家庭では言葉遊びの趣味がはやっており、朝食前には、少なくとも一ダースの明らかに馬鹿げた発話が、ほぼ毎日のように見かけられる。とはいえ、こういった言葉遊びをしたからといって、その参加者のうちの誰かが、そこに隠された言語的逸脱があるのではないかと疑うようになるわけではない。というのも明らかに、馬鹿げたことを発話しているひとは、自分が述べていることを信じてはいないからだ。彼らはただ冗談を言っているにすぎないのである。明らかに誤った、あるいはとんでもなく愚かな文を発話しても、言語的逸脱の疑いをなんら育まない状況が、ユーモアや言葉遊びの他にも――皮肉からマイクテストに至るまで――数多くある。発話者の述べていることが馬鹿げているときにわれわれが不安にかられ始めるのは、そのひとが自分で述べていることを信じている、と考えるもっともな理由がわれわれにある場合に限られる。それというのも、常識的にありそうにないと理解されるのは「あるポイントを超えた」愚かな信念だからだ。

クワインは、主張を行うことや文を真なるものとして受け容れることについて語るとき、どのようなことを思い浮かべているのだろうか。そのことを解釈するにあたっては先の問題と密接に関連した問題がある。またもや、クワインが行動主義に共感を抱いていることから、こう考えられるようになるかもしれない。文や発話を真なるものとして主張したり受け容れたりすることは、行動主義者が簡単に見出したり記録したりできるような、個々の行動である、と。しかし、クワインをそのように読むと、彼の述べていることは明らかに誤りである。わたしが「うわべは明らかに偽」に見える文をいくつか主張する、あるいは、わたしが力強く同意してうなずくといった事実だけでは、なにか隠された言語上の相違が潜んでいると考える理由にはならない。というのも、わたしはただ冗談を言っているだけかもしれないからだ。これまで疑われてこなかった言語のなんらかの相違をわれわれに探させるためには、明らかに馬鹿げたことを主張したり受け容れたりする以上のことが――ここで、主張することや受け容れることは、行動上明らかなものと解される――必要になる。必要とされるのは、わたしが心からの主張［sincere assertion］あるいは心からの同意［sincere assent］と呼ぶものであり、それによってわたしが意味するのは、話者の信念を正確に反映するような類の主張もしくは同意である。あるいは、心からの主張と心からの同意は、逆向きに特徴づけられるかもしれない。すなわち、Sによる「q」という文の心からの主張もしくは同意は、「q」をわれわれの言語に翻訳したものが「p」だという事実を加えると、Sがpと信じていることを含意するのである。ただの主張や同意は、心からなされるさまざまな主張や同意と比較すると、そういった推論を認めない。とはいえ、以上のことのいずれも、クワイン批判として提供されているわけではない。わたしが現在目的としているのは、好意的な解釈である。わたしが主張している論点はこうだ。クワインの「翻訳の格率」がともかくもっともらしいものであるためには、われわれはクワインを、心からの主張について語っているものと理解しなくてはならない。そして、心からの主張とは、行動の見地からのなにがしかの率直な定義を許すような類の考えではないのである。

わたしが提案している仕方で読むと、クワインの提示する愚かさについての常識的な教訓がどのようにして彼の翻訳の格率を支持するのかは明らかだ。その理由は次のように述べられる。われわれの対話者Sが文「q」を心から主張するとしよう。そこからわれわれは、Sがpと信じていることを推論できる。ここで「p」は、「q」をわれわれの言語に（もしかすると同音的に）翻訳したものだと、われわれに理解されるような文によって置き換えられる。さて、さらに、「p」が明らかに偽であるために、pと信じることは馬鹿げた愚かなことになるとしよう。愚かな信念を禁ずるクワインの教訓によると、このような重大な愚かさはまずありそうにない。しかし、Sがpと信じることが、それほどまでにありそうにないことだとすれば、われわれの翻訳に疑いをさしはさむほかなくなることになる。

以上のことがうまくいくのはもちろん、Sによる「q」の主張が心からの主張だった、ということが前提される場合に限られる。なんであれ現実の馬鹿げた発話の事例では、次の一組の選択肢をわれわれは利用できるだろう。すなわち、その発話の翻訳か、その主張が心からのものであることか、そのいずれかが疑われうるだろう。ある主張が心からのものであるということが常に前提されうると仮定することは、神話のようなもの、あるいは望むのであれば、簡略化による理想化と言ってもよい。しかしそれは有益な理想化である。というのもそれによってわれわれは、観察対象の言語行動を、その観察対象の信念を映す透明な窓とみなせるからだ。まもなく明らかになるだろうが、観察対象の信念の合理性と、その信念が志向的に特徴づけられることとのあいだの概念上の関係を検討するにあたって、われわれはこういった理想化を、きわめて率直かつわかりやすい仕方で活用できる。しかしながら、この点を詳しく述べる前に、ある主張が心からのものであることをわれわれが前提しうるという神話と、信念の内容や信念を志向的に特徴づけることについての議論で近年引き合いに出されているもうひとつの神話とのあいだにある、重要な類似点に注目したい。

2—1—1　心からの主張と「信念ボックス」に蓄えられた心的文との対比

現代の認知心理学に広く共有されている思考の言語パラダイムはこう主張する。多くの心的プロセスは、心のなかに思い浮かべられた、文に類似した表象の操作や変形とみなされるのがもっとも良い。そういった操作や変形は、心のなかの文（心的文）の構文論的性質にのみ影響を受けるという意味で、形式的なものだ。計算主義パラダイムに忠実な理論にとって、信念や欲求のような命題的態度を持つことは、心の適切な場所に蓄えられた適切な心的文を持つことと同一視される。[2]このような心のモデルを真面目に理解し、また、多くのひとがそうするのだとすれば、次のような疑問が考えられるようになるかもしれない。頭のなかにある文の正確にはなにが、それを記述するのに使用されるような志向的な特徴づけの余地をもたらすのか。ある心的文が、ソクラテスは賢いという信念（トークン）であり、他方で、それとは別の心的文が、ウルシをこするとひどいことになるだろうという信念（トークン）であるのはなぜなのか。

もちろん、そういった争点を気にする哲学者や心理学者はみんな、頭のなかに本当に心的文のトークンがあるのだとすれば、それはなにか現在知られていない神経科学のコードで記されているのだろうと考えている。しかし、心的文への内容の割り当てについて考える際には、なんらかの容易に読み取れるような正しい綴りかたで心的文が記されているという神話を採用するととても便利だとわかる。たとえば、スティーヴン・シファーはこういった神話を特に鮮やかに利用してきたのだが、彼はわれわれに次のようなひとを想像するように求める。そのひとは巨大な透明の頭を持っており、その頭にはふたつのボックスがはっきりと見える――一方には「信念」というしるしがつけられており、他方には「欲求」というしるしがつけられている。そしてその事実を除くと、そのひとは心理学的に見てまったく普通のひとである。このボックスのなかには、なにかよくは知られていないが、容易に読み取れるような正しい綴りかたで記された、無数の文トークンがある。(3) このような神話を採用すると、続けてわれわれはこう問うことができる。われわれはどのようにして、透明な頭を持った観察対象の信念ボックスにある、さまざまな心的文字の内容を解釈もしくは決定することに取りかかるのだろうか。ある心的文字は、それがソクラテスは賢いという信念トークンだとみなされるためには、どのようにして、他の心的文、行動、頭の外側の対象や出来事、に関連づけられなくてはならないのか。

こういった疑問に対する解答のアウトラインとしてわたしが支持するものを、本章の少し後で提示しよう。それに似た解答は5—3ではるかに詳細に描写されることになる。しかしながら、わたしの当面の目的は、心的文の解釈や志向的な特徴づけについての疑問と、話者の発話の翻訳に向けられたクワインの関心とのあいだにある、強い類似点を強調することに限られる。これまで見てきたように、「明らかに偽」であるような主張を翻訳する際のクワインの論点をもっともらしくするためには、彼が、心からの主張——その話者が信じていることを正確に反映する類の主張——について語っているものと想定しなくてはならない。ところでもちろん、あるひとがなにを信じているのかを述べようとする際、いまだにわれわれに理解されていない言語でなされたそのひとの心からの主張は、われわれに解釈できない正書法にしたがったそのひとの心的文字と、形式的には似通った役割を演じることになる。どちらの事例でも、それは、心の働きを映しだす理論的に理想化された窓を与えてくれる。だが、信念ボックスにあるすべての文字のカタログと、あるひとが心から同意するであろうすべての文のリストのいずれも、そのひとが信じていることをわれわれに語るのに十分ではないだろう。いずれの事例でもわれわれはさらにある理論を必要とするのであり、その理論によってはじめて、われわれは、よく知られていない文字や発話を解釈ないし翻訳できるようになるだろう。話者の心からの主張を翻訳するというプロジェクトと、そのひとの心的文を解釈する、あるいは志向的に特徴づけるというプロジェクト。これらのあいだには強い類似点がある。そしてそれからすると、志向的解釈を支配し制約する原理が、翻訳を支配し制約する原理に反映されることになる、というのは驚くにあたらないはずだ。実際、2—1で引用したクワインからの一節の、もっともわかりやすい解釈は次のようなものだとわたしには思われる。すなわち、それを、翻訳理論に対する貢献とみなすだけでなく、さらに根本的に、話者の信念の志向的な特徴づけを制約するいくつかの条件を述べる試みだともみなすような解釈である。こういった視点を記憶に留めた上で、クワインの一節からもっともらしい論証を取り出そうとする仕事——信念は合理性を前提するというテーゼになんらかの光を投げかけることになる仕事——に戻ることにしよう。

2—1—2　愚かさを禁ずるクワインの規則を拡張する

すでに論じたように、クワインの翻訳の格率の背後にある常識的な教訓は、信念についての主張として理解されるのがもっとも良い。信念の愚かさは、あるポイントを超えると、きわめてありそうにないのである。クワインがわれわれに与える愚かさの具体例は、まったくの矛盾した状態にあるような信念である。だが、明らかにこれは、クワインや常識がありそうにないと理解するであろう、唯一の種類の愚かさではない。何者かがソクラテスは賢くかつソクラテスは賢くないという信念を持つということ、それが奇妙なのだとすると、何者かがソクラテスは賢いという信念を持っており、また、ソクラテスは賢くないという信念も持っている、ということも同じように奇妙であり、まずもっとも らしいとは言えない。さらに、そういった愚かさは今度は、次のようなひとの愚かさほど甚だしいものではない。すなわち、pと信じており、そう心から主張し、if p then q と信じており、そう心から主張するけれども、qとは信じない、そういったひとの愚かさほど甚だしいものではない（ここで「p」と「q」は、明瞭で論理的に複合的でない文に置き換えられる）。次のように考えるのは至極もっともなことだ。すなわち、こういった信念パターンを帰せしめる翻訳スキーマは、単一の矛盾した信念を帰せしめるスキーマと同じくらい疑わしいと、クワインは考えるだろうし、またそう考えるべきなのである。さらに、われわれの翻訳スキーマに疑いをさしはさむことになるのは、愚かな信念と愚かな信念パターンだけではない。愚かな推論も同様にそういったことをなすであろう。たとえば、われわれの翻訳マニュアル（あるいは心的文を解釈するためのわれわれのスキーマ）によって、われわれが、あるひとに対して、if p then q（ここでふたたび「p」と「q」は明瞭な文に置き換えられる）という信念を帰せしめることになるとしよう。さらに、なにがしかの知覚経験が原因となって、そのひとがpと信じる（そしておそらくはそう心から主張する）ようになるとしよう。最後に、これらふたつの信念から、彼が not q と推論する（あるいはそう信じるように導かれる）としよう。観察対象の心からの主張や信念をこのような仕方で志向的に特徴づけることを含意するような翻訳スキーマないし解釈スキーマに、われわれは満足しそうにない。さらに、われわれの観察対象が、われわれの解釈によると、規則的にこのような愚かな仕方で推論していることになってしまうとすれば、われわれの解釈スキーマに対する不満は、さらに激しいものとなるだろう。

以上のことからわたしは次のような結論を下したい。愚かさを禁ずるクワインの規則は、彼の挙げる露骨に矛盾した信念という単一の事例が示唆するよりも、はるかに広く解されるべきだ。われわれの翻訳スキーマや解釈スキーマが疑問に付されるのは、そのスキーマによってわれわれが単一の愚かな信念を帰せしめるようになるときだけではない。愚かな信念の集まりや愚かな推論を帰せしめるようになるときも、そのスキーマは疑われるのだ。われわれの対話者の愚かさが、これらのいずれの点においてであれ、あるポイントを越えてしまうと、われわれは、対話者の単語や信念に自分が課した志向的な特徴づけになにか誤りがあるのではないかと疑うようになるはずだ。望むのであれば、こういったことは、愚かさを禁ずるクワインの規則の説明というよりその一般化なのだと理解してもらっても構わない。しかし、クワインがこれにとてもよく似たことを思い浮かべていたと示唆するテキスト上の証拠は、豊富にあるように思われる。

2—1—3　愚かさを禁ずるクワインの規則の根拠

ここまでのところ、わたしはクワインの提言にしたがって、まるで、愚かな信念と推論を禁止する規則は、単に確率の問題にすぎないかのように書いてきた。クワインはわれわれにこう語っているように思われる。誰であれひどく愚かに振る舞うことなどまずありそうにないのだから、愚かな信念を人々に帰せしめるようにさせる翻訳スキーマをわれわれは受け容れるべきではない、と。しかしながら、クワインをこのように読むと、「前論理性」の擁護者に対する論点先取だという異議に彼をさらしてしまうことになる。結局のところ、クワインはどのようにして、明らかに偽である信念や愚かな推論などありそうにないと決めてきたのだろうか。彼はもしかしたら、自分の母国の人々のあいだでは馬鹿げた信念が滅多にないことを支持する、実質的な帰納的証拠を持っているのかもしれない。しかしもちろん、不合理なあるいは前論理的な推論戦略が他文化には浸透していると考える人々もまた、他文化の人々がわれわれとはまったく異なる仕方で推論するのだと主張するであろう。近所でアリが食べられることは滅多にないということを実証しても、そのことで他文化の人々がアリを食べないことを示せたことにはならない。それと同様に、われわれは、国内の事例から帰納的に論じることで、先の主張が偽だと示すことはできないであろう。実際には、愚かさを禁ずるクワインの教訓を帰納的な蓋然性の問題だと解することには、さらにひどい問題がある。というのも、国内の事例でさえ、どのようにして証拠集めに取り掛かりうるのかを見てとるのが難しいからだ。同じ国の人々が馬鹿げた推論を行うかどうかを知るためには、われわれはそのひとの言葉を解釈しなくてはならない。そのひとの言葉を解釈するためには、翻訳マニュアルが必要になる。そして、受け容れてもよいマニュアルを書くためには、クワインが語るように、愚かな信念の帰属を避けなくてはならない。それゆえ、クワインの教訓を支持するいかなる帰納的な試みも論点先取となるように見えてしまう。クワインの教訓を支持する帰納的な証拠を集めるためには、われわれは、その教訓が真だと前提しなくてはならないのである。

クワインがそのように想定していたかどうかを論じるのは他のひとに任せることにするが、思うに、こういった難局を切り抜ける明確な道筋がある。われわれの最近の考察が示しているのは、とてつもなく奇妙な信念や推論の帰属をもたらす解釈を禁ずるという原則を、帰納的に証拠立てることはできない、ということだと思われる。それに対する代案は、そういった原則を、一種の概念上の真理、言い換えると、翻訳や解釈の作業に対するアプリオリな制約だとみなす、というものだ。こういった考えをとってきた論者たちは、その考えをときには、愚かさを禁ずる原理が、規約として課せられた一種の事後的なフィルターであるかのように描いている。それによると、われわれはまず翻訳や解釈の構築に取りかかり、それが終わった後に、その翻訳や解釈を、愚かさを禁止するテストにかけるとされるのである。しかしわたしが思うに、事態ははるかに根深いものだ。馬鹿ばかしさを禁ずる規則の根底には一群の概念上の制約があり、その制約は、ある信念がある特定の志向的記述の条件を満たすために要求される事柄に働くのである。

透明の頭という神話を採用して、志向的記述と推論とのあいだの結びつきに焦点をあてると、その論点をきわめて容易に見てとることができる。想像上の観察対象の信念ボックスのなかの文字を研究する過程で、「#p」という形式のいくつかの文字と、それとは別の「p*q」という形式のいくつかの文字が注目されるとしよう。ここで「p」と「q」は、ときにそれだけで現れたり、ときに他の組み合わせで現れたりもするような文字である。さらに、その観察対象の信念が変化するパターンにおいて、ある規則性が注目されるとしよう。

(a)「p」と「#p」が信念ボックスのなかに同時に見出されることは決してない。ただし、ときに「p」が取り除かれて「#p」と置き換えられることもあるし、その逆もある。

(b)「p*q」がすでに信念ボックスのなかにあり、そこに「p」が加えられると、典型的には、それに続いて「q」も加えられる。

(c)「p*q」がすでに信念ボックスのなかにあり、そこに「#q」が加えられると、典型的には、それに続いて「#p」も加えられる。

そういった規則性の発見によって、われわれはこう結論づけたくなるかもしれない。「p*q」という形式の文字は、if P then Q という信念として特徴づけられうるような条件的信念のトークンであり、「#p」という形式の文字は、not p という信念として特徴づけられうるような否定的信念のトークンである、と（ここで、「P」は、文字「p」を志向的に特徴づけたもので置き換えられ、「Q」は、文字「q」を志向的に特徴づけたもので置き換えられる）。(a)から(c)の規則性は、もちろん、こういった志向的解釈スキーマの決定的な論拠を構成するわけではない。とはいえ、そのスキーマに対するわれわれの信頼を強めるであろう、さらなる規則性を想像することは容易である。

さて今度は、われわれの観察対象の信念ボックスを観察することで、先とはかなり異なる規則性の集まりが明らかになったとしよう。

(a′)「p」と「#p」はしばしば同時に現れる。そして、一方の現れと他方の除去とのあいだには、規則だったつながりがまったくない。

(b′)「p*q」がすでに信念ボックスのなかにあり、そこに「p」が加えられるとしても、典型的には、それに続いて「q」が加えられることはない。

(c′)「p*q」がすでに信念ボックスのなかにあり、そこに「q」が加えられると、典型的には、それに続いて「p」も加えられる。

このような状況下では確かに、「#p」を否定として、そして「p*q」を条件法として扱うような志向的解釈のスキーマを退けたいと、われわれは強く感じるであろう。

なぜ、前者の規則性だと、提案された志向的な特徴づけを受け容れたくなり、他方、後者の規則性だとそれを退けたくなるのであろうか。それに答えるための最初の試みは次のように進行するかもしれない。ある特定の志向的な特徴づけを持った信念であるとはどういうことか。ここで、合理的な仕方——多かれ少なかれ論理法則を反映するような仕方——で他の信念と相互作用するということは、その説明の一部をなす、あるいはそう言いたいのならば、そういった信念についての概念の一部をなすのである。他の信念とのこの種の相互作用は、not p という信念であるための、あるいは、if p then q という信念であるための、概念上必要な条件なのである。それゆえ、ある信念が、他の信念とのあいだに必要な相互作用を示せないとすれば、その信念は、not p という信念だとは、あるいは if p then q という信念だとは、端的にみなされないのである。

同じような概念上の結びつきによって、信念の志向的な記述は、その信念を生じさせうる感覚経験とも結びつくことになる。たとえば、観察対象の信念ボックスの振る舞いを考察する際に、次のことが注目されるとしよう。すなわち、「!@|^EE*%^」(それを省略して「E」と呼ぶことにしよう)という文字が現れるのは、象が観察対象の視界に向かってのそのそ歩いてくるとき、またそのときに限ると

いうこと、および、そういった文字の消失は象の退去と一致するということ、である。そして、そういったパターンに促されて、われわれは「E」を、そのひとの前に象がいるという信念のトークンとして解釈するようになるであろう。しかし、その同じパターンは次のような考えを強く批判するものだともみなされるであろう。すなわち、「E」は、象がたったいま離れていったという信念として、あるいはピューマにたったいま襲われたという信念として解釈されうるという考えを、強く批判するものだともみなされるであろう。このような感覚経験の事例と、先の推論の事例の双方をカバーするように見える一般化はこうだ。ある心的状態は、それがpという信念であるためには、感覚入力と、他の心的状態の双方に対して、適切で合理的な相互作用を示さなくてはならないのである。pという信念にとって合理的となる事柄からあまりにドラスティックに逸脱してしまうような相互作用を示す心的状態は、pという信念だとはみなされないのである。

わたしはこれまで、合理性の要求がまるで心的状態に一度にひとつずつ適用されうるかのように書いてきた。しかしもちろんこれは事実に反する。というのも、ある特定の状態がpという信念とみなされるかどうかを知るためには、問題の信念とそれ以外の状態とのあいだの相互作用のパターンを追跡しなくてはならないからだ。そして、そのパターンがpという信念にとって合理的となるパターンに近いかどうかを知るためには、他の信念についても同様に志向的な特徴づけがなされなくてはならない。それゆえ、合理性の制約は、志向的解釈のシステム、あるいは翻訳のシステムに適用されるものとみなされるのがもっとも良いのである。なんらかの特定の心的状態がpという信念だとみなされるためには、問題の心的状態とその仲間に対して、次のような志向的特徴づけを割り当てる解釈システムが存在しなくてはならない。すなわち、そのシステムが割り当てる志向的な特徴づけによると、pと感覚入力とのあいだで、あるいはpとその仲間の心的状態とのあいだで示される相互作用は、pという信念について合理的に予想されるであろうものでなくてはならないのである。志向的解釈の作業が「全体論的」なのは、このようなもっぱら神秘的でない意味においてなのである。

ここまでのいくつかの段落でわたしが論じてきた見解はこうだ。クワインが提示する愚かさを禁ずる規則は、経験的な一般化ではなく、心的状態を志向的に特徴づけることに関する概念上の論点だとみなされるのがもっとも良い。クワイン自身は疑いなく、自身の常識的な原理がこのように読まれることに不満を持つであろう。というのも、彼は、概念分析を疑わしく思っており、素朴心理学の語彙にひたることを好まないからだ。しかしながら、一般にどれほど下手に推論できるか、という争点を論じているものとしてクワインを見てきた人々は、彼の行動主義的な神経質さを共有しているわけではない。そしてとりわけ、わたしがクワインのテキストから引きずり出してきた概念上の論点には、幅広い同意が存在するだろうと思われる。しかし、そういった同意の代償は、きわめて根本的な論点での、ある曖昧さである。これまで述べてきたように、pという信念とみなされるためには、その心的状態は「適切に合理的な」仕方で相互作用しなくてはならない。しかし、正確にはどれほどの合理性だと適切なのかを、わたしは述べてこなかった。この疑問に関してはきわめて実質的な不一致があり、論者のなかには、志向的記述が完全な合理性を前提すると主張する者もいれば、ほんの最小限の合理性しか要求されないと主張する者もいるし、さらには、その中間の見解を採用する者もいるのである。2—2では、これらの見解の各々について詳しく述べて、その三つのなかでは、ミニマリストがもっとも強い論拠を持っていると論じることにしよう。

2―2　最小合理性の論拠

あるひとの心的状態を志向的に記述するためには、その状態が知覚刺激と相互作用する仕方や、他の心的状態と相互作用する仕方において、ある程度の合理性が必要になる、ということが一般に認められたとしよう。すると、われわれの前に示されている疑問は、それがどれほどのものなのか、というものだ。

2―2―1　完全な合理性、「固定された橋頭堡」、最小合理性

ひとつの解答は、とりわけD・C・デネットによって論じられてきたもので、志向的記述は「完全な合理性」を要求するというものだ。デネットの見解によると、「完全な合理性に達しておらず、また、利用しうる経験的証拠によって強く反証されるか、それ自体として矛盾しているか、自分でなした他の言明と矛盾するか、これらのうちのいずれかであるような信念を言明する」ひとについては、「整合的な志向的記述がまったく存在しない」(4)。デネット自身が強調してきたように、完全な合理性の要求とはつまるところ正確にはどういうものなのかを述べることは、決してトリビアルな事柄ではない。推論の領域では、標準的な論理学のテキストが、十全な合理性に対する少なくとも必要条件の集合を与えてくれるだろう、と考えられるかもしれない。しかし、ギルバート・ハーマンが好んで指摘

するように、論理学の法則は、自分の信念の改訂にどのように取り組むべきかをわれわれに語ってくれるわけではない[5]。あなたがすでに「if p then q」と「not q」という形式の信念を持っており、さらに、考えた末に、pと信じるようになるとしよう。論理学は、なにかがなされなくてはならないとは示唆してくれる。しかしなにがなされなくてはならないのだろうか。あなたは、qに関する自分の信念を変化させるべきなのか、それとも、条件法の信念を放棄すべきなのだろうか。それともひょっとすると、うわべとは異なりpは偽であると結論づけるべきなのだろうか。論理学の法則はそのことについてのガイダンスをまったく提供してくれない。また、われわれが頼ることのできる、なにかそれとは別の十分に確立された理論があるわけでもないのである。しかし、完全な合理性の要求とはつまるところなにかということを詳細に説明せずとも、明らかにそういった要求に沿ったものだと思われる、いくつかの条件を規定することはできる。論理的矛盾を正確にはどのようにして避けるべきなのか、われわれにはわからないかもしれないが、理想的に合理的な認識主体があれやこれやの仕方でそれを避けるべきなのは明らかだと思われる。また、完全に合理的な認識主体は、自分の信じていることの論理的帰結のすべてを信じているだろう、と主張することももっともらしいと思われる。そして実際、デネット自身、その双方を、完全な合理性の条件として提案している[6]。それゆえ、これらふたつの条件——無矛盾性と、論理的な含意のもとで閉じていること——を、完全な合理性のなくてはならない（あるいはほとんどそうであるような）特徴であると理解することにしよう。完全な合理性という考えについての十全な説明には程遠いが、このふたつの条件は、完全な合理性が志向的記述のための必要条件でないと論じるのに十分なものだろう。

完全な合理性という要求を弱めるひとつの方法はこう主張することだ。ある観察対象の心的状態にともかくなんらかの志向的記述をなす余地があるのだとすれば、その場合、その観察対象がしたがわなくてはならない、なにか特別な推論のクラスや、刺激によって生じる信念の特別なクラスが存在するのである。こういった見解は、観察対象が実際に不合理に推論するかもしれないということを認めるが、そうした不合理性には限界があると主張する。つまり、そういった本質的な推論からなる特別な部分集合にしたがわない心的状態には、志向的記述の余地がないことになる——いかなる文pに対しても、その心的状態がpという信念だとはみなされないことになるのだ。合理性と志向的記述とのあいだの関係についてのこの種の見解の、もっとも著名な擁護者はマーティン・ホリスである。ホリスの見解によると、「信念を同定するためには、真理と合理的な信念からなる「橋頭堡[bridgehead]」が必要になる」[7]。加えて、ホリスが主張するところでは、翻訳や解釈に向けられたあらゆる努力が前提とする、なんらかの特定の推論原理や、刺激と信念の結びつきが存在するという意味で、その橋頭堡は「浮遊する」ものではなく「固定された」ものである[8]。ホリスによると、こういったものは、「人類に普遍的な」、あるいは少なくとも、人類のなかでわれわれがともかく理解し解釈しうる者に普遍的なものである。それらは、可能などの解釈にとっても概念上の前提条件であるという意味で、アプリオリな普遍なのである。

ホリスは、自身の見解を論じる際に、クワインに密接に歩調を合わせている。しかし、クワインはホリスと異なり、ともかくわれわれに翻訳できるひとなら誰であれ絶対に持っていなくてはならない、あるいは示さなくてはならない、なんらかの特定の信念ないし推論が存在するか、という疑問に対して非常に慎重である。ホリスはいかにして、翻訳に関するクワインの考察から、「固定された橋頭堡」という結論をどうにか引き出すことができると考えているのか、まったく明らかではない。また、不幸にも、ホリスの考えによると、人々が絶対に持っていなくてはならない信念や推論が正確にはどれなのかも明らかではない。とはいえ、わたしはここで、そういった事柄を熟考するために立ち止まるつもりはない。というのも、すぐに論じるように、固定された橋頭堡という見解は誤っているからだ。特定の信念、刺激と信念の特定の結びつき、特定の推論パターン、そのいずれも志向的記述は前提しないのである。

合理性と志向的記述とのあいだの関係についての、第三のさらに弱い見解を、クリストファー・チャーニアクにしたがって、「最小合理性」の見解と呼ぶことにしよう。この見解によると、ひとの心的状態が志向的記述の条件を満たすためにしたがわねばならないような、単一の推論ないし特定の推論の集合など存在しない。要求されるところではむしろ、その心的状態は、完全に合理的な認識主体に要求される推論のうちの、ある程度以上の部分集合を示さなくてはならないのである。最小合理性という考えは、ふたつのかなり異なる仕方で考えを進めることができる。その第一は、ある心的状態が志向的に特徴づけられるかどうかという問題には、少なくとも原理的には、常に明確な解答を与えることができる、と考えることだ。この見解によると、任意の推論の集まりに対して、それが最小合理性のテストに合格するのに十分なほど豊かかどうかを判定することができる。もしそれが十分豊かならば、その場合、その推論にしたがう信念を持つひとは志向的記述のための必要条件を満たすだろうということを意味する。第二の考えは、心的状態を志向的に特徴づけることができるかどうかという問題が常にイエスかノーかといった明確な答えを持っている、という考えそのものを否定するものである。この見解によると、ある心的状態が志向的に特徴づけられるかどうかは、禿げがそうであるように、程度問題である。問題のシステムの合理性が完全な合理性からかけ離れればかけ離れるほど、そのシステムを志向的に特徴づける可能性は減少することになる。明確な仕方で志向的に特徴づけることができる、あるいは特徴づけることができない事例も数多くあるだろうが、一方でそうでない不明確な事例も数多いのである――そのような不明確な場合では、原理的であれ言えるのはせいぜい次のことだろう。つまり、もしある信念のシステムが一定の推論規則により忠実にしたがうならば、そのシステムを志向的に特徴づけることはより適切になり、そのシステムがその推論規則をより頻繁に破るならば、それを志向的に特徴づけることはより不適切になるのである。次節で論じるように、これらふたつの考えのうちより適切なのは後者であるが、いずれにせよ、最小合理性の考えをとる論者たちは、一般に、これらふたつの考えを区別しはしない。おそらく、最小合理性の見解のもっともよく知られた擁護者はドナルド・デイヴィドソンである。ただし彼の著作をそのように読むことはまったく満足のいくものではない。というのも、デイヴィドソンが逆に完全な合理性という見解を擁護しているように思える箇所も数多くあるからだ。そして、最小合理性による説明のもうひとりの擁護者であるチャーニアクは、デイヴィドソンを自分の論敵だとみなしているのである。なお、この最小合理性の見解の擁護者には他に、ルークスや、おそらくはロアが入るだろう(9)。

2―2―2　完全な合理性という見解と固定された橋頭堡という見解を批判する一組の論証

すでに述べたように、わたしの考えるところでは、一番正しそうなのは、最小合理性という見解の第二の——スライド式の——バージョンである。2—3では、なぜそれが正しいのかの説明を試みる。しかしそこに行く前に、なぜわたしが、完全な合理性と固定された橋頭堡という見解を退けるのかを述べる必要がある。これらの見解は、われわれの常識が用いる志向的な言いまわしの根底にある諸概念の働き、およびそれらの含意に関わる主張である。それゆえ、そういった主張をテストするもっとも明白な方法は、さまざまな事例についてのわれわれの直観的な判断に、その主張がどれほどうまく適合するかを見てとることだ。[10] いくつかの場所で、わたしは自分で、完全な合理性と固定された橋頭堡という見解に深刻な疑いを投げかけると思われる事例を論じてきた。[11] しかし、その分野で、もっともすっきりした、そしてもっとも説得力のある論証は、クリストファー・チャーニアクによる一連の論文で展開されてきており、それは、彼の最近の著作である『最小合理性[12]』にまとめて収められている。

完全な合理性という見解を批判するチャーニアクの論証の中心的な論点は、われわれの誰にとってもいくつかの推論は他の推論よりも難しいという考察であり、それは理論と常識の双方によって支持されるものだ。実際、各人にとって、あまりに長く複雑であるために、あるいはそうでないとすればあまりに困難であるために、そのひとの能力をまったく超えてしまうような推論のクラスが存在するだろう。そういった限界が存在することは、チャーニアクが「有限の苦境」と呼ぶもので容易に説明される。われわれの脳や生涯は悲しいことに有限である。そして、なんであれ有限のシステムは、せいぜい有限数の推論を扱うことしかできないと予想されるだろう。しかしそのことはもちろん、（無限に多くの）妥当な推論の大部分を、われわれの理解の及ばないところへと追いやることになる。そういった、われわれの推論上の洞察に限界があることには、それほど議論の余地はないはずだ。しかしこのことは、志向的記述が完全な合理性を前提しないことを示すのに十分なものだ。というのも、これまで見てきたように、完全な合理性は、論理的含意のもとで閉じていることを要求し、そのことは今度は、われわれに対して、自分の信念から論理的に妥当なあらゆる推論を引き出すように要求するからだ。このことは有限の苦境にある生物には不可能なのだから、完全な合理性という見解からは、われわれのなかの誰であれ、また宇宙の他の何者も、志向的に特徴づけられるような心的状態を持っていない、ということが帰結することになる。そしてそれは確かに馬鹿げたことである。

チャーニアクの第二の論証は、固定された橋頭堡という見解に対する有効な批判となりうる。その論証は、われわれにとっていくつかの推論は他のものより難しいという、陳腐な事実から始まる。われわれは容易に次のことを想像できる。ある特定のひとないし集団にとってその推論を行うことが心理学的に見てどれだけ難しいかという観点から、実験心理学者が推論をランクづけることはそれほど困難ではない。そのランキングにおいて、「p and q」から「p」への推論は、疑いなく、「not q → not p」から「p → q」への推論より容易な（実行可能な）ものに分類され、後者はさらに、「(∃x) (y) (Fx → Gy)」から「(x) Fx → (x) Gx」への推論よりも容易なものと分類されるだろう。チャーニアクは、われわれのものとはまったく異なった推論の難しさのランキングを持つような、さまざまな人々を仮定することを求める。もっとも極端な事例は、その仮定の観察対象がわれわれのものとはまったく逆のランキングを持つような事例である。任意の正常な観察対象（たとえばわたし）にとってまったく困難でないものから、実際上わたしには実行できない推論のなかで最初にお手上げとなるものまで、あらゆる推論から構成された集合を考えてみよう。ここで、そのひとにとっての難しさのランキングがわたしのものとは逆転しているようなひとを考えてみよう。たとえば、そのひとにとって、「ソクラテスは叔父だ」と「もしソクラテスが叔父ならばソクラテスは男だ」から「ソクラテスは男だ」を推論することは不可能だが、選択公理の独立性を証明するような推論は「長々と取り組まなくとも容易に信頼できる仕方で成し遂げられるような仕事である」[13]。チャーニアクが主張し、わたしがそれに同意したい見解は次のようなものだ。この仮定の観察対象の推論における振る舞いの奇妙さにもかかわらず、その観察対象の文「もしソクラテスが叔父ならばソクラテスは男だ」を同音翻訳すること、および、その文の心からの主張の根底にあるそのひとの信念状態を、ソクラテスが叔父だとすればソクラテスは男だという信念とみなすことは、直観的なもっともらしさの限界をまったく越えたものだとはみなされないだろう。つまり、問題の観察対象を志向的に特徴づけるスキーマは、われわれがそれほど異質でない人々に使用するスキーマと軌を一にするものであり、われわれは、そういったスキーマに対して、直観的な抵抗をそれほど感じないであろう。ところでもちろん、想像上の観察対象が不可能なほど困難だと考える推論は、ホリスからすると確かに、橋頭堡となる推論のうちに数え上げられるようなものだ。というのも、それは、より正常な観察対象からすると些末なほど明白なものだからだ。

ホリスが固定された橋頭堡という自身の見解を擁護する諸論文において、そして実際には、クワイン以降のこの領域の研究の多くにおいて、かなりの強調がおかれたのは、異文化の発言や振る舞いを解釈しようと試みるフィールドワーカーが直面するであろう問題である。こういった関心を背景にすると、ホリスが次のように抗議するところを容易に想像できる。チャーニアクの想像するようなかたちで難しさのランキングが逆転しているひとや人種に実際に出会うとすると、われわれは彼らの言語の翻訳に決して成功しないであろう。というのも、実際上、橋頭堡になるような単純な推論と、同じく橋頭堡となるような刺激と信念の結びつきから始める以外に、われわれにはほとんど選択肢がないからだ。フィールドワーカーは、固定された橋頭堡の助けがなければ、ネイティブの言語構造のどれを連言や条件法などとして翻訳すべきかを、決して見出すことはないであろう。

思うに、われわれはここで確かに認めなくてはならないのだが、難しさのランキングがわれわれ自身のランキングとかなり異なるような観察対象は、フィールドワーカーの仕事からして途方もない困難となるであろう。しかし、実際上の問題としてそれがまったく不可能であるかどうかは、それほど明確でないようにわたしには思われる。フィールドワーカーがそれによって翻訳を構築しうるような、容易で段階的な発見手続きなどないかもしれない。だが言うまでもなく、ほぼ同じことが、他の多くの科学の領域にもあてはまる。物理学あるいは人類学において良き理論を提供することは、大胆で創造的な探究を必要とするかもしれない。しかし、ここで示されるべき根本的な論点は、それが、固定された橋頭堡という見解を批判する者にとって戦う必要のない戦闘である、ということだ。というのも、その見解は、われわれの現在の関心に関連させるような解釈によると、志向的に特徴づけられることと、ある特定の推論を下す傾向とのあいだにある、概念上の結びつきについての主張であるからだ。チャーニアクが想像する人々のような、異質な難しさのランキングを持った観察対象に対して提案される志向的な特徴づけが、直観にそれなりにうまく適合するのだとすれば、固定された橋頭堡という見解は誤りなのである。そして、そもそもそういった解釈がどのようにして見出されうるかという疑問は、当面の争点には無関係なのである。

2—3　なぜ志向的記述は合理性を前提するのか

しばらく立ち止まって、われわれがどこにたどり着いたのかを見ることにしよう。2—1でわたしは、「前論理性」についてのクワインの考察から、志向的記述が少なくともある程度の合理性を前提するという趣旨の、かなり説得力のある論証を引き出すことができる、と論じた。あるひとのしたがう推論パターンが理想的な合理性からあまりにドラスティックに逸脱してしまう場合、そのひとの心的状態には志向的記述がまったく与えられないのである。2—2でわれわれは、志向的記述にはどれほどの合理性が要求されるのかを問い、完全な合理性か、なんらかの固定された推論集合かのいずれかを主張する見解を退けるべき、もっともな理由を見出した。われわれに残された見解によると、志向的記述に要求されるのは、理想的に合理的な認識主体が示すと予想される推論のうちのなにか適切な部分集合に当たる推論を下す傾向性である。そして本節でわたしが探求したい疑問は、なぜかというものだ。合理性と、志向的に特徴づけることのできる信念とのあいだには、どうして、そういった奇妙な概念上の相互依存性が存在せねばならないのだろうか。

2―3―1　寛容原理と人間中心原理

『ことばと対象』やその本に刺激を受けた論文の多くには、翻訳と志向的解釈を支配するいわゆる寛容原理［principle of charity］についての議論がかなり存在した。その原理はわれわれにこう要求するものだった。ある話者の心からの主張の大部分が真だと判明するように、またその推論の大部分が合理的だと判明するように、そのひとの言語を翻訳せよ、と。デイヴィドソンはしばしば寛容原理に訴えたが、彼は「寛容さは選択可能なもののひとつではなく、［翻訳の］有効な理論を獲得するための条件である」[14]と主張した。とはいえ、寛容原理のうちに現在の疑問への答えは見出されそうにない。というのも、その原理の根底にあるのは、われわれが説明したいと思っているまさにその事実であるからだ。デイヴィドソンが主張するように「寛容さはわれわれに強いられている」[15]のだとすれば、それは、一方に真理と合理性を置き他方に志向的記述を置くような、そういった概念上の結びつきが存在するからである。われわれが知りたいのは、そういった概念上の結びつきがなぜ成立するか、ということなのだ。

この点で批判者は、そういった疑問を不適切なものとして端的に退けたくなるかもしれない。そのひとはこう主張するかもしれない。合理性と志向的記述とのあいだに概念上の結びつきがあることは厳然たる事実である。われわれの概念はたまたまそのように結びつけられているのだ、と。おそらく、そのような事実に対する、なんらかの歴史的な説明ならあるだろう。しかしそれを除くと、それ以上のさらなる説明などまったくないのである。わたしは、そういった批判者が正しいかもしれないことを認める用意がある。確かに、われわれがより深遠な説明を見出しうるというアプリオリな保証などない。しかし、そういった批判者は、説明が終わりだとやや性急に結論づけてしまっているように思われる。語られるべき、より豊かな説明がまだあるのだ。

そのような説明へのひとつの道筋として、寛容原理を修繕してそれが成立する理由を解き明かす、リチャード・グランディの努力を考察しよう[16]。グランディは寛容原理を次のような訓戒だと解する。それによると、われわれは、自分自身と対話者とのあいだでの、少なくとも明白な真理における一致を最大化するような翻訳を選ばなくてはならない。しかしグランディの見るところ、その原理は正確なものではない。彼はわれわれに対して、「人間中心原理［principle of humanity］」と彼が呼ぶものを代用するように求める。その原理によると、われわれは、翻訳を選択する際に、「信念と欲求と世界のあいだに課せられる関係のパターンが、われわれ自身のパターンに可能な限り類似している」(p. 443) ようなものを選ぶべきである。グランディが指摘するように、しばしば、寛容原理と人間中心原理は、その忠告において一致するだろう。しかしながら、そのふたつの原理が分かれる事例もある。

ポールがあるパーティに到着し、「マティーニを手にしている男は哲学者だ」と主張したとしよう。また、実際には、マティーニのグラスで水を飲んでいる男がはっきりと見えるところにいて、彼は哲学者ではないとしよう。さらに実のところ、そのパーティでマティーニを飲んでいる男がただひとりいて、彼は哲学者であり、庭の見えないところにいるとしよう。そういった状況のもとでなすべき寛容な事柄とは、ポールのコメントを額面どおり（同音的に）理解することであろう。というのも、それは単純なことであり、また彼のコメントを真にするからだ。しかし、普通なすべきなのは、彼がなにか誤ったことを述べていると理解するか、あるいは少なくとも、その状況を次のように理解することだ。すなわち、その発話によって彼が偽なる信念を持っていることが示されてしまうような状況だと理解するのである。それこそが人間中心原理によって予測される事柄である。……ポールが庭の哲学者についての信念を持っている理由など与えられないであろうから、彼には、神秘的な真理より、説明しうる虚偽を帰せしめるほうが良いのである。……

人間中心原理は、複数の翻訳からの選択をなすときに次のことを心に留めておくようわれわれに命じる。すなわち、話者はひとりの人間であり、われわれ自身とある基本的な類似点を持っている、ということを心に留めておくよう命じるのである。(p. 445)

グランディの見解によると、人間中心原理それ自体の起源には、あるプラグマティックな考察がある。その考察は、翻訳の目的と、その目的を追求する際に利用できる情報の限定性を論じるものだ。翻訳の目的とは、グランディの想定するところでは、「それによって翻訳者が最良の予測を行い、被翻訳者の行動について最良の説明を提供することができる」(p. 442) ことにある。われわれの興味はときに、被翻訳者の言語行動の予測や説明に向けられるが、多くの場合、われわれの関心はさまざまな種類の非言語的な行動の予測にある。

こういった予測プロセスにおいて、翻訳を実際に使用するというのは中間ステップのひとつにすぎない。われわれは、言語行動をわれわれ自身の言語へと翻訳し、それを使用して、そのひとの信念や欲求がどういうものかを決定し、それから、そういった情報を使用して行為を予測するのである。報告されるところの欲求と信念の組み合わせは……予測される行動を決定するのに十分なものではない。代わりにわれわれは、予測を助けるために用いられるような、なんらかの行為主体のモデルを持たなくてはならない。理論的に言えば（おそらく）信念と欲求からなる全体の構造を明らかにしたうえで、数学的な決定理論を用いて予測に到達することができるだろう。しかしそれはわれわれが実際にやっているような事柄ではない。……もっとも明白な代案は、予測に到達するために自分自身を利用するというものだ。われわれは、もし自分が関連する信念と欲求を持っていれば自分はなにをするだろうか、ということを考察するのである。

われわれのシミュレーションがうまくいくかどうかは、相手の信念と欲求のネットワークがわれわれ自身のネットワークに類似していることに、大いに依存するだろう。他者の信念と欲求のすべてをわれわれのシミュレーションの基盤に置くことが望ましいであろうが、それは可能ではない。それゆえ、信念や欲求などの態度のあいだに成り立つ相互関係を、われわれ自身のそれに可能な限り類似させることが、根本的に重要である。ある翻訳だと、他者の信念や欲求が、あまりに奇妙すぎてわれわれに理解できないような仕方で結びついてしまうとしよう。その場合、そのような翻訳はわれわれの目的からすると不要なものだ。それゆえ、われわれは翻訳におけるプラグマティックな制約として、次のような条件を持つことになる。すなわち、信念と欲求と世界のあいだに課せられる関係のパターンは、われわれ自身のパターンに可能な限り類似していなくてはならない、とい

った条件である。この原理を人間中心原理と呼ぶことにしよう。(p. 442-43)

グランディが述べることとの多くは、わたしには、正しくかつ重要であるように思われる。彼は次のように主張する点で明らかに正しい。「マティーニを手にした男」の事例で帰せしめるべき正しい信念についてのわれわれの判断を捉えているのは、寛容原理ではなく人間中心原理である。また、われわれは、相手の信念と欲求に関する非常に限られた知識に基づいてそのひとの行動を予測しようとするとき、自分自身をモデルとして用いているのだと、そのように示唆する際、グランディはなにか重要なことに気づいてもいる。内省してみると、われわれは、他者の行動を予測しようとするときに、しばしばこう自問しているように思われる。相手の目標や信念として自分が知っているものを持っており、さらに、そのひとの置かれている状況にいるとすれば、自分はなにをするであろうか、と。[17] だがときには、われわれはまったく明示的にそういった戦略から逸脱する。ゲームや、またより深刻な事柄においてもそうなのだが、われわれはときに、相手に罠を仕掛けるにあたってこう予想するのである。相手はそれほど賢明ではないので、自身の行動の帰結を、われわれがこれまでなしてきたほどには明確に推論しえない、と。

グランディが誤っていると思われるのは次の主張においてである。それによると、われわれが人間中心原理に頼るのはプラグマティックな事情であって、そのことは、われわれが他者の信念や欲求について限られた知識しか持っていないことへと辿ることができる、とされる。彼はその論点において完全に明確であるわけではないが、こう述べているように思われる。人間中心原理とは、自分自身をモデルとして使用するという戦略によって命じられるのだが、そういった戦略は、われわれが他者の信念や欲求について限られた知識しか持てないためにわれわれに強いられるのである、と。こういった、われわれの知識における実践上の限界がなければ、グランディの示唆するところでは、われわれは、行動を予測するためのなにか他の戦略——おそらくは数学的な決定理論——を使用できるだろうし、またそうする際、われわれは、人間中心原理が課す制約から解放されるであろう。以上がグランディの見解だとすれば、彼が誤っているというのはかなり明らかだと思われる。

その理由を見てとるために、しばらく次の考えを反省してみよう。ある観察対象の信念と欲求の構造について十分な知識を持っていれば、われわれは、相手の立場に自分を置いてみるという常識的な戦略を用いるのではなく、数学的な決定理論を用いることで、相手の信念についての予測を生じさせるかもしれない。そう考えることで、われわれは本当に、人間中心原理の制約から解放されるのであろうか。わたしの主張する答えはノーだ。というのも、数学的な決定理論を用いるためには、われわれは、その観察対象の信念と欲求の志向的な特徴づけを持たなくてはならないからだ。われわれは、彼の信念のうちのあるものを条件法として、他のものを選言として同定できなくてはならない。われわれは、彼の信念のうちのあるものが象についてのものである（あるいは、そうでない）と述べることができなくてはならない。われわれは、チョコレートアイスを食べることが彼の欲求のひとつの対象であるかどうかを決められなくてはならない。しかし、以上のことのいずれも、それが可能であるためには、その観察対象の持つ信念や欲求、信念や欲求同士の因果的な相互作用のパターン、それらと刺激とのあいだの因果的な相互作用のパターン、といったものが、適度にわれわれ自身と類似していなければならないのだ。ここでの論証は、2―1―3で展開されたものをそのまま一般化したものである。ある観察対象の心的状態は、われわれ自身の条件的信念が示すのに近いパターンで他の心的状態と相互作用するのでなければ、条件的信念だとはみなされない。それと同じように、ある観察対象の心的状態は、次の条件が満たされなければ、目の前に象がいるという信念だとはみなされない。すなわち、その心的状態は、目の前に象がいるとわたしに信じさせるものに類似した刺激によって引き起こされなくてはならず、また、わたしの心的状態の場合に想定されるのと同じような仕方で、他の心的状態と相互作用しなくてはならないのである。さらに、それと同じような論証によって、志向的な記述がうまくいくためには、いかなることが信じられているかにおいてかなりの程度の類似性が必要になる、ということが示されるだろう。あるひとが、象についての「明らかに偽なる」信念を徐々に増やしつつあると想像してみよう。すると、彼がともかく象についてなにがしかの信念を持っているとみなされるかどうかは、徐々に不明瞭になっていく。ひとは、象が液体である、象が素数である、象が発話行為である、といったことを信じることはできない(18)。したがって、数学的な決定理論を用いて行動を予測することは、人間中心原理を避ける方法を提供するどころか、その原理を前提するのである。さらに、同じことが、行動を予測するための戦略で、認識主体の信念と欲求の志向的な特徴づけを要求するどの戦略にも当てはまる。結論。人間中心原理を、われわれの知識が限られているために強いられるプラグマティックな考察のうちに根拠づけようとするグランディの試みは、見当違いのものだ。われわれが人間中心原理を尊重しなくてはならないのは、限られた情報しかない条件のもとで、信念と欲求を用いて行動を予測するからではない。むしろ、あるひとの心的状態を特徴づけるにあたってともかく志向的記述を活用すべきだとすれば、その原理に固執することが求められるのである。

しかしながら、グランディは、そのプラグマティックな説明において失敗しているにもかかわらず、2—3の初めに挙げられた疑問に答える際に使用すべき、とても重要な手がかりをわれわれに与えてくれたように思われる。志向的記述と合理性はなぜ一組にまとめられるようになるのか。グランディから学ぶべき教訓はこうだ。合理性と志向性の結びつきは、志向的な特徴づけに対する、より一般的な制約の副産物なのである。その制約によると、あるひとの認識状態を志向的に特徴づけることができるためには、そのひとの認識状態、認識状態同士の相互作用、認識状態と環境との相互作用、といったものがわれわれ自身のそれと類似していなくてはならない。われわれ自身が推論においておおむね合理的であるという仮定を加えると、そこから最小合理性の条件が帰結することになるのである。

2—3—2　志向的記述はなぜわれわれ自身との類似性を前提するのか。志向的記述についてのひとつの説明

われわれはいまや、あるパズルと別のパズルを取り替えたように見える。われわれは、志向的記述がなぜ合理性と結びつけられるのかという疑問から始めて、その結びつきを説明するにあたって、志向的記述がわれわれ自身との類似性を要求することに注目してきた。しかしどうしてそうなるのか。わたしの考えるところ、その答えは、認識状態の志向的記述を与えるときにわれわれがなしている事柄の説明のうちに見出されうる。わたしは、以下にあるようなクワインの簡潔で示唆に富む一節に触

発されて、いくつかの初期の著作でそういった説明を展開しようとしてきた。

間接引用にあっては、われわれは、話者の述べたことやその他の徴候から推して、話者の精神状態がかくあったと想像される状態の中へわれわれを投影し、それから、このように想像された状態においてわれわれにとって自然で重要であるような事柄を、われわれの言語で語るのである。間接引用に対しては、われわれは普通、より良いとかより悪いとか、あるいは、より忠実であるとかないとかいう仕方でのみそれを評価することが期待できるのであって、比較の厳密な基準は期待することさえできない。したがって、そこに含まれているのは、本質的に演劇的な行為に対する、特定の意図に相対的な評価である。他の命題的態度についても同様である。それらは、すべて、想像された状況に対する、その人自身の想像された言語的反応の引用といったようなものを含むと考えられるからである。

現実の自己にこのように非現実的な役割を与えつつも、われわれは、一般に、どれだけの現実が変わらないでいるかを知ってはいない。そこで困惑が生ずる。しかし、それにもかかわらず、われわれは、信念、願望、努力を言語能力のない動物にまで帰属させている。これこそ、われわれの演劇的な妙技である。われわれは、鼠の行動から推して、その精神状態がかくあったと想像される状態の中へわれわれ自身を投影し、そのように想像された状態においてわれわれにとって重要で自然であると思われるように言語化された信念、願望、努力としてそれを演劇的に表現するのである。(19)

わたしは、こういったクワイン流の考えを展開するにあたって、大雑把には次のように進める。[20]「Sはpと信じている」という形式の文を使用するとき、われわれはSについて一組の相互に関連した主張をなしている。第一に、われわれはSに対して、ある種の認識状態、つまり信念を帰せしめている。この状態カテゴリーは、観察対象の認識の営みの全体において演じる役割によって、他のカテゴリーから区別されうる。つまり信念とは、欲求、知覚、行動と、ある体系的な仕方で相互作用するような状態なのである。それゆえ、志向的記述は次のことを前提することになる。すなわち、われわれがその状態を記述しているところの生物が行う認識の営みは、信念や欲求に類似した役割を演じる状態カテゴリーへと、多かれ少なかれスムーズに分割されうるのである。

第二に、われわれは「p」という内容文を用いて、自分が帰せしめているところの信念を同定する。わたしの議論では、それは次のような仕方でなされる。まず、われわれ自身が持ちうる仮説的な信念状態――現在の設定では、われわれが「p」と発話することで表現するであろう状態――を取り出して、それから、Sに、これに類似した信念状態を帰せしめるのである。「Sはpと信じている」と述べることは、したがって、わたしがまじめに「p」と（たったいま）発話したとして、そのときのわたし自身の「p」という主張の根底にある信念状態に類似したものをSが持っている、と述べることである。もちろん、任意のふたつの事物は、なにかしらの点でお互いに類似しているだろう。わたしの説明では、クワインによる説明と同様に、類似点と必要になる類似性の程度のどちらも、おおむね文脈によって決定される。とはいえ、典型的な文脈では、推論パターンの類似性と、それを取り囲む信念の集まりの類似性がとても重要になる。明らかに、志向的記述についてのこのような説明は、それを厳密なものとするために、かなりの量の洗練を必要とするし、それをもっともらしいものとするために、かなりの量の論証を必要とする。わたしは、ほかのところで、ある程度その双方の課題に力を注いできた[21]。現在の目的からすると、上にあるような簡潔な素描で十分なはずだ。

わたしが提示した、志向的記述の戦略についてのクワイン流の説明から、グランディの人間中心原理に類似したものが直接に帰結するというのは、われわれの現在の関心からすると重要である。あるひとの認識状態の志向的な特徴づけを与える際にわれわれがなしているのは、そのひとの認識状態とわれわれ自身の仮説的状態とのあいだの類似性を通じて、その状態を同定することだとしよう。すると、その観察対象が顕著な点でわれわれと類似しなくなるにつれて、われわれは、その認識状態がどのようにして志向的に特徴づけられうるかが徐々にわからなくなる、と予想されるであろう。また、われわれ自身とはラディカルに異なる推論パターンや信念のストックを持つ観察対象の認識状態に対しては、満足のいく志向的な特徴づけがまったく存在しない、とも予想されるであろう。そして、2―1―3と2―3―1で指摘したように、このことは、よく知られていない推論や信念のパターンを持った観察対象を考察するときに生じることにほかならない[22]。ある仕方で見ると、これは、わたしの提示したクワイン流の分析を支持する論証を構成することになる。というのも、なによりそれ以外の説明だと、観察対象がわれわれと徐々に類似しなくなるにつれて志向的な記述が崩壊していく理由がまったく提供されないからだ。逆に見ると、われわれは、2―3の最初に提示された疑問に答えることに成功したことになる。最小合理性の条件は人間中心原理の副産物である。そして後者の原理が成立するのは、志向的記述においてわれわれが、他者の認識状態を、そのひととわれわれ自身との類似性を通して特徴づけるからなのである。

2—4　不合理性の限界を支持する論証と、そういった限界が興味深いものでない理由

記憶のしっかりした読者は思い出すだろうが、ひとがなしうる下手な推論の程度にアプリオリな制約を課すような概念的論証の見込みによって、本章の議論は引き起こされた。その論証によると、あるひとの推論が理想的な合理性から際限なく逸脱しうると想定することは、概念上つじつまが合わない。その論証の中心部分は、合理性と志向的な記述可能性がひとまとまりになるという主張だった。そしてわれわれはいまや、論証のその部分をかなりしっかりと整えている。論証全体は次のように述べられるだろう。

(i)志向的記述においてわれわれは、認識状態を、われわれ自身の現実的、可能的な状態との類似性を通じて特徴づける。それゆえ、われわれとはまったく異なる認識のパターンを持つような生物を志向的に記述することはできない。志向的に記述できるということは、われわれ自身に類似した認識のパターンを持つことを要求するのである（これはグランディの「人間中心原理」の仲間だとみなされるかもしれない。ただ「志向性に関する排他的な自種族中心主義の原理［the principle of intentional chaouvinism］」というラベルのほうがより記述的だろう）。

(ii)われわれは理想的に合理的というわけではないかもしれないが、認識をかなりうまく行っている。われわれは適度に合理的なのである。それゆえ、認識のパターンがわれわれ自身に類似している生物もまた、認識をかなりうまく行うだろう――おそらくはわれわれより少し下手だったり、少しうまかったりするだろう。このことから、(i)とあわせて、認識システムが志向的に記述されうるとすれば、それは適度に合理的でもなくてはならない、ということが帰結する。

(iii)信念は「内容を持つ」、言い換えるとそれは志向的に記述しうる認識状態である。つまり、あらゆる信念は、これこれという信念、といったかたちで表される。志向的な記述が与えられない認識状態は信念ではありえない。このことから、(i)と(ii)を加えると、信念を持つ生物は適度に合理的でなくてはならない、ということが帰結する。

(iv)推論とは、信念が形成、修正、消去されるプロセスである。信念がなくては、いかなる推論も存在しえない。このことから、(i)と(ii)と(iii)を加えると、ともかく推論をなしうる生物は適度に合理的でなくてはならない、ということが帰結する。あるいは、逆に言えば、きわめて不合理な生物、つまり、認識がとても下手な生物は、まったく推論を行えないであろう。

合理性と志向性とのあいだの結びつきについてのデネットの見解、あるいはホリスの見解ですら維持されない以上、この論証はそれほど脅威的なものではない。デネットが正しいとすれば、理想的に合理的な生物だけがともかく推論しうるであろう。それゆえ、実際に推論を行っている生物にとって、改良のための余地はまったくないことになるであろう。ホリスが正しいとすれば、いやしくも推論を行う生物であればなしえないような、ある特定の認識上の誤りが存在するであろう。しかし、わたしが詳述してきた、よりもっともらしいバージョンの論証だと、人々が実質的にかなり多様な仕方でうまい推論の基準から逸脱しうることは否定されない。それゆえ当面のところ、人間の推論の欠点を研究する経験科学者や、われわれにもっとうまく振る舞わせようとする認識論的改革者が、自分たちは失業してしまうのではないかと不安に思う必要はない。しかしながら、こういった比較的融通のきく限界ですら、ラディカルな認識論的改革者の視点とは折り合いがつかないだろう。ラディカルな認識論的改革者は、われわれがすでに推論をきちんと行っているということを認めつつも、無制限の改良をもくろむ。そしてそういった改良のなかには、われわれが現在用いている認識戦略とはまったく異なる認識戦略をわれわれにもたらすようなものもあるだろう。これは、われわれが非常に深刻に受け取るべきだと思われる視点である。そのような視点は第五章と第六章で現れることになるだろう。それゆえ、(i)から(iv)で述べられた論証の、厳密にはどこが誤っているのかに目を向けることが、いくらか重要となる。

この論証を攻撃するひとつの方法は、信念は志向的に記述できなくてはならないと主張する前提(iii)、あるいは、信念がなければいかなる推論も存在しえないと主張する前提(iv)に異議を唱えることであろう。どちらの場合でも、それらの前提は、われわれが「推論」や「信念」によって意味する事柄の一部を特定するような概念上の真理として描かれることで、もっとも説得的に擁護されるであろう。そして、わたしを含む多くの者にとって、信念や推論についてのわれわれの概念がこのように制約されているというのは、あまり自明ではないのである。しかし、これはわたしがどうしても追求したい攻撃方針だというわけではない。というのも、常識的概念の境界線にまつわる多くの論争と同様に、この論争はきっと、お互いの側が相手に対して自身の言語的直観を振りかざすことで手詰まりに終わりそうだからだ。

(i)から(iv)で述べられた論証に対する、より深刻な異議はこうだ。推論はどれほど悪いものでありうるか、そしてそれはどれほど改良しうるのか。そういったことについて上の論証が課す「限界」は、あまりに特殊で、また、それほど興味深いものでもないのである。それは、自然な、あるいは理論的に有意味な境界線をなんら引くことのない、観察者に相対的で、状況依存的な制約なのである。むしろそれは、常識的概念が描く境界線に沿うものであり、たとえその概念が通常用いられている領域とは異なる領域では曖昧な境界線を生み出してしまうとしても、その概念の日常的な問題に対する有用性はなんら影響を受けないのである。

以上のことをもう少しはっきり見てとるために、まず、前提(i)――排他的な人間中心原理――が、その論証で根本的な役割を演じていることに注意しよう。基本的な制約――志向的に記述しうるものとそうでないものに関する制約――を生み出すのは、この原理である。それに続く前提は、この制約を、信念とみなされる認識状態のクラスと、推論とみなされる認識プロセスのクラスに拡張するものだ。ところで、前提(i)の主張によると、われわれは、ある認識状態を志向的に特徴づける際に、その状態がわれわれ自身のなんらかの現実的ないし可能的な状態に類似していると述べていることになる。それゆえ、志向的記述ではわれわれ自身が万物の尺度なのである。さらに、クワインが述べるように、関連してくる類似性基準は文脈に依存する――それは「特殊な目的に相対的」である。[23] 明らかに、志向的に記述しうる状態とそうでない状態とのあいだの境界は、曖昧で、文脈依存的で、観察者に相対的なものであるだろう。つまり、それは安定していたり、客観的であったり、明確であったりすることはないだろう。

またそれは、大雑把にさえ、なんらかの自然な、あるいは理論的に興味深い境界と一致することはないだろう。志向的に記述しうる状態とそうでない状態とのあいだの区別は、自然をその継ぎ目ごとに分割するようなものではないのである。おそらく、この最後の論点を強調するもっとも容易な方法は、2―1―1で素描された、計算主義パラダイムの視点を採用することだ。ある人々の列があるとして、彼らは各々、同じ形式的な構造を利用し（すなわち彼らは構文論的に同じ「思考の言語」を持つ）その形式的な構造をまったく同じ規則にしたがって操作するという点で類似した脳を持っているとしよう。そして、それらの人々がただひとつの点でのみお互いに異なっていると仮定しよう。すなわち、彼らは異なる文をその信念ボックスに蓄えているのである。われわれは、その列の最初のひとが自分であると想像してもよい。二番目のひとは、ひとつを除いて、その信念ボックスにすべてわたしと同じ文を持っており、そのひとつの文に関して、彼とわたしは異なる。三番目のひとは、わたしと二番目のひととの関係と同様の関係を、二番目のひとに対して持つ。つまり、そのひとはわたしとはふたつの心的文を異にし、二番目のひととはひとつの心的文のみを異にする。などなど。この想像上の列では、各々隣り合うペアが、互いに心理学的にはとても類似しているということが興味深い。そして、純粋に形式的な計算主義パラダイムから見ると、なんら興味深い、あるいは有意味な非連続はそこには存在しないのである。それらの人々をふたつのクラスに分けるための、自然な、あるいは理論的によく動機づけられた方法などない。しかし、それらの人々を（ある特定の文脈において）志向的用語で記述しようとするとき、われわれは彼らをふたつのラディカルに異なるグループに分けるよう強いられるだろう。わたしに比較的近いグループは、志向的に特徴づけることのできるような状態を持つ。大変に離れたグループはそうではない。心理学における計算主義パラダイムが妥当なものだとすれば、そういった区別は、排他的な人間中心原理によって命じられるものではあるが、心理学的な有意味性をまったく持っていない。信念ボックスの文字を固定して、それらの文字がお互いに相互作用する仕方を支配する原理を徐々に変えたとしても、右とかなり類似した論証を繰り広げることができる。この場合もまた、われわれは、隣り合う人々がお互いにとても類似しているような列を獲得する。自然な、あるいは理論的によく動機づけられた境界線などまったくない。しかしわれわれに近い人々は志向的に記述しうる一方で、遠く離れた人々はそうではないのである。(24)

わたしはここまでのいくつかの段落でこう論じてきた。人々はどれほど下手に推論しうるのか、そして彼らはその推論をどれほど改良しうるのか。これらのことについての限界は(i)から(iv)によって裏づけられるものだが、興味深いものではない。なぜなら、それらは、ある心的状態が志向的に記述できるかどうかに関する気まぐれな境界線に沿うものだからだ。そういった限界がいかに重要でないかを見てとるもうひとつのやりかたはこうだ。単にそれほど排他的でない語彙を採用してその限界を無視してしまうというのが、どれほど容易なことかを見てとるのである。またしても計算主義パラダイムが主張の助けとなる。常識心理学によって前提とされるような類の認識の構造がおおむね正しく、(iii)と(iv)が議論の余地のないものだとしよう。その場合、先の段落で見たように、一般的な認識のしくみにおいてわれわれと同じようなしくみを示す認識システムを所有するが、その信念ボックスの文字が「本当の」信念とみなされず、その文字を操作するプロセスが「本当の」推論だとはみなされない、そういった人々がいるかもしれない。しかし、これらのシステムは「信念に類似した」認識状態と「推論に類似した」認識プロセスを持っており、それらは、曖昧な、一般的でない、そして心理学的にまったく重要でない仕方で、本当の信念や本当の推論と異なるようなものだ。ここで打つべき自然な手は、日常的語法の気まぐれにとらわれないような用語法を採用することである。「認識状態」という用語を、「本当の」信念と、志向的に記述できないという点を除いては本物そっくりの「信念に類似した」状態の双方に使用することにしよう。さらに、「認識プロセス」という用語を、「本当の」推論と、志向的に記述できない認識状態を操作する「推論に類似した」プロセスの双方に対して使用することにしよう。（わたしが本章を通して断続的になしたように）こういった用語法で人々の心理的プロセスを記述するとすれば、(i)から(iv)で生み出された限界は消えてなくなる。人々の信念は、それが「本当の」信念とみなされうるとすれば、われわれ自身の信念に適度に類似していなくてはならない。また、推論も同様に、それが「本当の」推論とみなされうるとすれば、われわれ自身の推論に適度に類似していなくてはならない。しかし、人々の認識状態や認識プロセスには、そういった制約がまったくないのである。「概念的論証」が示してきたにもかかわらず、人々の認識プロセスは無際限にわれわれ自身のものと異なりうる——そして無際限により悪い、あるいはより良いものでありうる。それゆえ、概念的論証と、それが課す「限界」のいずれも、経験心理学者と認識論的改革者のどちらによっても深刻に受け取られる必要がないのである。

第三章　進化と合理性

人間の推論はそんなに悪くはありえないし、それが非常に良くなることもありえないであろう、ということを示そうとする一群の概念的論証を、わたしは前章で考察し、そして退けた。本章でのわたしの主要なプロジェクトは、それとほぼ同じ結論を示そうとする別の一群の論証を整理し批判することだ。しかし前章での論証と異なり、ここでのわれわれの関心の的となる論証は、広範なあるいは規則立った不合理性という仮説が概念上不可能だと主張するわけではない。むしろその主張によると、著しい不合理性というものは、進化とその根底にあるプロセスについての十分に確立された理論と両立不可能であるがゆえに、経験的に見て不可能、あるいはありそうにないとされるのである。

前章のトピックと対照的なもうひとつの点はこうだ。進化ないし自然選択と合理性とのあいだのなにがしかの結びつきを論じる研究が著しく希薄なのである。あちこちに示唆的なヒントがたくさん散らばっており、そういったヒントが議論のなかで支持されたり、詳述されたりするのをわたしはしばしば耳にしてきた。おそらく、そのなかでもっともよく知られているのは、次に挙げた簡潔な一節であり、そこでクワインはわれわれに次のことを思い起こさせる。

常習的にその帰納が誤るような生物は、その種を繁殖させる前に死滅してしまう、そういった哀しいが称えられるべき傾向を持つ。[1]

次はデネットからの例である。

ある生物の信念の大部分が真だろうということ、および、その生物の戦略の大部分が合理的だろうということ。それらは自然選択によって保証される。[2]

別のものとして、フォーダーからの例を挙げよう。

ダーウィン流の選択は、生物が論理学の本質的な要素を知っているか、もしくは死滅してしまうかのいずれかだということを保証する。[3]

他の多くの論者が右のものに類似した示唆をなしてきた。[4] しかし、進化ないし自然選択についての事実から、不合理な推論システムはありそうにない、あるいは不可能だとする結論に至る論証の説明で、支持されて公になったものを、わたしはまったく知らない(5)。そのような論証を本当に支持するようなひとがいないために、その思考方針に批判的なひとは、なにか困惑させられたままになってしまう。というのも彼らは、相手を退けるために、まず自分でその相手の意見をこしらえなくてはならないからだ。3―1でわたしは、進化論的考察と不合理な推論の限界に関する結論とのあいだに結びつきを作り出そうとする、一組の方針を考察する。それから次のふたつの節でわたしは、これらの方針のどちらも深刻な困難に悩まされると論じることにする。わたしの論証はもちろん、たとえうまくいったとしても、人々がなしうる推論のまずさの程度に制約があることを支持するような良き進化論的論証などない、ということを確立するわけではない。わたしの目標はもっと穏当なものだ。進化論的考察が不合理性に興味深い制限を課すと考える人々には、克服しなくてはならない重大な問題があるということを、わたしは明らかにしたいのである。3―4でわたしの結論を整理するころに、論証の責任が相手にあること――今度は相手の番であること――をあなたに納得させたならば、わたしは十分に満足であろう。

3―5と3―6で追求される本章の第二のプロジェクトはこうだ。そこでは、遺伝学、進化、複雑な認識システムの獲得、といったことについてわれわれが知っている事柄に照らして、記述的な認識論的多元主義の見込みを考察する。そこでのわたしの主題は、生物学が多元主義になんら脅威を与えない、というものになるだろう。われわれの推論戦略がすべて生得的である、あるいは、そのうちのいずれかは確かに生得的である、と考えるべき説得力のある理由などない。また、いくつかの認識プロセスが生得的なものだとかりに判明するとしても、このことは依然として、記述的な認識論的多元主義が擁護できないことを示すわけではないであろう。

3—1　論証を求めて

わたしの経験上、進化論的考察が合理性を保証すると考える人々の多くは、ある一組の考えによってそういった見解にひきつけられる。そしてその各々とも、ある一応のもっともらしさを持つものだ。その一方によると、進化は最適にデザインされた形質ないしシステムにかなり近いものを持った生物を産み出すとされる。もう一方によると、最適にデザインされた認識システムは合理的な認識システムだとされる。ここでの課題は、これらの考えを練り上げて、進化について知られている事柄に適った前提を持つような、妥当な論証にすることだ。そういった論証がどのように進行しうるかを見てとるために、各々の考えをできるだけもっともらしく拡張してみることにしよう。

3—1—1　進化と良くデザインされたシステム

進化は最適にデザインされたシステムにかなり近いものを産み出す、という考えを具体化するには、いくつかの疑問に取り組む必要がある。第一に、この文脈において、ある形質ないしシステムが「最適にデザインされている」と述べることは、正確には、どのようなことを意味するのだろうか。第二に、進化が最適にデザインされたシステムに非常に近いものを産み出すのはなぜなのか。第三に、以上のことは、われわれの認識システムがどのようなものなのかという疑問に、いかなる仕方で関係するのだろうか。

その論証では自然選択が中心的な役割を果たすはずだ。それゆえ、良くデザインされたシステムという考えは、生物学的適応度の見地から明らかにされる必要があるだろう。自然選択の観点からすると、あるシステムが第二のシステムよりも良くデザインされているのは次のような場合だと述べるのがもっともらしい。すなわち、第一のシステムを持つ生物が、第二のシステムを持つ同種の生物よりも適応的である——つまり、より生存と繁殖に成功しそうな——場合である。あるシステムが最適にデザインされているのは、それがどの代替システムよりも生物学的適応度を高める場合である。このことは、他のどのシステムが「代替システム」とみなされることになるかに関する、いくつかの難しい問題を提起する。われわれは後にその論点に戻ることになる。明らかに、あるシステムのデザインの良さというのは、問題の生物の種類とその環境の双方に相対的なものだ。とはいえ、問題を単純にするために、さしあたってその論点を無視することにしよう。

われわれはなぜ、進化が最適にデザインされたシステムにかなり近いシステムを産み出すだろうと考えねばならないのだろうか。それに対するもっとも説得的な答えの出発点は、進化は自然選択によって引き起こされる、あるいはそれによって推進される、という主張である。自然選択それ自体についてはこう期待できる。自然選択は、遺伝子プールのなかで利用可能な遺伝的にコード化された形質ないしシステムのなかから、最善にデザインされた——つまり、もっとも適応度を高めるような——形質ないしシステムを選択するのだ、と。自然選択は、長い時間をかけると、理論上最適な形質ないしシステムにかなり近いものをひとつないし複数含んでいることが大いにありうるような、膨大で多様な集まりのなかからの選択となるだろう。したがって、進化を引き起こすような長期間の自然選択によって得られるシステムは、可能な限り良くデザインされたものに近くなると期待できるのである。

以上のことがわれわれ自身の認識ないし推論システムに対して帰結をもたらすためには、われわれの認識システムそれ自体が生物学的進化の産物だと仮定しさえすればよい。それが正しいとすれば、われわれの認識システムは、生物学的適応度を高めることにおいて最適ないし最適にほぼ近いものだと期待できるのである。

3―1―2　合理性と良くデザインされたシステム

さて、第二の考え――最適にデザインされた認識システムは合理的なものだという考え――を考察しよう。良くデザインされたシステムという考えが適応度の見地から明らかにされてきたのだから、この第二の考えはここでは次のように主張するものだと解されねばならない。すなわち、最適に適応度を高める認識システムとは、合理的な認識システムなのである。いくつかの目的からすると、その論点を比較による表現で述べるほうが有益かもしれない。一方の認識システムが別の認識システムよりも適応度を高めるのだとすれば、それはまたより合理的なものでもある、というように。われわれはなぜ、そういった主張を受け容れねばならないのだろうか。わたしはその論点を詳細に論じてきたひとをまったく知らないが、そのような考えが擁護されうるのだと、ふた通りのかなり異なる仕方でほのめかすものに出くわした。

そのひとつによると、右にあるような考えは、「合理的な推論」（あるいは「正当化された推論」や

「うまい推論」や、なにかそれに関連した推論の評価に関わる用語）の意味から直接的に帰結するとされる。この見解によると、ある推論システムが別の推論システムよりも合理的だと述べるときにわれわれが通常意味している事柄を分析すると（あるいは、もしかしたら、適切なテクニカルな文脈でわれわれが意味している事柄を分析すると）、次のことが見出されることになる。すなわち、われわれはそこで、一方のシステムが他方のシステムよりも適応度を高めるということを意味しているのである。それゆえ、最適にデザインされた認識システムが合理的だという主張は概念上の真理なのである。読者は、「合理的な推論システム」の意味に関するそういった説明がきわめて奇妙なものだと抗議するかもしれない。そしてその点に関して、わたしからはなにも論ずるつもりはない。しかしここは、認識ないし推論の評価に関わる用語についての、競合するさまざまな分析が持つメリットを論ずる場所ではない。というのも、そういった用語はどのように分析されるべきか、われわれは概念分析からなにを期待しうるか、といった問題は、第四章で中心的に論じられるだろうからだ。本章では、そういった主張のどれにも異議を唱えないままにしておこう。

適応度を最適化する推論システムは合理的なものだという考えが擁護されうる第二の方法は、先のものとは異なる、そしておそらくはよりもっともらしい概念分析から始まる。このもうひとつの分析によると、推論システムの合理性は、それが真なる信念をどれほどうまく産み出すかによって決まるとされる。合理的な推論システムとは、一般に真なる信念を産み出すようなシステムである。そして一方の推論システムが別のシステムよりも合理的なのは、前者の推論システムのほうが後者よりもうまく真理を産み出し、虚偽を避ける場合なのである。こういった説明は、アームストロング、ドレッツキ、ゴールドマンといった論者によって提供された、いわゆる認識論的正当化についての信頼主義的な説明に、明らかに家族的に類似したものだ(6)。

さて、ある推論システムの合理性（あるいはそれの良さや被正当化性）は、それが真なる信念を産み出す傾向に概念上結びつけられているとしよう。このことはどのようにして、自然選択と合理性とのあいだに結びつきを作り出すのだろうか。その答えは次のさらなる主張、すなわち、一般に真なる信念を産み出す推論戦略は適応度を高めるものであり、それゆえ自然選択はそういった戦略を好むだろう、といった主張に存する。それというのも、主張されるところでは、真なる信念を持つことは偽なる信念を持つことよりも一般に適応的だからである。真なる信念を持つほうが、生物は自身の環境をうまく扱うことができる。つまり、真なる信念のおかげで、生物は、食物や棲家やつがいを見出すことができ、危険を避けることができ、それゆえ、より効率的に生存や繁殖をおこなうことができるのである。もちろん例外もある。ヒトや動物が、真なる信念よりも偽なる信念に基づいて行動するほうが良いような、そういった突飛な状況を想像するのは容易である。ミーティングが翌日にスケジュールされていると誤って信じてしまったために、そのミーティングに行きそこねた外交官は、ミーティングの出席者がテロリストに囚われてしまったとすれば、時間通りに到着した同僚よりも、繁殖上成功していそうである。しかし、そういった事例は明らかにまれで、例外的なものだ。現在の論証の支持者が主張する必要があるのは次のことにすぎない。すなわち、真なる信念のほうが偽なる信念よりもその比率において高ければ、総じて、また長期的に見て、その生物はより適応的であるだろう——その同種を打ち負かすだろう——ということにすぎない。それが正しいとしてみよう。すると、一方の推論システムが他方のシステムよりもうまく真理を産み出し虚偽を避けるとすれば、自然選択は前者を後者よりも好むだろう、と期待できる。そして、信頼主義的な分析によると、それは、より合理的なシステムに対する選好に帰着するのである。(7)

3—1—3　予告編

進化と自然選択は、十全な合理性に少なくとも非常に近いものを、われわれ自身を含む正常な生物のうちに保証する、という主張を支持する一組の論証がいまやわれわれのもとにある。これらの論証は一群の考察を共有しており、その考察は、進化が最適にデザインされたシステムに非常に近いものを産み出すという結論へと至るものだ。それらはまた、最適にデザインされた認識システムが合理的なものだという主張も共有している。それらが分かれるのは、その主張のために提供される擁護においてである。一方の論証によると、その主張は概念上の真理であり、「合理性」やなにかそれに関連した用語を分析することで支持されるものだとされる。他方の論証はより複雑な擁護を与えるが、それによると、推論システムの合理性は適応度ではなく真理に概念上結びつけられているとされる。したがって、それが論じるところでは、自然選択がある推論システムを別の推論システムよりも好むのは、前者の推論システムのほうが、後者の推論システムよりも、真なる信念を産み出す傾向が高い場合である。

以下のふたつの節でわたしは、これらふたつの論証を構成する要素のいくつかを批判的に検討する。認識論的評価に関わる用語の分析やその意味についての議論を先延ばしにしているのだから、これらの論証で引き合いに出されている「合理的な推論システム」の分析のいずれにも、わたしは異議を唱えるつもりはない。しかし3—2でわたしは、自然選択が「信頼できる」推論システムを好むという考えに異議を唱えることにする。その異議がうまくいくとすれば、第二の論証は崩壊する。というのも、良くデザインされた認識システムと合理的な認識システムとのあいだの結びつきが切り離されることになるからだ。3—3では、進化が常に、最適にデザインされたシステム、もしくは、なにかそれに近いものを持った生物を産み出すことを示そうとする論証の、さまざまなステップに異議を唱えることにする。わたしはまた、われわれの推論システムが進化の産物だという仮定についても、いくつかの疑問を提起するつもりだ。これらのテーゼのいずれか、あるいはどちらもが間違っているとすれば、われわれが素描してきた論証はいずれも崩壊してしまうだろう。最後に、3—5と3—6ではこう論じることにしよう。たとえ人間の認識システムが遺伝的にコード化されたものであり、進化の産物であるとしても、あらゆる正常な認識システムが類似していると想定するもっともな理由などないのである。この最後の論点は、進化から合理性に至る論証を放棄するのに必要となるわけではない。しかし、それがもたらす認識の多様性は、以下の章で中心的な役割を果たすことになるだろう。

3—2　真理、信頼性、自然選択

自然選択は、信頼できる推論システム——うまく真理を産み出し虚偽を避けるような推論システム——を、信頼できない推論システムより好む、というのが手元にあるテーゼである。そして、このテーゼは偽だというのがわたしの主張である。わたしの主張を確立するためには、いくらかそのための足場を設けておくのが有益だろう。

エリオット・ソーバーは、論文「合理性の進化」において、遺伝子ないし遺伝子の組み合わせの全体的な適応度を決定する要因として考慮されうる、ふたつの構成要素を区別する。[8] その区別がもっとも明白になるのは、ソーバーと進化生物学者のG・C・ウィリアムスにしたがって、[9] 遺伝子を「サイバネティックな抽象概念」とみなして、ある生物の遺伝物質を、その生物がしたがう命令プログラムに類比的なものとして捉える場合である。ちょうど、コンピュータがそのプログラムの命令にしたがうのと同じように考えるのである。ある遺伝子の組み合わせは、ある種の損傷をこうむると、ヒトの身体に、一連の生理的な修復活動を始めるよう命令するかもしれない。別の遺伝子は、オスのヒヒに対して、捕食者がそのオスの群れのメンバーを攻撃するときに、その捕食者を攻撃するよう命じるかもしれない。ある特定の環境におけるコンピュータプログラムの「適応度」、つまり、遂行するよう設計された課題に対するそのプログラムの適切さ、そういったものを評価する際、われわれはふたつの要因を考慮したいと考えるだろう。第一の要因はこうだ。それは、どのような種類の入力／出力関係を定めるのか——それは、さまざまな種類の環境ないし状況において、そのシステムに対してどのように振る舞うように命じるのか。他の事情が等しければ、あるコンピュータプログラムが別のものよりも適切であるのは、それがもたらす入力／出力の組み合わせが、そのプログラムの意図される目的を成し遂げるのにより効果的である場合である。それと類比的に、ある遺伝的プログラムが別のものよりも適応的であるのは、他の事情が等しいとすれば、前者のプログラムのもたらす入力／出力の組み合わせのほうが、後者よりも、生存や繁殖の成功の助けとなる場合である。

コンピュータプログラムの適応度を評価する際に考察されるべき第二の要因は、コンピュータそれ自体の内部で厳密にはなにが生じているか、ということであろう。「良いプログラムというのは、正しい入力に対して正しい出力を生じさせるだけではなく、経済的にそういったことをなすだろう。それは、コンピュータのメモリをそれほど消耗させることはないだろうし、コンピュータのエネルギー源を枯渇させることもないだろう[10]」。それと同様に、良い遺伝的プログラムというのは、生物のメモリやエネルギーやその他の資源を過剰に要求することなしに、その効果をあげるようなものだろう。ソーバーはこういった後者の考察を、彼が外的と呼ぶところの入力／出力に関する考察と対比して、内的と呼ぶ。彼は、生物の遺伝的な命令が、コンピュータプログラムと同様に、内的な適応度と外的な適応度の双方の観点から評価されうると、十分にもっともらしく主張する。こういった内的な適応度と外的な適応度のあいだの区別は厳格なものではない。ソーバーと同様、わたしはそれを発見法的な装置としてのみ用いることにしよう。つまりそれを用いて、ある生物の全体的な適応度に貢献するさまざまな種類の要因に注意を向けるのに役立てることにしよう。

わたしが論じたいのは次のようなことだ。なんらかの種——人間であれ、人間以外のものであれ——のうちに、一組の遺伝的にコード化された推論システムであるG_1とG_2があるとしよう。さらに、この種を取り囲む自然環境では、G_1のほうが信頼できるとしよう。つまり、それは、G_2よりも頻繁に真なる信念をもたらし、G_2ほど頻繁には偽なる信念をもたらさないとするのである。わたしの主張は、それにもかかわらず次のことが可能だというものだ。すなわち、それほど信頼できないシステムであるG_2が、内的な適応度と外的な適応度の双方においてG_1を凌駕することがありうるのである。このことが正しく、また自然選択が、より適応的なシステムをそうでないシステムよりも常に好むのだとすれば、真理を生じさせて虚偽を避けることにおいてG_1のほうがはるかに信頼できるにもかかわらず、自然選択はG_1よりもG_2を好むことになるだろう。

わたしのテーゼは、内的な適応度の場合にもっとも擁護しやすい。ここでの論点はシンプルなもので、次のようなものだ。すなわち、うまく真理を生じさせて虚偽を避けるような推論ないし探究の戦略は、時間、労力、認知的ハードウェアという見地からすると、不経済かもしれないのである。遺伝的にコード化された推論システムの全体的な適応度を決定する際には、そういったコストを考慮に入れる必要があるだろう。そのコストがあまりに高いとすれば、また、それほどうまく真理を生み出すわけではないがそれでも受け容れることのできるような代替システムが利用可能だとすれば、自然選択はそっちのほうを好むかもしれないのである。ソーバーは、推論システムを選択することと探偵のサービスを選択することとのあいだでのうまいアナロジーでもって、その論点を示す。もしあなたがある種の情報を必要とするのだとすれば、探偵を雇う気になるかもしれない。あなたが探偵に支払うお金が多ければ多いほど、その探偵はより多くの事柄を発見するだろう。しかし、典型的には、さらなる情報に余分な費用をかける価値がなくなるようなポイントが存在するだろう。多くの商品がそうであるように情報にも限界効用が存在するのだと、経済学者であれば論じるかもしれない。こういった反省のもたらす結論はこうだ。それほど信頼できない推論システムのほうが、信頼できる推論システムよりも高いレベルの内的適応度を持っている、という理由から、自然選択は、より信頼できる推論システムよりも、それほど信頼できない推論システムのほうを選択するかもしれないのである。次に論じなくてはならないのは、より信頼できる推論システムが、外的な適応度においてもまた、それほど信頼できない推論システムに後れをとるかもしれない、ということである。

まず、推論システムが誤った解答をなしうるには、ふたつのまったく異なるやりかたがあることに注目しよう。ひとつのやりかたというのは、pが事実でないときにpが事実だと推論することだ。通例にしたがって、こういった誤りを偽陽性と呼ぶことにしよう。他方のやりかたでは、実際にpが事実であるときにpが事実でないと推論されることになる。これは偽陰性である。次に注目すべきは、一方の推論的誤謬は生物の適応度にとってさほど重要でないが、他方の誤謬は非常に不利益であるかもしれない、そういったきわめて日常的な状況が数多くあるということだ。たとえば、あるタイプの食物が毒性を持つかという疑問を考えてみよう。多様な食環境のもとで生活する雑食動物にとっては、そういった疑問における偽陽性は比較的チープなものであろう。その生物は、なにかが毒性でないときにそれが毒性を持つと信じるようになるとすれば、そういった食物を不必要に避けることになるだろう。このことは、生存および繁殖の成功の機会に対して、わずかながら悪い影響を与えるかもしれない。他方で偽陰性は、そういった状況では、はるかに手痛いものだ。ある特定の種類の食物が毒性を持つときに、それが毒性を持っていないと信じるようになるとすれば、その生物は、そういった食物を避けげず、病気や死の危険をかなり冒すことになってしまうだろう。そういった状況を前にすると、かなり高いレベルの外的な適応度をその生物にもたらしうる推論戦略とは、比較的弱い証拠に基づいてある種の食物が毒性を持つと推論するような、非常にリスク回避的なものとなるであろう。そういいった戦略はかなりの数の偽陽性を生み出すであろう。というのも、その生物は、弱く決定的でない証拠に基づいて、問題の食物が毒性を持つという結論へと飛躍してしまうであろうからだ。とはいえ、このことはたいした問題ではない。というのも、こういった状況での偽陽性はチープなものだからだ。問題の食物が毒性を持つと性急に結論づけることで、その戦略はおおむね偽陰性を避けるであろう。そして、偽陰性は致命的なのだから、それは重要なことなのである。

論証を完成させるためには、あと次の指摘が残っている。とても慎重でリスク回避的な推論戦略——非常にわずかな証拠をもとに危険があるという結論へと飛躍する推論戦略——は、判断を形成するまでにさらに多くの証拠を待つような、それほどリスクに敏感でない戦略と比べると、典型的には、偽なる信念を頻繁にもたらし、また、真なる信念をそれほど頻繁にはもたらさないだろう。しかし、それにもかかわらず、信頼できず誤りを犯しやすいリスク回避的な戦略のほうが、おそらく自然選択には好まれるだろう。というのも、自然選択は真理を気にかけるわけではないからだ。それが気にかけるのは繁殖の成功だけなのである。そして、繁殖の成功という観点からすると、多くの場合、後で悔やむよりも大事をとる（そして誤っている）ほうが賢明なのである。したがってわれわれが示してきたのは次のようなこととなる。一方の推論システムが他方の推論システムよりも誤りが少なく頻繁に正しい解答をなすにもかかわらず、前者よりも後者のほうが高いレベルの外的適応度を持っている、ということがありうるのである。

こう異議を唱えられるかもしれない。われわれが想像している状況での最適な解決というのは、常に正しい解答をなすような推論システムであろう、と。そして実際、そういった選択肢が利用できるとすれば、また、大きな内的コストがまったく課されないとすれば、そのような推論システムがおそらく自然選択に好まれるものだろう。とはいえ、そういったシステムが利用できると想定すると、進化論的パングロス主義［訳注：すべての生物の形質は進化論的に見て最善なものであるという考えかたのこと］を馬鹿ばかしいまでに推し進めてしまうことになる。典型的には、危険を探知する戦略で不可謬なものなど決してないだろう。そしてたとえそういった戦略があるとしても、それが長期にわたって不可謬なままだというのはありそうにない。というのも、捕食者や病原体や寄生虫は、その時点で利用可能な危険探知戦略を欺く新たな方法を、永遠に進化させ続けるからだ。危険の探知は常に不完全なのだから、われわれが考察してきた類の、全般的な信頼性と緊急時における信頼性とのあいだのトレードオフは、たいていの場合現実的な選択肢だろう。3—1—2で展開されたような、良い（すなわち適応度を高める）デザインと合理性を結びつける論証は、この争いにおいて全般的な信頼性が常に勝利すると想定しなくてはならない。全般的な信頼性が簡単に負けてしまいうることがわかると、その論証は崩壊してしまうのだ。

3—3　進化と最適なデザイン

3—1で素描された論証はどちらも、進化が合理性を保証するだろうということを示そうとするものであり、その双方の論証の本質的な構成要素は、進化が最適にデザインされたシステムにかなり近いものを産み出すという主張である。3—1—1でわたしは、自分がそういった主張のためになしうるもっとも説得力のありそうな論証を集めてみた。あらましとしては、その論証は大筋次のように進行した。

(1)進化は自然選択によって引き起こされる。

(2)自然選択は、その遺伝子プールにおいて利用できるシステムで、最善にデザインされた（すなわちもっとも適応度を高める）ものを選択するだろう。

(3)自然選択が選択を行うにあたっては、膨大で多様な選択肢の集まりが、進化論的な長い時間を通じて、利用されうるだろう。そしてその集まりには、理論上最適な形質ないしシステムにかなり近いものがひとつないし複数含まれていると、大いに考えられる。

(4)進化によって産み出されたシステムは、可能な限り良くデザインされたものに近いと期待できる。

こういった論証はまったく見込みのないものだというのがわたしの主張である。というのも、(1)から(3)と番号づけした仮定はそれぞれ、非常に疑わしいか、偽だと知られているかのいずれかであるからだ。さらに、この論証がわれわれ自身の推論システムに関係しうるとすれば必要となるさらなる仮定、つまり、

(5)われわれの推論システムは進化によって産み出された。

もまた、論証を機能させるためにしかるべき仕方で解釈されると、深刻な疑問にさらされることになる。

3—3—1　さまざまな進化の原因

『選択の本性』においてソーバーは、現代の生物学者が、ある個体群における進化の出現を、その個体群における遺伝子の頻度分布の変化と同一視する傾向があると指摘する。(11) 遺伝子の頻度分布の著しい変化は、通常われわれが進化と結びつけるような類の変化をもたらす。この見解を採用すると、「なにが進化を引き起こすのか」という問いは、「なにが個体群における遺伝子の頻度分布の変化を引き起こすのか」という問いになる。そして、この問いに対する答えには数多くの異なるものがある。自然選択は進化をもたらすプロセスのひとつにすぎない。それ以外に遺伝子の頻度分布の変化をもたらしうるプロセスとしては、突然変異（および突然変異率の変化）、移住［migration］、ランダムな遺伝的浮動［genetic drift］といったものが挙げられる。

とりわけ、おそらくもっともよく研究されているのはランダムな浮動だろう。浮動とは、ある遺伝子がある個体群で固定されるようになり、他方で、それに競合する対立遺伝子がすべて消え去ってしまうような結果をもたらしうるプロセスのことだ。浮動は、小さな個体群での進化的変化の、とりわけ影響力の大きな要因である。というのも、小さな個体群では、大きな個体群と比べると、ランダムな出来事によって特定の遺伝子のコピーすべてが消え去ってしまう確率が高いからだ。もし、現代の進化生物学者の多くが論じるように、急速な進化的変化がしばしば小さな個体群と結びつけられるのだとすれば、浮動が進化を引き起こす主要な要因だと判明するかもしれない[12]。われわれの目的からすると、遺伝的浮動は、自然選択以外の進化の原因としてとりわけ重要なものだ。というのも浮動は、より適応的な遺伝子の消去と、それほど適応していない遺伝子の固定をもたらしうるからだ。このことを直観的に理解するには、孤立した小さな個体群で、次のような事態を引き起こす突然変異が生じたと考えてみればよい。すなわち、その突然変異によって生み出された遺伝子を持つ生物が獲物を捕える確率が、その遺伝子を持たない同種の他の生物よりも高くなったという事態である。さて、この遺伝子が依然としてその個体群において比較的まれであるうちに、それを持つ生物がすべて悪天候で死んでしまったとしよう。ここでの悪天候のようなランダムな浮動が起こることで、この個体群のデザインは、獲物の捕獲に関して、より悪いものとなってしまったことになる。そういったことは一時的な後退にすぎないと考えられるかもしれない。というのも、長期的に見れば、より優れた遺伝子が繰り返し突然変異によって現れて、遅かれ早かれ、それ自体を確立するのに成功するであろうからだ。しかしキッチャーが論じるように、そういった好ましい結果に頼ることはできない。

典型的には、ある遺伝子座における対立遺伝子の固定は、他の遺伝子座で生じる変異体の適応度に影響を与えるだろう。その不幸な対立遺伝子が二度目の機会にあずかる前に、変異体が現れて優勢になってしまったら、その新たな機会は訪れないことになるかもしれない。遺伝的環境が変化すると、以前に最適だった対立遺伝子は、もはや優位ではなくなるかもしれない。以前最適だった対立遺伝子と置き換わった、もとはそれほど適応していない対立遺伝子が、他の遺伝子座にある対立遺伝子によって守りを固めてしまうかもしれず、するといまや、その不幸な対立遺伝子の侵入は選択によって抵抗されることになるのだ。[13]

3—3—2　自然選択の限られた選択肢

たとえ自然選択以外のプロセスの効果を無視するとしても、最適なあるいはほぼ最適なデザインを生み出すような突然変異がいつでもどこでも起こりうるだろうと想定しなければ、進化はその結果として最適にデザインされた（あるいはほとんどそうあるような）システムを生み出すだろう、とは結論できない。しかし、多くの論者が指摘してきたように、それはきわめて奇妙な想定なのである。[14] 技術者の眼で現在存在している生物を見ることで、母なる自然が決して実現しなかった改良の余地を数多く指摘することは、比較的容易である。現代技術は、最新の合金から義肢を生み出し、光の速さでメッセージを伝えるようなコミュニケーションシステムを生み出している。実際に大変ありそうなことだと思われるのだが、ある生物がそういった義肢を持って、あるいは、光の速さでインパルスを伝導するような神経を持って生まれてきたとすれば、それは真に有効な競争力を持つであろう。そういった生物が存在しないという事実は、いま述べた空想上の変化が生物の適応度を高めないだろうことを示しているわけでは確かにない。むしろ、われわれはかなりの確信を抱くことができるのだが、自然選択はそういった素材を利用する生物の適応度を試すような機会をまったく持たなかったのである。

自然選択は常に最善の選択肢に向かうわけではない。この論点を生物学的により現実的に描写するには、多面発現［pleiotropy］という広範に見られる現象を考察しさえすればよい。それは、ひとつの遺伝子がふたつないしそれ以上の特徴やシステムに影響を与える、という現象である。ときには、ある遺伝子があるシステムに対して良い影響をもたらし、別のシステムには悪い影響をもたらす、といったことがあるだろう。その場合、最適な状況というのは、おそらく、良い影響を保ち、悪い影響を避けること——その遺伝子を、悪い影響をもたらさないものと取り替えるか、その有害な影響を抑制する第二の遺伝子を導入するかのいずれかによって——であろう。しかしながら、この種の多面発現による良い特徴と悪い特徴のつながりが自然のうちに消えずに残っているような、数多くの事例がある。そして、そういった事例の多くでは、自然選択がそれに対して作用できたはずの、適切な突然変異あるいは抑制遺伝子が実際にはまったく生じなかった、と想定するのはもっともらしい。北極の動物の白化遺伝子が良い例を与えてくれる。この遺伝子が産み出す白い体毛は、明らかに適応的なものだ。しかしながら、同じ遺伝子が典型的には目に深刻な問題を引き起こし、白子（アルビノ）の生物は一般に、有色の同種のものと同じようには、物を見ることができないのである。最適な遺伝子は、目を悪くすることなく、白化をもたらすようなものであろう。しかしどうも、それは自然選択の選びうる選択肢ではなかったらしいのである。[15]

自然選択が作用するにもかかわらず個体群において最適でない生物が存続しうるような別の現象は、ヘテロ接合体の優位性である。ここでは、もっとも適応的な表現型は、ある特定の遺伝子座に異なる対立遺伝子を持つような遺伝子型によって産み出されることになる。そしてこのとき自然選択は、それほど適応していないホモ接合体をその個体群から消去できない。というのも、最適なヘテロ接合体の子孫の半分は、最適状態には至らないホモ接合体となるだろうからだ。遺伝子の観点からすると、こういった状況には明白な改良の余地がある——すなわち、ヘテロ接合体とホモ接合体というふたつの形式において最適な表現型を産み出すような突然変異である。しかし、言うは易く行うは難し。最適な変異体がともかくそのうち現れることを保証することなどできない。この種の現象でもっともよく知られている事例は、人間に鎌状赤血球貧血を引き起こす遺伝子である。この遺伝子に関してホモ接合体を持つような人々は、子供にとっては通常命に関わるような深刻な貧血に苦しむが、他方で、ヘテロ接合体を持つような人々は一般にはなんの症状も示さない。しかしながら、ヘテロ接合体は、マラリアに対して高いレベルの抵抗を示すという長所がある。マラリアに対する耐性を与える一方で、ホモ接合体になった場合にも貧血を引き起こさないような変異体が、なぜ、マラリアの猖獗地帯にいた個体群に広がらなかったのだろうか。もっともありそうな答えは、そのような変異体を持つことが現実には可能でなかった、というものだ。[16]

3—3—3　自然選択は最善にデザインされたシステムを選ぶだろうか

自然選択以外のプロセスで、自然選択と相互作用することで個体群における遺伝子の頻度分布の変化パターンを決めているようなものの効果を無視したとしよう。また、最適な表現型を産み出す遺伝子がその個体群において生じうると確信できるとしよう。その場合、こういった表現型がその個体群に広がるであろうと結論づけることはできるだろうか。哲学者、そして少なからぬ生物学者が、ときに、その答えはイエスだと推測する。しかしこれは端的に言って誤りだ。おそらく、この論点を見てとるには、たったいま論じた平衡多型のケース、すなわち、最適な表現型がヘテロ接合体の遺伝子型の結果であるような場合がもっともわかりやすいだろう。それとは別の興味深い事例は、以下で説明するようなマイオティック・ドライブという現象によって与えられる。

標準的な減数分裂——精子と卵を産み出すプロセス——では、ヘテロ接合体を持つ個体が産み出す配偶子の半分は、ふたつある対立遺伝子の一方を含み、もう半分は他方を含むだろう。しかし、ある遺伝子は、減数分裂で「いかさまを行い」、最終的にその精子あるいは卵のうちにかなり過剰に分配されるような能力を持つ。こういったいかさまはさまざまなメカニズムによって実現される。もっともよく知られている事例は、キイロショウジョウバエの分離歪曲対立遺伝子だ［訳注：メンデルの遺伝法則のひとつ、分離の法則にしたがわない遺伝子。ちなみに分離の法則とは、対立関係にある遺伝子が分かれて別々の配偶子に配分されること］。精子の成熟プロセスでは、この「キラー」対立遺伝子が原因となって、相同染色体が機能不全の精子を産み出してしまう。明らかに、そういった遺伝子は、たとえその遺伝子の表現型の効果が有害なものだとしても、個体群のうちに急速に広まるだろう。そして、多くの場合、そういったいかさま遺伝子は有害な影響をもたらすことが知られている。たとえばハツカネズミには、シッポのかたちの異常を産み出し、ホモ接合のネズミにかなり深刻なあるいは致命的な害を与えるような、いかさま遺伝子がある。ヒトの個体群において嚢胞性繊維症といった深刻な病気がなくならないのもマイオティック・ドライブの影響である、という推測がこれまでなされてきた。また、マイオティック・ドライブはいくつかの種を絶滅へと追いやったかもしれない、という常示唆もなされてきた。このように、自然選択[17]が良くデザインされたシステムをもたらすというのが常に事実であるわけではないことは明らかである。

フィリップ・キッチャーが強調してきたように、自然選択はもっとも適応的な表現型を固定するようになるだろうという考えには、さらに別の、そしてより深刻な問題が存在する。その理由はこうだ。マイオティック・ドライブが進化の要因となっておらず、最善の利用可能な表現型がホモ接合体の遺伝子型によって生み出されているとしよう。たとえそうだとしても、自然選択がその表現型をその個体群のうちに広めるだろうという保証は依然としてないのである。自然選択の結果、最適に適応したホモ接合体の表現型が、その個体群から消滅するということさえ実際には起こりうる。その論点を例証するために、キッチャーは、アラン・テンプルトンにならって次のような事例を示す。

三つの対立遺伝子A、S、Cのいずれも最初は現れているような個体群があるとしよう。AAはその個体群のほとんどすべてのメンバーのうちに見出されており、次のような条件が成立しているとしよう。


ASはAAよりもより適応的なものである。

SSは致命的なものである。

CはAに対して劣性である（つまり、ACとAAは同じ表現型を、したがって同じ適応度を持つ）。

CSはAAに対して適応度において劣る。

CCはもっとも適応的な対立遺伝子の組である。


この個体群にはなにが起きるだろうか。答え。Cが消去される。それゆえ、もっとも最適な組み合わせであるCCは、最初はその個体群のなかに現れているにもかかわらず、固定されないだけでなく、実際には駆逐されるのである。……対立遺伝子Aが初めは圧倒的に存在するために、対立遺伝子SはASの組み合わせのうちにもっとも頻繁に出現し、対立遺伝子CはACの組み合わせにおいて生じる。そしてACの組み合わせは、Cが劣性であるために、表現型AAを示すことになる。このように、その個体群は、わずかな対立遺伝子Cを依然として持ちつつも、AとSとのあいだの平衡多型に近づいていく。ひとたびそういった多型が実現されると、選択は、わずかな対立遺伝子Cを駆逐するように機能しだす。というのも、対立遺伝子Cを接合体に組み込むことで生じる平均的な効果は、ネガティブなものであるからだ。つまり、対立遺伝子Cは、ACの組み合わせのうちに現れるときにはなんの役にも立たず、Sの対として生じるときには劣ったものなのである。それゆえ、CCが最善の利用可能な遺伝子型であるという事実にもかかわらず、自然選択は、その個体群からCを消し去るように機能するのだ。(18)

3—3—4　推論戦略は進化の結果なのか

本節ではこれまで、進化が最適にデザインされたシステムにかなり近いシステムを必ず産み出すというのは、端的に言って事実に反すると論じてきた。それを踏まえてわたしは次のように論じたい。実際に、自然選択が最適化をもたらす完璧な要因であり、それが生物学的進化の唯一の原因だとしても、依然として、われわれの推論戦略のシステムが最適にデザインされているということが帰結するわけではないだろう。そういった結論を下すためには、進化論的な要因がわれわれの現在の推論戦略を形作ってきた唯一の要因であるという仮定を加える必要がある。そしてこの仮定の正しさは決して自明ではないのだ。このように述べることはもちろん、自然選択が現在の推論戦略を形作るにあたってとても重要な役割を果たしてきたことを疑うことではない。だが、そのことだけでは、われわれの現在の戦略が最適ないしほぼ最適であると、進化論的な根拠に基づいて結論づけることはできない。その理由はこうだ。生物学的進化からかなり独立した要因もまた、われわれの現在の推論システムに（あるいは、推論システムが複数存在するとすれば、それらのシステムの現時点での分布に）至るプロセスにおいて重要な役割を演じたとしよう。その場合、たとえ進化が最適化をもたらす定常的な要因であるとしても、現行の推論システムは最適なものでないかもしれないのである。われわれの推論システムが進化の産物であるという前提から出発して、それが最適あるいはほぼ最適なデザインを持つという結論へと至るためには、生物学的進化が推論システムの変化をもたらす唯一の主要な要因であることを示さなくてはならない。そして、後に見るように、それは土台無理な注文なのである。

自然選択が形質をもたらしうるとすれば、次のふたつの条件が成り立たなくてはならない。第一に、生物の繁殖の成功に影響を与えるような形質に関して、個体群のなかになんらかの変異が体系的に存在していなくてはならない。第二に、そのばらつき具合は、直接的ないしは間接的に、遺伝のメカニズムによってもたらされなくてはならない。しかしながら多くの場合、形質のばらつきは、部分的にしか、遺伝のメカニズムに基づいていないのである。こういった状況では、自然選択はその個体群に最適な形質を広めることがまったくできないかもしれない。さらに、ある個体群におけるそういった形質の分布は、それが繁殖の成功に対してなす貢献とはまったく独立した仕方で著しく変化しうるものだ。以上のことをもう少し明確に見てとるためには、一組の事例を考察するのが有益だろう。

現代人の服装の好みには、かなりのばらつきがある。わたしの大学では、アイビーリーグ・ルックを好む学生も、カリフォルニア・カジュアルを好む学生も、それ以外のスタイルを好む学生もいる。なにも着ないことを好む、きわめて少数派すら存在する。あるひとのこの点に関する好みが、そのひとの生存や繁殖の成功の確率に対してなんらかのインパクトを与えるとわかったとしても、驚くにはあたらないであろう。また、少なくとも、衣服のスタイルのばらつき具合が、部分的には遺伝的に説明されうるとわかったとしても、驚くにはあたらないだろう。しかしながら、そのばらつき具合のかなりの部分が非遺伝的であることは明らかだ（わたしのもとにはかつて、一卵性双生児だが、容易に見分けることができるふたりの学生がいた。というのも、一方はアイビーリーグ・ルックを好み、他方はパンク・ルックを好んだからだ）。衣服の好みにおけるばらつき具合のかなりの部分が非遺伝的な要因によって引き起こされるのだから、現在の衣服の好みのうちもっとも適応度を高めるものが最終的にその個体群に広がるだろうと予想するのは、きわめて馬鹿げたことだろう。もっともフォーマルなスタイル（それがなんであろうと）と、それに対する好みが、ローマ人のトーガやモーニング・コートのように、将来ほとんど絶滅していくだろうというほうが、はるかにありそうな予測なのである。

言語は第二の事例を与えるものであり、先よりも興味深い点で推論に類比的かもしれない。現代人が話し理解する（諸）言語に関しては、現代人のあいだにかなりの多様性がある。とはいえ、こういったばらつきのなにかが遺伝のメカニズムに基づいている、と考える理由はほとんどない。他のところで生まれていたら、わたしは今頃、英語ではなくラップ語や韓国語を話す能力を持っていたであろう。ある言語を話す能力がそれ以外の言語を話す能力よりも適応度を高めているかどうかは自明ではない。とはいえ、そうかもしれないとしても、ある言語を話す能力が広がっていき、それ以外の言語を話す能力が衰退ないし消滅していくプロセスは、生物学的進化からほぼ完全に独立したものだ。それゆえ、たとえある言語が、適応度において、別の言語と比べてなにがしかの利点を実際に与えているのだとしても、より適応度を高める言語が、それほど適応度を高めない言語を消滅へと至らしめるだろうと予想する理由はまったくない。一六〇〇年から一九〇〇年に至るゲール語の衰退と英語の広がりは、生物学的進化とは、ほとんどあるいはまったく関係のないプロセスだった。さらに、ある単一の言語があらゆる人間によって話されるようになるプロセスで、同じように生物学的進化とはほとんど関係のないプロセスを容易に想像することができよう。オーストラリアのアボリジニーの言語、あるいは地理的に孤立したなにか他の言語が、次の世界大戦の後に唯一残された言語である、というシナリオを想像することは、なんともはや、まったく容易なのだ。[19]

さて、以上のことがわれわれの推論システムの合理性あるいは最適性にどう関係するかを見てとるために、第一のステップとして次のことに注目しよう。こういった事柄に関してわずかながら知られていることからして、推論に寄与する認識メカニズムが言語理解の深層にある認識メカニズムに重要な点で類似している、というのはまったくありうることだ。特に、あるひとが用いる推論戦略は、そのひとが話す言語と同様に、おおむね環境の要因によって決定されるものであり、個人間あるいは社会間に見られる推論戦略のばらつきは遺伝的要因からかなり独立している、というのが実情かもしれない。推論がこの点で言語に類比的だとすれば、ある個体群での推論戦略の分布の変化は、その戦略が与える生物学的適応度のレベルとは、ほとんどないしまったく関係がないかもしれない。さらに、たとえ、現在のヒトの個体群のうちにただひとつの推論戦略システムしか存在しないとしても、われわれは、そのシステムが適応度を高めるのに最適であると、容易には結論づけることができないであろう。というのも、ただひとつの言語（あるいはただひとつの服装）が、生物学的進化とはなんら関係のない要因の結果として、ある個体群に広まるかもしれないように、ただひとつの推論システムが、それがどれほど適応度を高めるかというのとはまったく独立した理由によって、普遍的なものとなりえたであろうからだ。現在のヒトの推論システムが（実際にひとつしかないとして）生存と繁殖の成功の確率を高めることにおいて最適である、あるいは最適に近いと言いうるためには、その推論システムがいかにして支配的になったのかについて、多くのことを知る必要があるだろう。だが、われわれはそのことについてほとんどなんの証拠も持っていないのだから、現在浸透している推論の傾向性のシステムが最適あるいは最適に近いものだと結論づけることはできない。たとえ議論のために、そういったシステムがただひとつだけであり、自然選択が生物学的進化の唯一の原因であり、かつ自然選択が最適化をもたらす完璧な要因である、と仮定したとしても、そうなのである。

3—4　いくつかの結論

言語処理システムと推論システムのアナロジーはある有用な背景を与えてくれるものであり、その背景のもと、人間の認識における多元主義の可能性をめぐるいくつかの論点が、格段の明晰さをもって生じてくることになる。この潜在的な多様性は以下の章で現れることになるので、そのアナロジーとそれが持つ含意をいくらか注意深く検討することにしたい。しかし、その主題を取り上げる前に、本章の論証がこれまでにわれわれをどこに連れて来たのかを要約するのがもっとも良いだろう。

3―1でわたしは一組の論証を再構成した。これらの論証は、正常な成人は合理的なはずだという主張を進化論的考察が支持する、と考える人々によって提供されうるものだ。それらの論証はいまや惨憺たる状況にある。というのも、どちらの論証も、進化は最適にデザインされたシステムあるいはそれに近いシステムを産み出すと期待されうる、という主張を活用していたからだ。そして3―3―1と3―3―2と3―3―3で見たように、そういった主張は、進化と自然選択の双方についての深刻な誤解に頼るものである。また、どちらの論証も次のような仮定を要求した。すなわち、生物学的進化は、生物学からほぼ独立した社会的な力の介入を受けることなく、われわれの現在の推論システムを産み出してきた、という仮定である。3―3―4でわれわれは、こういった仮定が実際にはとても疑わしいものであることを見た。3―1で素描されたふたつの論証のうち第二のものは、良くデザインされた認識システムは合理的なものだというテーゼを、単に概念上の真理だと主張してしまうのではなく、そのテーゼを擁護しようとするものだった。しかし、3―2で見たように、その擁護には深刻な欠陥がある。

これらの論証の失敗は、もちろん、進化から合理性へと進む良き論証がまったく存在しないことを証明するわけではない。示されてきたのは、なんらかの論証が手の届くところにあるとほのめかす人々によって示唆される道筋が、深刻なかたちで、また少なからぬ場所で遮断されている、ということだ。なにかまったく異なる論証が提供されるまでは、われわれは問題なく次のように想定できると思われる。すなわち、著しい不合理性の存在と、認識能力を際限なく改良する見込みのいずれも、進化生物学が発見してきた何事かによって脅かされることなどないのである。人間の推論の欠点を研究している心理学者と、それを改良しようとしている認識論的改革者はいずれも、進化生物学によって廃業させられるのではないかと心配する必要はない。

3—5　生得性、推論、認識論的多元主義の見込み

さて、推論システムと言語処理システムのアナロジーに戻って、人間の認識システムがどこまで多様でありうるのかについてそのアナロジーがなにを教えてくれるのかに目を向けよう。哲学者はときにこう想定する。われわれの推論システムは生得的なものでなくてはならず、それゆえ、あらゆる正常な人間のうちに現れていなくてはならない、と。多くの論者は、ひとの推論システムが持ついくつかの洗練された側面が学習によるものかもしれないと考えている。とはいえ、そういった論者でさえ、典型的には、より基本的ないくつかの推論戦略が生得的に備わっていなくてはならないと想定する。というのも、いくつかのそういった生得的な戦略がなければ、それ以外の戦略を学習することができないと思われるからだ[20]。しかしながら、言語とのアナロジーは、こういった仮定がおそらく誤りだということを示唆する。あらゆる正常な人間はあれやこれやの言語を話す。しかしどの言語も生得的なものではない。そして、言語のなんらかの部分や断片が生得的なものである、あるいは普遍的に共有されている、と考える理由もないのである。

いまから二〇年ほど前、チョムスキーと彼の支持者たちは実際に、あらゆる人間の言語に共有されている、ある生得的なコアがあるかもしれないなどと想像した。しかしこの仮説はずっと前に放棄され、言語を獲得するメカニズムによって獲得される言語が一定の「人間にとって可能な言語」の集合に生得的に限られている、という仮説が支持されるようになった。この後者の仮説によると、言語獲得の手段は、生得的に一定の仕方で制限されている言語を出力せざるをえないような仕方で組み立てられている。生得的に制限されている、人間にとって可能な諸言語は、論理的に可能な諸言語のわずかな部分集合にすぎないが、それらは、それにもかかわらず、いかなるコアも、いかなる他の一般的な性質も、共有している必要はない。さらに、そういった「わずかな」部分集合は、あくまで、論理的に可能なすべての文法のクラスと比べてわずかと言えるのであって、絶対数でみれば、それは明らかに膨大な数にのぼるに違いない。というのも、現実に話されている異なる言語が何千と存在することが知られているからだ。[21] 上のような議論に並行して、推論システムに対する理論は、「推論システムを獲得するメカニズム」によって獲得される推論システムが、一定の「人間にとって可能な」推論システムの集合に生得的に限られている、といった仮説を立てるだろう。その集合に属するシステムすべてが共有するところのコアといったものはまったく存在する必要がない。またそれゆえ、あらゆる正常な人間が共有するような、基本的な推論戦略もまったく存在する必要がないのである。

推論の獲得についてのこういった説明は依然として、基本的なコアないし普遍的に共有された推論を前提している、と考えられるかもしれない。というのも、推論システムを獲得するメカニズムは、それ自体、推論に携わらなくてはならないからだ。しかしふたたび、言語とのアナロジーが、このことが事実である必要がないことを示してくれる。言語を獲得するシステムは「データ」から何事かを「推論する」ことでその目標を達成する，と想定する理由はない。「入力」（子供の言語的経験）から「出力」（チョムスキーの考えによると，内的に表象された文法）へと進むためにそれが使用するプロセスは，推論といかなる関係も持つ必要はないし，子供が行う認識の営みの他のいかなる箇所でも使用される必要はない。実際，チョムスキーと彼の支持者が最近主張する考えだと，生得的に組み込まれた「トリガー」のシステムが想定される。それによると，入力として与えられたさまざまな経験は，そのシステムを通じて，認識システムを作動させるスイッチを入れることが可能となり，その結果，さまざまに分岐した複雑な可能性のなかから正しい文法を見分けることが可能となるのである。[22] それと同様に，入力（おそらくは，子供の経験のなんらかの側面）から出力（稼動中の推論戦略システム，あるいはおそらくは「心理学的論理」）へと進むために推論システムの獲得メカニズムによって使用されるプロセスは，推論といかなる関係も持つ必要はないし，子供が行う認識の営みの他のいかなる箇所でも使用される必要はないのである。

強調しておかなくてはならないが，わたしが本節で示している論点は否定的なものだ。わたしは，推論システムが実際に，チョムスキー派の言語学者が文法の獲得について主張するような仕方で獲得される，と主張しているわけではない。実際のところ，人々がどのようにして各々の推論システムを持つようになるかについては，ほとんどなにも知られていないと思われる。[23] わたしが実際に主張しているのは次のようなことだ。われわれがわずかながら知っていることからすると，言語の獲得と推論システムの獲得は実際に軌を一にするかもしれない。そしてそれが正しいとすれば，われわれの推論システムの全体であれ、その一部であれ、それが生得的でないことが、あるいは正常な人間に普遍的に共有されているわけではないことが、おそらく判明するだろう。生得的な推論戦略が存在するかどうかというのは、あるひとの推論戦略がどの程度までそのひとの文化的環境によって形作られるかということと同じように、まったく未決定の経験的な疑問なのである。

読者にはすでに疑いなく思い浮かんでいることだろうが、ちょうど、いかなる推論戦略も生得的でないと判明するかもしれないのと同じように、多くのいろいろな推論戦略が生得的なもので、個人ごとに著しい生得的な相違が存在する、ということも判明するかもしれない。このことはそれ自体一節を割くに値する主題である。

3—6　遺伝的な多様性と認識の多様性

やや初歩的な生物学から始めることにしよう。遺伝子型と表現型の双方のレベルにおいてかなりの多様性を示す、表面上安定した個体群の事例というのは、とてもたくさんある。たとえば人間の個体群では、目の色や髪の色や血液型などの一群の形質において、遺伝的に基づけられた多様性が存在する。こういった多様性が残っていることには多くの可能な理由がある。3—3—3で見たように、ヘテロ接合体の優位は、進化論的に安定した平衡多型を生みだすことができる。他の場合だと、その安定性は、実際には、歴史的な情報がわれわれにとって限られているために育まれた幻想であるかもしれない。そして、特定の遺伝子座にある遺伝子のひとつが次第に固定に向かっている一方で、他の遺伝子が消去に向かっているのかもしれない。さらに他の場合には――それはここでわれわれにとってもっとも興味深いもののひとつだが――複数の対立遺伝子と、それらの対立遺伝子がもたらす表現型が、どれも同じように繁殖の成功の助けとなっているのかもしれない。

この最後に言及された現象は、集団生物学者が特別な関心を向けてきたものだが、それが生じるのは、一般化して言うと、ある特定の対立遺伝子の適応度が、競合する対立遺伝子の個体群における普及によって部分的に決まるときである。遺伝的にコード化された行動上の特徴は、もっとも興味深い事例をいくつか与えてくれる。大変に単純化された事例として、ある無性種に一組の仮説上の対立遺伝子が存在し、そのうちのひとつ（それをタカ遺伝子と呼ぼう）は、その生物に対して、争われている食物をめぐって、その生物が食物の奪い合いに勝つか、それ以上戦えないほどの重傷を負うまで、同種の生物と戦い続けるよう傾向づけるとしよう。他の対立遺伝子（ハト遺伝子）は、その生物に対して、その食物の所有権が争われている場合、それを分け合うように傾向づけて、挑まれた場合には逃げるように傾向づけるとしよう。存在する個体群がすべてハトであるとすれば、タカ変異体は独自の利点を持ち、タカ遺伝子が個体群に広がり始めるだろう。しかしタカがより普及するようになり、結果として徐々に他のタカと戦うようになると、負傷の確率が上がり、タカであることの適応上の利点が下がることになる。ある状況のもと、タカとハトが固定された比率でその個体群のうちに共存するような、進化的に安定した均衡に到達するだろう。[24] わたしがこの事例や、それ以外の先に言及したいくつかの現象から引き出したい教訓は、特に異論の余地がないはずだ。実際には、ある特定の遺伝子座に最適に適応したただひとつの遺伝子など、たいていの場合存在しないし、ただひとつの最適に適応した表現型の形質なども、たいていの場合存在しない。それゆえ、唯一の最適な対立遺伝子ないし表現型について語ることは、たいていの場合意味をなさないだろう。そういった語りは、唯一性を前提とするが、多くの場合、唯一性は手に入れられるようなものではないのである。

異なる環境にある個体群に注意を向けると、はるかに明白な道筋で先と同じ結論に達しうる。というのも、ある環境において最適に適応的な対立遺伝子と表現型がただひとつあったとしても、なにか他の環境ではそれとは別の対立遺伝子や表現型のほうがうまくいく、というのがしばしば実情だろうからだ。暗黙のうちに環境に相対化されているのでなければ、どの形質が繁殖の成功の一番の助けとなるかを問うことは意味をなさないのである。

もちろん以上のことのいずれも、人間の認識システムに際立った（あるいは、実際になにがしかの）多様性が存在することを示すのに十分ではない。帰結するのははるかに弱い主張であり、それはこういうものだ。たとえ人間の訴える認識戦略が概して遺伝的な制御のもとにあるとしても、その個体群のうちにはさまざまな多様性が存在するかもしれず、また多くの異なる理由のためにそうなのかもしれない。あなたの認識プロセスとわたしの認識プロセスが生得的なものだという事実だけでは、それらの認識プロセスが同じものだということは確立されないであろう。さらに、たとえ、あらゆる認識システムが生得的なものであり、あらゆる生得的な認識システムが自然選択の観点から見て最適なものであると仮定しても、依然として、あらゆる標準的な認識システムが同じものだということは帰結しないであろう。というのも、タカとハトの事例が示すように、自然選択という勝負事で首位を分け合うような、まったく別々の遺伝的にコード化された認識戦略や行動上の戦略が、多様に存在しうるからだ。

ここまでのふたつの節でのわたしの主題は次のようなものだった。われわれが遺伝学、進化、認識システムの獲得について知っていることはいずれも、記述的な認識論的多元主義が偽であることを示す足がかりにすらならないであろう。われわれの推論システムが部分的には周りの環境から獲得されたものだというのはかなりもっともらしい。また、そのシステムの大部分ないしすべてが文化的な遺産だというのもまったくありうることだ。さらに、たとえわれわれの認識システムに生得的な部分があるとしても、そういった部分が個人ごとに、あるいは文化ごとに、著しく相違することはないと考えるべき、いかなる生物学的、進化論的な理由もない。ひょっとすると、わたしはわかりきったことをくどくどと論じてきたと抗議されるかもしれない。そしておそらくわたしは実際そうしてきたのだろう。それに対するわたしからの弁明はこうだ。わたしの見るところ、普通の人々のあいだに認識上の多様性があるのではないかという見込みは、認識を評価するプロジェクトに対して、真正の、そしてほとんど実存的な切迫さを与えるのである。人間の心/脳がその認識状態をランキングしたりし直したりするにはたくさんのいろいろな方法があるとしよう。さらに、ひとごと、文化ごとにまったく異なる仕方で推論を行うことができ、実際にそうしているのだとしよう。すると、われわれはどの方法を使用すべきなのだろうか。原始的な部族、近代以前の科学者、通りに住む近所の人々、われわれの遠い子孫。こういったひとたちがわれわれとはまったく異なる仕方で思考しているとしよう。その場合、彼らの思考方法がどれも等しく良いと述べたくなるひとなど、われわれのなかにはほとんどいないであろう。確かに、われわれの認識状態を形成したり改訂したりすることに取り組む方法のいくつかは、それ以外の方法よりも良いものだ。しかし、ある認識プロセスのシステムが別のシステムよりも良いものなのはどうしてだろうか。われわれは、どのシステムが最善のシステムかを、どのようにして見分けるべきなのだろうか。そして、どの認識プロセスが良い認識プロセスなのだろうか。以上が、本書の残りで中心的に論じられる疑問である。

第四章　反省的均衡と分析哲学的認識論

先のふたつの章の目的は、ある範囲の可能性を締め出す恐れのある論証を取り除くことで、その可能性を確保することにあった。その可能性のうちのひとつによると、人間の推論にはかなりの多様性があり、その多様性は、さまざまな仕方で結びついた生物学的、文化的、個人的相違に起因しうるものだとされる。第二の可能性によると、そういった多様性のなかには、認識の下手な個人や伝統や文化が含まれているかもしれず、またわれわれ自身もしかしたら認識をもっとうまく行うことができるのかもしれないとされる。われわれ自身の推論がうまい推論である、あるいはそれにかなり近いものであるといった保証は、それが概念的なものであれ生物学的なものであれ、存在しない。それゆえ、認識の欠陥を特徴づけることに関心のある経験科学者であろうと、認識の習慣を改良したいと願う認識論的改革者であろうと、自分は不可能なプロジェクトに着手してしまったのではないかと不安に思う必要はないのである。

奇妙なことに、先のふたつの章での議論は、認識のための規範的基準から逸脱する可能性、というものに関わっていたのだが、そういった基準がなにか、そして、そういった基準自体がどのようにして発見ないし擁護されうるのか、ということについてはほとんど議論されてこなかった。それらこそまさに本章および以下ふたつの章を動機づける問題である。本章では、まず4―1で、認識の規範的な原理がいかに発見され擁護されうるかについての、ある特に影響力のある説明を詳述することから始めることにしよう。その説明はネルソン・グッドマンによるものであり、わたしの解釈するところでは、その説明は、正当化された推論についての常識的な考えを分析ないし説明し、それを根拠に認識論的規範の正当化を説明するよう提案するものだ。グッドマンの説明は頻繁に利用されてきたが、そのなかでもっとも興味深いもののひとつは、L・ジョナサン・コーエンによって展開された論証である。その目的は――またもや！――規則立った不合理な認識が不可能なことを示すことにある。4―2では、コーエンのその見事な論証を素描することにしよう。

しかし、コーエンの論証がうまくいくとしても、それはせいぜい、認識のための規範的基準の正当化に関するグッドマンの説明と同程度にでしかない。4―3では、グッドマンによる説明と、そのさまざまな変奏はいずれも、正当化についての常識的な考えにごく近いものを捉えることができなかった、と考えるべきいくつかの理由を提供しよう。これが正しいとすればコーエンの論証は崩壊することになる。しかし次のように考えられるかもしれない。グッドマンの主題に基づく変奏で利用できるものが失敗に終わるのだとしても、正当化についての常識的な考えにはなんらかの適切な説明があるはずだ。そしてそういったものを見出すことができたとき、認識プロセスの正当化とはどのようなものなのかについての、受け容れてもよい説明をわれわれは持つことになるのだ、と。このような希望は、「ネオ・グッドマン流のプロジェクト」とわたしが呼ぶところのものをもたらす。その目的は、グッドマンの説明を少しばかり補うことにある。そういったプロジェクトの魅力——そしてその魅力は無視できないものだ——は4—4で周知される。しかし、その魅力にもかかわらず、ネオ・グッドマン流のプロジェクトは退けられるべきだとわたしは考える。この結論を支持する理由のいくつかは、ネオ・グッドマン主義者の求めるような説明を与えることが経験的に可能かどうかに向けられる。そういった理由は4—5で詳述されるが、ネオ・グッドマン流のプロジェクトを退けることには、より基本的な理由がある。というのも、4—6で論じることになるが、たとえそれが経験的に可能だったとしても、ほとんどのひとはこう考えるだろうからだ。ネオ・グッドマン主義者が求める類の分析や説明は、自分自身の認識プロセス、あるいは他のひとの認識プロセスが改良されうるかどうか、そしてそれがいかに改良されうるか、ということを決める際にまったく役に立たない、と。4—6での論証が説得力のあるものだとすれば、その論証はグッドマンのプロジェクトだけでなく、それよりもはるかに多くのものを脅かすことになるだろう。というのも、わたしが示そうとするところでは、過去四〇年にわたって数多くなされてきた認識論の理論化は、あるグッドマン主義的想定を共有してきており、その想定によると、われわれの認識論的評価は、われわれの日常的な評価概念を分析し説明することで根拠づけられうるとされるからだ。このような想定が誤りだとすれば、認識論における分析的伝統全体が傷つけられることになるだろう。

4—1　認識プロセスの評価規準としての反省的均衡

ある認識プロセスのシステムが別のシステムよりも良いものなのはどうしてか。そしてわれわれはいかにして、どの特定のシステム、ないし複数のシステムが最善のものだとわかるのか。わたしが検討したうえで最終的に退けたい解答は、いまから三〇年ほど前に初めて示唆されたものだ。その当時グッドマンは、二〇世紀の哲学の文献のなかでもかなり影響力をもった一節において、特定の推論についての判断と、一般的な推論原理についての判断とを調和させるプロセスを記述した。グッドマンの主張によると、生み出された推論原理に対して必要とされるすべての正当化、さらには可能なすべての正当化が、そのようにして到達した調和のうちに見出される。他の論者、もっとも有名なところではジョン・ロールズは、道徳的原理と道徳的判断を正当化するための手続きとして、グッドマンのプロセスを修正したバージョンを採用した。ロールズからも「反省的均衡［reflective equilibrium］」という用語を借りることにしよう。それは、グッドマンの記述するような仕方で互いに整合的になるような、そういった原理と判断からなるシステムを特徴づけるために、広く利用されてきたものだ。[1]

反省的均衡という考えがグッドマン自身の説明以上に雄弁に説明されるとは考えにくい。それゆえ、彼が相当詳しく述べている箇所を引用することから始めることにしよう。

われわれは演繹法［*deduction*］をいかにして正当化するのであろうか？　いうまでもなく、演繹的推論の一般的規則に合致していることを示すことによってである。一般的規則に合致した推論は、たといその結論がたまたま偽であったとしても正当化されるのであり、妥当なのである。規則に反する論証は、たといその結論がたまたま真であったとしても誤りである。……同様に、帰納的推論を正当化することにおける基礎的な課題は、それが帰納法〔*induction*〕の一般的規則に合致することを示すことにある。……

とはいえ、もちろん、規則自体も最終的には正当化されなければならない。演繹の妥当性は、われわれが作り出す純粋に恣意的な規則との一致に依存するわけではなく、妥当な規則との一致に依存するのである。われわれが推論の規則と言うとき、われわれは妥当な規則（同等に妥当な規則の組みがいくつかあるかもしれないから、正確には、或る妥当な規則）のことを言う。だが、規則の妥当性はいかにして決定されるのか？　ここでわれわれはふたたび、これらの規則はなんらかの自明な公理から帰結すると主張する哲学者や、あるいは、これらが、まさに人間精神の本性に根ざしていることを示そうとする哲学者に出会う。が、私は、解答はもっと表面近くにあるのではないかと思う。演繹的推論の諸原理は受け入れられた演繹的実践に合致することによって正当化されるのである。それらの妥当性はわれわれが現実に行い、是認する個々の演繹的推論との一致に依存する。もしも、規則が、受け入れがたい推論を生ずるならばわれわれはそれを非妥当的〔invalid〕であるとして削除する。こうして、一般的規則の正当化は個々の演繹的推論の拒絶と受容の判断から導かれる。

これは明白な循環にみえる。私は、演繹的推論は妥当な一般的規則に一致することによって正当化されると言った。同時に、一般的規則は妥当な推論と一致することによって正当化されるとも言った。しかし、この循環は良性のものである。要点は、規則と個別的推論の両者は、どちらも、互いに他と適合させられることによって正当化されるということである。規則は、われわれが受け入れたくない推論をもたらすとき、修正され、推論は、われわれが修正したくない規則を破るとき、拒絶される。正当化の過程は、規則と受容された推論とを相互に一致させるという微妙な過程なのである。獲得されたその一致の中にのみ、双方に必要とされる正当化がある。

このことはすべて帰納法にも同様に当てはまる。帰納的推論も一般的規則との一致によって正当化され、一般的規則も受容された帰納的推論との一致によって正当化される。(2)

この箇所にはいささか解釈が必要になる論点が三つある。第一に、グッドマンは、演繹的推論と帰納的推論を正当化するものがなにかを自分は説明しているのだと主張する。しかしながら、彼が推論という用語を使用するとき、それが認識プロセスだということがはっきりしているわけではない。グッドマンは、論理学における証明のステップを検証するために設けられたものとしての論理学の規則に対する正当化についての説明を与えているのだ、と読むこともできる。このように読むと、正当化についてのグッドマンの説明は、論理学とうまい推論の関係に関する適当な理論で補完されないと、認識プロセスの評価には役立たないことになるであろう。だが、幾人かの論者が最近指摘しているように、その関係は、想定されうるよりはるかに不明瞭なものだ。(3)またグッドマンをこう読むこともできる。彼は、認識プロセスを評価する規則の正当化に関する説明を与えているのであり、それゆえ、われわれがどのようにして推論に取り組むべきかという疑問に直接に答えているのだ、と。これは、4—2で詳述されるように、コーエンの論証に対して要求される読みであり、わたしが採用しようとする読みかたでもある。

いくらか詳しく述べる必要のある第二の論点はこうだ。グッドマンは、自分の記述する反省的均衡テストに対して、正確にはどのような地位を主張するのであろうか。ある推論規則のシステムは、反省的均衡テストに合格すれば、正当化されることになる。明らかにグッドマンはわれわれがそう結論できると考えている。とはいえ、なぜわれわれがそのように結論できると彼が考えているのかは、はっきりしない。ふたつの異なる種類の解答が可能だ。一方の解答によると、反省的均衡テストは、正当化ないし妥当性といった事柄に対して構成的、すなわち不可欠な構成要素となっているとされる。つまり、ある推論規則のシステムが正当化されるということは、それが反省的均衡の状態にあるということにほかならないのである。もうひとつの解答によると、ある推論原理の集まりが反省的均衡テストに合格するとすれば、このことは、それが妥当なものだということ、あるいはそれが正当化されるということを支持する良き証拠だとみなされることになる。とはいえ、この第二の見解によると、反省的均衡の状態にあることと、正当化されることはまったく異なる。一方は他方と同一視されてはならない。グッドマンの意図をもっともよく捉えているのは、前者の、構成的だとする見解のほうだと考えたい。とはいえ、わたしの関心は見解を批判することにあるのであって、論者を批判することにあるわけではないのだから、わたしはグッドマンの意図を論じたいわけではない。(4) むしろ、わたしの狙いは、構成的だとする見解のほうにあると、単にそう決めてしまうことにしよう。

解釈される必要のある第三の論点は、反省的均衡が正当化に対して構成的だという主張の地位に関わる。この論点については、言及しておくに価する見解が少なくとも三つある。第一の見解。その主張は概念上の真理である――それは「正当化」の意味から、あるいは正当化概念の分析から帰結する。その他の概念上の真理と同様に、それは必然的に真であり、かつアプリオリに知ることのできるものなのである。このような見解が採用されると、反省的均衡が正当化に対して構成的だという主張の地位は、閉じた三つの辺を持つ平面図形であることが三角形であることに対して構成的だという主張の地位に類似したものとなるであろう。ただし当然のことながら、正当化についての主張は、三角形の事例と比べると、はるかに不明瞭な概念上の真理ではある。第二の見解。その主張は、アポステリオリにしか知ることのできない、非概念的な必然的真理である。このような見解は、ある哲学者たちが水はH_2Oだという主張に与えるのとほぼ同じ地位を、先の主張に対して与えるであろう[5]。最後の見解。その主張は規定的提案として提示されているのだと論じられるかもしれない。その主張は、既存の正当化概念がどのようなものなのかを語るのではなく、また、その概念の指示対象に本質的なものを語るわけでもない。どちらかと言えばそれは、改訂的な精神のもと、正当化についての新たな考えを与えているのである。実際には、これらの見解のうち第一のものと最後のものの相違はそれほど明確ではない。というのも、ひとによっては、われわれの日常的な考えの分析から始めて、それに続けて、その考えをいくらか整理するために修正案を提案するかもしれないからだ。提案される変化が大きなものであればあるほど、この種の説明は次第に純粋な規定へと移り変わってゆく。ある説明が既存の概念に対して求める変化が単純性の考慮に動機づけられるものである限り、また、それが日常的概念からのラディカルな逸脱をもたらさない限り、わたしはそれをある種の概念分析とみなすことにしよう。まさにそういった保守的な説明を行っていることをグッドマン自身が自覚している、とうまく主張することは可能だと思われる。(6) とはいえふたたび、わたしが退けたいのは論者ではなく見解のほうなのだから、ここで採用されるべきは概念分析ないし保守的な説明という解釈のほうだと、単にそう決めてしまうことにしよう。

したがって、わたしが読もうとするところでは、グッドマンは、正当化された推論についてのわれわれの日常的な考えの説明を提案していることになる。それによると、正当化されるとは、反省的均衡テストに合格する一群の推論規則によって正しいとされるということである。わたしがグッドマンの見解に対して押し進めるつもりの第一の不満はこうだ。それは、正当化についてのわれわれの常識的な考えに近いものをまったく捉えていないのである。しかしこの主題を詳述する前に、不合理であることは不可能だとするコーエンの論証を素描しておきたい。コーエンはグッドマンにしたがって、正当化のためのテストとして反省的均衡を採用する。それゆえ論証の都合上、しばらくのあいだグッドマンの説明が正しいと仮定することにしよう。

4—2　コーエンの論証

コーエンの論証にとって中心的なのは、表面には現れない深層的な心的ないし心理学的な能力という考えであり、それは近年の言語学で大きな役割を果たしてきた考えである。この能力という考えに訴える諸理論は、ある特定の領域で実際になされている行動を説明するにあたって（あるいは、言語学の専門用語では「運用」を説明しようとするにあたって）その行動を次のようなものとみなす。すなわち、その行動は、相互作用はしているがあくまで別個の、数多くの深層的な心的システムの活動によって生み出される、とするのである。こういったシステムのうちのひとつは、その特定の領域における観察対象の能力と同一視されるものであり、その領域についての豊富な情報（あるいは「暗黙の知識」）を貯えているとみなされている。そして残りのシステムは、この暗黙の知識を利用してなにか認識上の課題を成し遂げようとする際に動員される。

たとえば言語の場合、諸々の文やその諸部分が持つさまざまな文法的性質や関係について、広範囲の「直観的な」判断を下すよう話者を促すことができる。英語の話者は、問われれば、こう判断するだろう。

Tom went to the store.

は文法に適ったものであり、

Tom the store to went.

はそうではない、と。また彼らはこうも判断するだろう。

Mary hugged Alice.

と

Alice was hugged by Mary.

は、能動態と受動態として関係づけられる、と。彼らはさらに、無数の文について同じような判断を下すだろう。これらの判断（あるいはしばしば呼ばれるところでは「言語的直観」）は、彼らの言語運用の一部とみなされる。この運用を説明するための仮説によると、話者はある心的に表象された文法——その話者の言語のあらゆる文の文法的性質と関係を特定するような複雑な規則システム——を持つ。さらに立てられる仮説によると、話者が文についての判断を下すとき、その内在化された文法は、知覚システム、注意システム、動機システム、短期記憶バッファ、そしておそらくそれ以外の認識システムとも相互作用する、とされる。

内在化された文法と相互作用をするこれらのシステムのあるものが関与することで、文法に含まれている情報を正確には反映していないような判断を話者が下してしまう、という現象が生ずることもあるだろう。たとえば、話者が判断するよう求められている文が非常に長いために、あるいは多重に埋め込まれているために、その文は短期記憶バッファのリソースを酷使するかもしれない。別の場面では、話者の注意が一瞬手元の課題から離れたために、誤りが引き起こされてしまうかもしれない。話者の報告している判断が彼ら自身の深層にある文法能力を正しく反映していないことを示すひとつの方法として、こういった事例はしばしば運用エラーと呼ばれる。

言語学において、話者の深層にある能力を見出そうとするためによく採られる方法は、数多くのさまざまな文のサンプルが持つ文法的性質や関係について話者が下す判断を研究することだ。第一近似としては、その目標は、文について話者が現実になすのと同じ判断を含意するような生成規則の集まりを構築することだ。しかし、運用エラーがありうるのだから、その話者の判断のすべてがそのひとの深層にある能力を正確に反映しているわけではないだろう。それゆえ、話者の言語に対する文法を構築する際、言語学者は、幾分慎重に理想化を行わなくてはならない。記憶の限界や注意不足などの運用上の要素が関わっているかもしれないと理論家に疑われる場合には、文法が言語的直観のデータから逸脱することも許されるだろう。ときに理論家は、ある特定の事例でなぜ能力と運用が分かれてしまったのかがわからないかもしれないとしても、とりわけ十分に確証ないし擁護されている規則と両立可能でないというだけの理由で、その話者の判断を無視することがあるだろう。以上のことは、かなり聞き慣れているはずの仕方で要約されうるだろう。――文法規則が修正されるのは、その規則が、話者の受け容れたくないような直観を含意する場合である。直観が拒絶されるのは、その直観が、われわれが修正したくないような規則を破る場合である。文法規則を発見するプロセスは、規則と直観とのあいだの相互調整をなすという微妙な過程なのである。

深層にある能力を構成する規則を見出すプロセスと、推論規則の正当化についてのグッドマンの説明。これらのあいだの類似点は、コーエンの論証において中心的な役割を果たす。しかし、その論証を機能させるためには、最後にもうひとつ材料を加えなくてはならない。すなわち、認識能力ないし推論能力という考えである。その基本的な考えはこうだ。われわれは、推論においては、文法の場合と同様に、他のシステムと相互作用するような深層の能力を措定することで運用を説明しようとするかもしれない。この場合、そういった深層の能力は、文法規則ではなく推論規則から構成されるであろう。それは、その観察対象の「心理学的論理」[7]――その観察対象の推論、および推論に関する直観的判断をガイドするような内在化された規則――だと考えられるかもしれない。われわれは、文法の規則を発見するのと同じように、ある特定の観察対象の推論能力を構成する規則を見出していこうとするだろう。すなわち、数多くあるさまざまな推論のうちのどれが受け容れてもよいもので、どれがそうではないかを見分けている、観察対象の直観についてのデータをまず集め、次にその直観をうまく捉えている推論規則のシステムを作ろうとするだろう。運用エラーがありうるのだから、その理論家は、心理学的論理がその観察対象の直観に完全に適合するとは主張せずに、その代わりに、幾分慎重に理想化を行うだろう。一般に、ある規則が受け容れられるのは、その観察対象が実際に行い、そして認めるような推論と一致する場合だろう。しかしときに、観察対象の判断が退けられることもあるかもしれない。それは、その判断がとりわけ有用なあるいは十分に確証された規則――「われわれが修正したくない規則」――を破る場合である。

われわれはいまや、コーエンの論証を構成するすべてのピースをきちんと揃えたことになる。コーエンによると、あるひとの推論能力、つまりそのひとの深層にある心理学的論理が規範的に見て不完全だということはありえない。というのも、その観察対象の推論能力はある推論規則の集まりであり、その集まりは、特定の推論についての観察対象の直観を集めて、その直観をうまく捉えるような、ある多かれ少なかれ理想化された理論を作ることで得られるようなものだからだ。ところで、正しいあるいは正当化された推論規則の集まり――観察対象にとって反省的均衡の状態にある規則――を見出す際にも、われわれはまったく同じように進めるであろう。それゆえ、その観察対象の認識能力ないし推論能力を構成する規則は、反省的均衡テストに合格するものと同一だろう。

規範的な理論は最終的には人間の直観についてのデータに基づけられる必要がある、ということを受け容れるとすると、あなたは、人間の合理性をその領域における事実問題として受け容れることに関与していることになる。それはつまり、規範的な理論に逐一対応するような認識能力――ただし運用においてはしばしば欠陥がある――を正常な人間に帰せしめることは間違いなく正しい、ということである。[8]

次のことを認めるのは重要だ。コーエンの見解は、人々が下手な推論を決して行わないとか、人々が下手な推論をうまい推論だとは決して判断しない、ということを含意するわけではない。コーエンは、人々が多くの状況下で多くの種類の推論エラーをなすことを躊躇なく認める。しかし彼はこう主張するのである。そういったエラーは運用エラーであって、推論主体の深層にある、規範的に見て完全な能力についてはなにも反映していないのだ、と。コーエンが正しいとすれば、推論の欠陥についての研究に関心のある心理学者と、それを改善することに関心のある認識論的改革者の双方にとって、その見通しは、彼らが考えてきたよりもはるかに制限されることになる。心理学者は運用エラーを研究できるし、改革者はそういったエラーを避ける方法を探究できる。しかし、いずれの立場であれ、推論プロセスの中心に位置する、内的に表象された推論規則のシステムについては不安に思う必要がない。というのも、それはおよそ不完全なものではありえないだろうからだ。

もちろん、以上のことが帰結するのは、グッドマンとコーエンの語る規範的説明が正しい場合に――「規範的な理論は最終的には人間の直観についてのデータに基づけられる必要がある、ということを受け容れ」て、なおかつ、それがなにかグッドマンの記述するような仕方でなされる必要があるということを受け容れる場合に——限られる。以下の節では、ある推論が正当化されるとは、あるいは合理的であるとはどういうことかについての、コーエンが提示するグッドマン流の説明がまったくの的外れだと論じることにしよう。わたしが正しいとすれば、われわれの心理学的論理ないし認識能力が避けがたく合理的であるとするコーエンの論証は崩壊することになるだろう。

4—3　反省的均衡による説明は正当化についてのわれわれの考えを捉えているのだろうか

グッドマンは、わたしが読もうとするところでは、反省的均衡テストというものを、正当化された推論についてのわれわれの概念がどのようなものかを説明するものとして与えている[9]。われわれはどのようにして彼の分析が正しいかどうかを決めることができるのだろうか。ひとつの明白な戦略は、グッドマンの擁護する相互調整プロセスから正確にはどのような推論規則のシステムが帰結するかを問うことだ。反省的均衡プロセスから生じる推論システムが合理的なひとの訴えるべきシステムだとわれわれに思われるのだとすれば、そのことはグッドマンの分析を支持するとみなされるだろう。他方、反省的均衡プロセスから、不合理なあるいは正当化されざる推論規則や習慣だとみなされるものが生じてしまうのだとすれば、そのことは、われわれの正当化概念を捉えたとするグッドマンの主張に疑念を投げかけることになるだろう。われわれは概念的説明をある種の分析とみなしているのだから、グッドマンの説明がわれわれの直観的判断と完全に一致すると主張すべきではない。とはいえ、ある推論規則のシステムが、グッドマンの説明によれば正当化されていることになるのに、直観的に見るとそうではないような、そういった事例が多々あるのだとすれば、このことは、グッドマンの説明がゆゆしき事態にあることを示す。

数年前に出版された論文で、ニスベットとわたしはたったいま述べた戦略を活用して、反省的均衡による説明が、正当化についてのわれわれの日常的な考えに近いものをまったく捉えていないと論じた[10]。対照実験の結果と聞き取り調査から得られた証拠の双方に基づいてわれわれはこう論じた。明らかに受け容れることのできない推論規則が、多くの人々の反省的均衡テストに合格するであろう、と。たとえば、チャンスのゲームをやっているときに、多くの人々がなんらかのバージョンのギャンブラーの誤謬にしたがって推論している、というのはありそうなことのように見える。そういった人々は、クラップス［訳注：ダイスを使ったゲームのひとつ］で7を投げる確率が7以外のものが投げられるごとに増加すると推論するのである。さらに、彼らの推論の深層にある原理が彼らにとって反省的均衡の状態にある、と考えるのももっともなことだ。その原理が明確にされて、その観察対象がその原理と自らの習慣的な推論とを反省するような機会があったとしよう。そのとき彼らはその双方を受け容れるのである。実際、諸々のバージョンのギャンブラーの誤謬が明示的に擁護されているような、一九世紀の論理学のテキストを見出すことさえできる（痛快な皮肉だが、こういった本のうちの一冊は、グッドマンが『事実・虚構・予言』を執筆したときに担当していたのと同じ講座を担当していたひとによって執筆された）[11]。さらに、1―2―1で見たように、こういった事例は氷山の一角にすぎない。すでに示されてきたように、多くのひとは、その確率論的推論において考慮されるべき基礎的な比率の重要性を規則的に無視し、平均値への回帰の原理がかなり直観に反するものだと考え、ある一連の出来事の確率がその構成要素の確率よりも高いものだと判断しなどするのである。これらの事例の各々において、また、さらに多くの引き合いに出されうる事例において、その習慣的な推論を捉えている原理が反省的均衡テストに合格してしまうようなひとが少なくともいる、というのは大いにありうることだ。これが正しいとすれば、正当化についてのグッドマン流の分析には非常に誤ったところがあることを示すことになる。というのも、その分析によると、正当化されるというのはまさに反省的均衡テストに合格することだからだ。しかし、ギャンブラーの誤謬があるひとにとって反省的均衡の状態にあるとすれば、その原理に適う彼の推論は正当化されることになると、そのように述べる用意のあるひとなど、われわれのなかにはほとんどいないのである。

さてもちろん、ある推論原理が本当に不適切なものでありかつ反省的均衡テストに合格してもいる、ということそれ自体、常に異論にさらされる余地がある。多くの人々の習慣的な推論をガイドしているように見える疑わしい原理は、グッドマンのテストが要求する反省的な吟味に耐えるだろうか。これは経験的な疑問である。そして、どのような規則に対しても、グッドマン主義者は、それがテストに合格したという経験的な主張が適切になされてこなかったと抗議しうるだろう。だが、このような仕方で防御線を張っているグッドマン主義者は、経験的な事実が積み重なるにつれて、その力によって敗退を余儀なくされる、というのがわたしの予想である。とはいえ、論点は、この経験に基づいた予想が正しいかどうかには必ずしも関わっていない。というのも、わたしがそうなるのではないかと疑っているように、不適切な原理がグッドマンのテストに合格してしまうとわかる可能性だけでも、グッドマン流の説明に対して深刻な問題を引き起こすからだ。不適切な推論原理はどの観察対象の反省的均衡テストにも決して受からないだろう、ということがアプリオリな事実でないことは確かである。ギャンブラーの誤謬（あるいは、近年の心理学者の注意をひきつけてきた、他の奇妙な推論）がなんらかの観察対象のグループの反省的均衡テストに合格する可能性がある、ということが認められさえすれば――そうに違いないことは明らかであるのだが――このことは、反省的均衡が通常の意味での正当化概念に対して構成的である、という見解に疑いを投げかけるのに十分である。というのも、なんらかの推論原理があるひとの反省的で習慣的な推論と一致するというだけの理由で、その推論原理の使用が――それがどれほど奇妙なものだとしても――正当化されることになる、とは決して言えないからである。

こういった論証に直面したとき、反省的均衡の支持者はさまざまな応答を与えうる。わたしが理解するのに一番骨が折れたのは、単に自分の立場を固守して、こう主張するものだ。ギャンブラーの誤謬（あるいはなにか他の奇妙な原理）がある特定の個人ないしグループにとって反省的均衡の状態にあるのだとすれば、その原理は彼らにとって実際に正当化されているのだ、と。人々が会話でこういった方針を擁護するのをわたしは聞いたことがあるが、敢えてその見解を公にするほどに大胆だったひとをわたしは知らない。(12) 他の誰もそういった見解を真剣に理解しようとしているようには思われないのだから、わたしもそうするつもりはない。

右とはまったく異なる種類の応答によると、反省的均衡という考えはそれ自体修繕する必要がある――つまり、グッドマンの記述する正当化プロセスは少しばかり補われなくてはならない――とされる。こういった方針に沿ったひとつの考えは、グッドマン流の狭い反省的均衡から、なにかロールズの「広い反省的均衡」[13]に類似したものへと移行するというものだ。大雑把に言うと、ここでの考えは、互いに整合的にされるべき直観と原理の射程を広げるというものだ。推論についてのわれわれの直観だけに注意を向けるのではなく、広い反省的均衡はさらに、われわれの推論規則のシステムに対して、われわれの意味論的、認識論的、形而上学的、心理学的見解とも整合するように要求する。さまざまな哲学的な信念や心理学的な信念は、正確にはどのようにして、ひとの推論原理や習慣を制約すると想定されるのか。このことについてはそれほど詳細には説明されてこなかった。しかし、ノーマン・ダニエルズ——彼の広い反省的均衡についての論文は第一級のものだ——は、われわれにあるヒントを与えてくれる。そこで彼は一例として、論理学に関するダメットの見解が彼の意味論的見解によって制約されていると示唆する。[14]論理学における古典的な直観主義者は認識論的な根拠に基づいてある推論原理を退けた、と想定するのも説得的であろう。

反省的均衡に基づく正当化の説明を守ろうとする方法で、右のものとはかなり異なるものとして、推論原理の正当化を評価するときに重きをなすような反省的均衡を持つ人々を限る、というものがある。たとえば、ニスベットとわたしの提案では、ある推論原理が正当化されていると述べる際、われわれが述べているのは次のようなことだとされる。すなわち、その原理は、それに関連する推論領域においてエキスパートだとみなされる人々の（狭い）反省的均衡テストに合格するであろう、ということなのである。[15]

広い反省的均衡という説明とエキスパートの反省的均衡という説明のどちらもが有する疑わしい長

所は、明快な反例をより生み出しにくくするものだ。つまりそれらの説明は、現実の推論規則の事例で、分析によれば正当化されることになるがわれわれがそうだとはみなさないような事例を、より生み出しにくくするのである。広い反省的均衡の場合、反例を獲得するのが困難なのは、何事かが何者かにとって広い反省的均衡の状態にあることを示すのがとても困難だからにすぎない（「あるひとは、自身の認識論的、形而上学的見解を通して思考して、なんらかの安定した均衡位置に達したとすれば、本当にその規則を受け容れ続けるであろうか」。そんなことは誰にもわからない）。エキスパートの反省的均衡という説明の場合、被験者やラスベガスにいるカモが行っている、疑わしいが、反省によって手前味噌的に保証が与えられている推論の習慣は、そういった人々がエキスパートとみなされないがゆえに、単に反例とはみなされないのである。

とはいえ、現実の人々が関わる明快な事例を見出すのはかなり困難かもしれないが、そのようにして練り上げられた反省的均衡の説明は各々、先に示された可能な事例からの論証、すなわち、テストに合格しているが明らかに不適切であるような推論原理がありうるという論証によって論駁される。まず、広い反省的均衡を考えてみよう。広い反省的均衡によるテストの詳細がどのように説明されるにせよ、いくつかのきわめて異常な推論規則をもたらす一群の原理と信念について、あるひとが広い反省的均衡に到達することなどありえない、とは明らかに言い切れない。実際、いったん人々の哲学的な信念が彼らの推論原理を選別する際に一定の役割を果たすことを認めたとすると、そういった異常な原理を招いてしまう恐れは十分ある。というのも、奇怪な哲学的見解に深く関与しているひとも多いからだ。エキスパートの反省的均衡という手もうまくいかない。というのも、エキスパートが論点先取となる仕方で取り出されるのでなければ（たとえば、その推論の習慣が実際に正当化されているような人々、というように）、エキスパートの共同体が、イデオロギー、気晴らしのための薬物、悪霊、といったものの影響のもと、なんらかのきわめて馬鹿馬鹿しい規則の集まりを擁護する破目に陥るということは、まったくありうると思われるからだ。[16]

4—4　ネオ・グッドマン流のプロジェクト

ここで反省的均衡の支持者が、右にあるような論証に対して、わたしがそうあるべきだと考える程度に強い関心を持ったとしよう。するとその支持者は、自身の研究を進めるにあたって、反省的均衡を新たに少し補う——反省的均衡を主題とするさらなる変奏で、われわれの正当化概念をもっとうまく捉えるようなもので補う——ことに取り組むかもしれない。一連の失敗にもかかわらず、そのひとは、なにか以下のような流れの思考方針によって、このプロジェクトを追求するよう勇気づけられるかもしれない。それをネオ・グッドマン流の方針と呼ぶことにしよう。

われわれは、ある習慣的な推論が正当化されるかどうかを評価するために何事かを現になしている。このことはまず否定できない。その問題にまつわるわれわれの決定は確かにランダムに下されるわけではない。さらに、われわれが正当化を評価する際に訴える、なんらかの確立された手続きがあるのだとすれば、その手続きを記述することが確かにできなくてはならない。そのことに成功したら、われわれは、ある習慣的な推論が正当化されるとはどういうことかについての説明を持つことになるだろう。というのも、グッドマンが論じたように、正当化されるとは、われわれがある習慣的な推論を評価する際に訴えるテストに合格するということにほかならないからだ。習慣的な推論を評価するためのわれわれの手続きは、正当化に対して構成的なのである。確かに、グッドマンによる狭い反省的均衡の説明も、他の論者が語るより詳細な説明も、われわれが実際に正当化を評価する際に使用している手続きを捉えることに成功してこなかった。しかしそのことは単に、われわれがもっと懸命に研究しなくてはならないということを示すにすぎない。われわれの努力に報いるだけの報酬は約束されている。というのも、ひとたびわれわれの評価手続きの記述に成功したら、われわれは認識論において大きな一歩を踏み出したことになるだろうからだ。ある認識プロセスが正当化されるとはどういうことかを、われわれは説明したことになるだろう。すると、われわれは少なくとも、認識の多様性が提起する問題を解決し始めたことになるだろう。というのも、ひとたび正当化がどういうものかを明確に特定したら、われわれは続けてこう問うことができるからだ。われわれ自身の認識プロセスは正当化されているだろうか、あるいは、もしかしたら、なにか他の文化の認識プロセスのほう正しいのだろうか、と。

ネオ・グッドマン流の方針がとても魅力的でありうることは疑いない。わたし自身、幾年かのあいだその影響下にあった。しかしわたしはいまや、それが認識論に対して提起するリサーチプログラムが徹底して誤ったものだと固く信じている。本章の残りではその理由を述べることにしよう。ネオ・

グッドマン流のプロジェクトを批判するにあたってのわたしの主張はふたつの部分に分かれる。まず、程度の差こそあれネオ・グッドマン流のプログラムの詳細を明確に標的とするような異議をいくつか提示しよう。これらの各々の異議にとって中心的なのは次の事実である。ネオ・グッドマン主義者は、認識プロセスについて常識的に評価を下す際に前提されている概念構造に関する、大盛り一杯の経験的な想定を自由に取って食べているが、これらの想定は各々、偽だと判明しかねない深刻な危機にあり、それらのうちのひとつ以上が偽であるとすると、そのプロジェクトは当初の魅力の多くを失ってしまうのである。以下の節では、これらの疑わしい想定の簡単な目録を作ることにしよう。わたしの批判の第二の部分ははるかに一般的なもので、はるかに大きな狙いを持つものだ。わたしはこう論じたい。ネオ・グッドマン流のプログラムであれ、それ以外の、いまだ体系化されていないわれわれの認識論的評価の概念を分析ないし説明しようとするプログラムであれ、それらは多くの人々からしてみると、自分や他者の認識プロセスが改良されうるかどうか、そしてそれがどのようにして改良されうるかを決定するのに、なんの役にも立たないだろう。ともあれ、わたしは説明を先に進めすぎているようだ。ネオ・グッドマン主義者とその疑わしい経験的前提へと戻ることにしよう。

4—5　ネオ・グッドマン流のプロジェクトのいくつかの疑わしい前提

かなり明白な論点から始めよう。ネオ・グッドマン主義者は、わたしが描写してきたように、反省的均衡という考えへの忠誠を維持している。先に見たように、彼はこの考えをもっと適切に説明するために自身の研究へとふたたび向かうことになる。とはいえわれわれは、ネオ・グッドマン主義者の述べたことに促されて、認識プロセスの正当化を評価するためのわれわれの手続きにおいて反省的均衡やなにかそれに類似したものが一定の役割を果たしている、と期待するようになるわけではない。それゆえ、正当化を評価するわれわれの手続きを特徴づけることに懸命になるべきもっともな理由があると保証されるにしても、反省的均衡という考えは端的に言って見込みのないものだと考えられるかもしれない。こういった異議に直面すると、ネオ・グッドマン主義者に残されている唯一の手は、その論点を認めて、反省的均衡という考えを修繕しようとする際に自分は勘に頼っているにすぎないと認めてしまうことだと思われる。もしかしたら、反省的均衡のようなものがわれわれの正当化の評価において中心的な役割を果たしていると判明するかもしれない。しかし、評価プロセスが正確に特徴づけられるまでは、そのような保証はなされえないのである。

ネオ・グッドマン流のプログラムは、さらに次のふたつのことを仮定している。ひとつ、われわれは通常、推論プロセスに対する正当化としてひとつの概念にしか訴えていないということ。ふたつ、その概念は必要十分条件の集合を与えうるような整合的な概念だということ。しかしまたもや、これらは先立って知ることのできる事柄ではない。ある認識プロセスを「正当化されている」と呼ぶときに意味される事柄は、ひとごとに異なるかもしれない。というのも、正当化について別の考えが普及しているかもしれないからだ。これらの意味は、互いにてんでバラバラに異なっているのではなく、一定のコアとなる意味の周りに寄り集まっているのかもしれない。しかしまたもや、そうではないのかもしれない。規範的な意味を負った用語で、社会において個人ごとあるいは集団ごとにまったく異なる仕方で使用されるように思われるものが数多くある。「道徳的に正しい」とか「自由」といった用語によってわたしが意味する事柄が、フォールウェル師の支持者やカダフィ大佐の賞賛者の意味するところとはまったく異なる、ということがわかったとしても、わたしはまったく驚かないであろう。そして、認識を評価する用語が同様に個人ごとに多義性を示すことがわかったとしても、わたしはなおのこと驚かないであろう。

個人ごとの体系的な相違の可能性を割引いて考えるとしても、われわれは、認識プロセスの正当化を評価する際に、場面に応じて別々の手続きを使用するかもしれないし、またその手続きは別々の帰結を持つかもしれない。たとえば、われわれは、正当化についての自分たちの直観的な考えに対して、多くの範例となる事例を持っているのかもしれない。新たな正当化の事例を評価する際には、そのときどきの状況に応じて、これらの多くの範例のなかからひとつの範例を選び出し、問題となっている事例がこの選び出された範例にどれほど似ているかを見ることで、この新たな正当化についての評価を下すのかもしれない。これは空想的な考えというわけではまずない。たとえば、カテゴリー化の深層にある心理的メカニズムに関する近年の研究が示唆するところでは、多くの事例で、われわれの判断はまさにこのように機能するのである。[17] 認識プロセスの正当化についてのわれわれの判断が範例に基づいてなされるとわかったとしよう。その場合、正当化された認識プロセスのどれもが持つような性質ないし特徴を求めるのは誤りだろう。そして、正当化されていると判断される認識プロセスのすべてが合格するような、なんらかの単一のテストがあるというのも事実に反するだろう。わたしが与している後期ウィトゲンシュタインの解釈によれば、これこそまさに、彼が、正当化についてのわれわれの常識的な考えに対して主張していたことにほかならない。そしてわたしは、こういったウィトゲンシュタイン流の説明が正しいのではないかと思っている。[18] とはいえわたしは、説得力のある主張をなすだけの証拠があるふりをしているわけではない。現在の目的からすると、正当化についてのわれわれの常識的な概念がこのように機能するかもしれないということを指摘しておくだけで十分であろう。そして、もし実際にそうなのだとすれば、ネオ・グッドマン流のプログラムはいくらか不利な状況にあることになるのだ。

ネオ・グッドマン流のプログラムに伴う最後の困難は、それがなんの証拠もなしに次のように仮定していることにある。われわれが認識プロセスの正当化を評価するために使用しているテストや手続きは、われわれの推論的正当化の概念を尽くしており、われわれは、そのテストを記述した時点でその概念を特徴づけたことになるだろう、と証拠なしに仮定しているのである。しかしこれは論証なしに仮定できるような主張ではまずない。われわれの正当化概念に強引に一定の枠をはめたとしても、その概念はアマルガムのようなもので、正当化にとって本質的な性質や特徴を特定する通俗的な認識論的理論を含んでいたり、そういった性質を示すものと一般には考えられるようなテストないし一群のテストを含んでいたりするものかもしれない。さらに、提案されるテストは常に（あるいは決して！）その性質の信頼できる指標だというわけではないのかもしれない。正当化についてのわれわれの常識的な考えがそのように判明するはずだと信じるための説得力のある理由をわたしはまったく持っていないが、そのように判明したとしてもわたしはさほど驚かないであろう。常識的概念や判断の深層にあるメカニズムについてのわれわれの理解は、依然としてとても原始的なものだが、わたしがその分野の研究を読んだところでは、その理解はふたつの重要な教訓を指摘している。第一に、概念の心的表象というのはとても厄介なものだと判明しそうだということ。第二に、常識的概念を、それが絡まっている通俗理論から切り離すことは、決して容易な仕事ではないということである。[19] ネオ・グッドマン主義者は、われわれの正当化概念を分析ないし説明することで、反省的均衡テストについての比較的すっきりとした説明が生じるはずだと考える。それゆえ、そのようなネオ・グッドマン主義者からすると、これまでに述べたことはどれも不吉な前兆となるのである。

4—6　分析哲学的認識論に抗して

前節で提示された諸問題はある一組の性質を共有していた。それらの問題はすべて、正当化についてのわれわれの日常的な概念の本性に関わる経験的想定を主題としており、また、ネオ・グッドマン流のプロジェクトをかなり明確に標的とするものだった。[20] 本節でわたしは、それとはまったく異なる種類の論証——うまくいけば、反省的均衡の理論だけでなく、それが属する認識論的理論の集まり全体をも揺るがすことになる論証——を詳述したい。

4—6—1　分析哲学的認識論とはなにか

わたしの批判が意図する射程に収まる理論の範囲を説明するには、アルヴィン・ゴールドマンが近年の著作の『認識論と認知』[21] で示唆した、認識論の理論化のための枠組みをいくらか素描するのが有益だろう。ゴールドマンは、古典的認識論と現代認識論の双方にとっての主要なプロジェクトのひとつが、認識論的正当化についての理論を展開することにあったと指摘する。そういった理論の最終的な仕事は、どの認識プロセスが認識論的に正当化されるものであり、どれがそうでないかを述べることにある。それゆえ、正当化の理論を構築するのに欠かせないステップは、信念などの認識状態の正当性を評価する規則ないし原理のシステムを明確にすることだろう。これらの規則（ゴールドマンはそれを正当化規則ないしJ規則と呼ぶ）は、認識主体が自身の認識状態を形成ないし更新する一定の仕方を、許容可能なものとして特定するだろう。それらは「信念を、その認識主体のなんらかの状態や関係やプロセスによって決まるものとして、直接的ないし間接的に、許容したり禁止したりする」[22]。

もちろん、どの信念が正当化されるのか、あるいは、どの認識プロセスが正当化された信念を生じさせるのか、ということについての見解は理論家ごとに異なるかもしれない。それゆえ理論家ごとに、別々の両立不可能なJ規則の集まりが主張されるかもしれない。正しい正当化規則のシステムが複数あるかもしれないが、あらゆるシステムが正しいというのは確かに事実に反する。それゆえ、提案されたJ規則のシステムが正しいかどうかを決めるには、ゴールドマンが「正しさの規準」と呼ぶところのより高次の規準に訴えなくてはならない。その規準は「J規則の集まりが正しいために必要かつ十分な条件の集まり[23]」を特定するだろう。

すると、理論上の論争はより高次のレベルで生じることになる。というのも、理論家ごとにまったく別々の正しさの規準が示唆されてきたからだ。実際、ゴールドマンが指摘するように、認識論的理論のわかりやすい分類法は、その擁護する正しさの規準の種類をもとに、理論ないし理論家を分類することでもたらされうる。たとえば整合説によると、J規則のシステムの正しさは、その規則と調和することで一群の整合的な信念がもたらされるかどうかを主題とする。認識論的評価を真理に結びつける理論や信頼性理論によると、J規則の集まりの正しさは、その規則と調和することでもたらされることになる一群の信念の真理を、あれやこれやの仕方で主題とする。反省的均衡の理論だと、そこで支持されるバージョンの反省的均衡テストにおいてどれほどうまくいくかに基づいて、J規則の判断はなされる。などなど。われわれはどのようにして、これらさまざまな正しさの規準からの決定に取り組むべきなのだろうか。あるいは、さらに基本的な疑問を問えば、正しさの規準の妥当性というのはなにに帰着するのだろうか。つまり、ある規準を正しいあるいは誤ったものとするのはなになのか。この論点において、ゴールドマンは望まれるほどに明確ではない。しかしながら、彼の述べることの多くが示唆するところでは、概念分析ないし概念的説明が、競合する正しさの規準からの決定にふさわしい方法であるとされる。妥当な正しさの規準というのは、「日常的な思考ないし言語に含まれる」[24]被正当化性についての理解に適合するようなものなのだ。ある規準をテストするにあたって、われわれは、特定の事例についてその規準が含意するであろう判断を研究し、それらの判断をわれわれの「前理論的な直観」に照らしてテストする。「ある規準は、含意される判断がそういった直観に適う限りにおいて支持されるし、そうしない限りにおいて弱められる」[25]。ゴールドマンは慎重に、被正当化性についてのわれわれの常識的な考えにはある程度の曖昧さがあるかもしれず、それゆえただひとつの最善の正しさの規準など存在しないかもしれない、と指摘する。しかしその曖昧さにもかかわらず、日常的な思考や言語に埋め込まれた「被正当化性という共通のコアとなる考えが存在するように思われる」し、また、こういったコアとなる考えこそが、ゴールドマンがわれわれに語るところでは、彼自身の認識論の理論化において彼が捉えようとしているものなのである。[26]

ある正しさの規準それ自体が正しいとはどういうことなのかについての見解で、わたしがゴールドマンに帰せしめているものは、特異なものでも馴染みのないものでもまずない。先に見たように、グッドマンをとても自然に読むと、彼は正当化についての日常的な考えの説明ないし概念分析として、反省的均衡の説明を提供していることになるであろう。そして他の多くの哲学者も、ほとんど同じ見解を明示的にあるいは暗黙のうちに採用してきたのである。分析哲学的認識論という用語を使用することで、次のような認識論のプロジェクトを表示することにしよう。そのプロジェクトによると、競合する正当化規則ないし正しさの規準からの選択においては、概念分析や言語分析が中心になるとされる。過去四半世紀に英語で公にされた認識論に関わる著作のうちのかなりのものが分析哲学的認識論だったというのはまず疑いえない。[27]しかしながらわたしはこう主張したい。分析哲学的認識論が、どの認識プロセスが良いものでどの認識プロセスを使用すべきかを人々に知らせることを目標とする、まじめな規範的探究の一部だとみなされるとしよう。すると、多くの人々にとって、分析哲学的認識論は的外れだとわかるはずなのである。

4―6―2　認識の多様性に対する分析哲学的認識論者からの応答

わたしが思うに、この論点を見てとるためのもっとも直観的な方法は、次のことに注目することから始まる。認識プロセスが文化ごとに異なるのではないかという不安は、どの認識プロセスをわれわれは使用すべきかという疑問に対して、いかにして一定の切迫さを与えるのだろうか。言語やファッションやマナーといったものと同様に、推論パターンが周りの環境から獲得されるのだとしてみよう。またわれわれが、自分の文化から受け継いだ認識プロセスとはまったく異なる認識プロセスを使用できるようになりうるとしてみよう。すると、われわれの文化的に受け継がれてきた認識プロセスが良いものかどうかという疑問は、ただの理論的な関心を越えたものになる。われわれが異なる仕方で認識に取り組みうるとすれば、そして他のひとが現にそうしているのだとすれば、こう問うのが自然だ。われわれが自分のやりかたで認識に取り組み続けることに、なにがしかの理由があるのだろうか。ひとたび認識プロセスを獲得してしまったらそれを変えることができないのだとしても、そのプロセスが良いものかどうかを訝るのは自然なことだ。さらに、多くの人々からすると、その問いに対して説得力のある肯定的な解答が欠けているというのは、深刻な不安をもたらしうるのである。その理由はこうだ。自分の認識プロセスが他のところで浸透している認識プロセスよりも少しなりとも良いのはなぜなのかを述べられないとしてみよう。するとそのことは、われわれが実際に自分の使用している認識プロセスを使用するということ、あるいはそういったプロセスから生じる信念を持つということが、つまるところ歴史的偶然にほかならないことを示唆するのである。それはちょうど、われわれがスペイン語ではなく英語を話し、トーガではなくズボンをはくことが歴史的偶然なのと同じことなのである。

さて次のことを考えてみよう。分析哲学的認識論者はどのようにして認識の多様性が提示する問題に取り組むのだろうか。分析哲学的認識論者の主張によると、われわれの認識プロセスが良いものかどうかを決めるためには、われわれはまず自身の正当化概念（あるいはもしかしたら、合理性のようななにか他の常識的な認識論的概念）を分析しなくてはならない。われわれの常識的な認識論的概念がそれほど曖昧であったり多義的であったりしなければ、その分析はわれわれに対して、正当化規則に対する正しさの規準（あるいはもしかしたら、密接に関連した一群の規準）を与えてくれるだろう。次のステップでは、どの正当化規則の集まりがそういった規準に適合するのかを探究することになる。そこでいくらかの前進をなしたら、われわれは自身の認識プロセスに目を向けて、それが実際になんらかの正しい正当化規則の集まりに適っているかどうかを問うことができる。もし適っていれば、われわれはそのプロセスを使用し続けるための理由を見出したことになる。つまり、そのプロセスが良いものであるのはそれがもたらす信念が正当化されているからだ、ということを示したことになる。他方、われわれの認識プロセスが正しい正当化規則の集まりに適っていないと判明するとしてみよう。そのときわれわれは、それに代わってもっとうまく働くようなプロセスを見出して、それを使用する訓練を自分に施すことに取りかかってみることができるのである。

以上の説明にはなにか大変な誤りがあるのではないかと思われる。その理由はこうだ。分析哲学的認識論者の努力目標は、われわれの認識状態や認識プロセスが、正当化についてのわれわれの常識的な概念（あるいはなにか他の認識を評価する常識的な概念）に適っているかどうかを決めることにある。しかし、日常的な思考や言語に埋め込まれている認識論的評価の概念が文化的に獲得されたもので文化ごとに変化するというのは、その概念によって評価される認識プロセスがそうであるように、確かにまったくありそうなことだ。[28] さらに、われわれ自身の言語や文化に浸透している評価概念は、他文化に浸透しているかもしれない、あるいは実際に浸透している別の評価概念よりも少しなりとも良いものだ、と考えるためのいかなる理由も、分析哲学的認識論者はわれわれに提供してくれない。さて、認識論的評価についてローカルに浸透している概念がそれ以外の概念よりも優れている、と考えるためのいかなる理由もないとしてみよう。すると、われわれはどうして、自分の使用する認識プロセスがそういった評価概念によって正しいとされているかどうかを、いささかなりとも気にかけねばならないのだろうか。また、自分の評価概念はそれ以外の評価概念よりも少しなりとも良いものだ、と信じるための理由を、われわれがまったく持っていないとしよう。すると、われわれの認識プロセスがわれわれの文化で採用されている評価概念によって認められている、という事実は、その認識プロセスが異国の人々の認識プロセスよりも悪いものではないかという不安を、どのようにして緩和しうるのだろうか。

論点をいくらか明確にするために、われわれ自身の認識プロセスとはまったく異なる認識プロセスが実際に活用されている、ある異国の文化を見つけ出したと想像してみよう。また、彼らの言語に埋め込まれている認識論的評価の概念は、われわれの概念とは異なるとしよう。さらに、われわれの文化に浸透している認識プロセスがわれわれの評価概念にきわめてよく適っている一方で、その文化に浸透している認識プロセスは彼らの評価概念にきわめてよく適っているとしよう。さて、なんであれこのようなことは、われわれがどの認識プロセスを使用すべきかを決める際に、なにかしらの助けとなるのであろうか。評価概念の一方の集まりが他方の集まりよりも好ましいと考える理由がないのだとすると、明らかに、われわれの多くにとってそれはなんの助けにもならないであろう。

4―6―3　概念分析、内在的価値、道具的価値

前節の論点はとても重要なものなので、もう少し体系的に述べることにしたい。いくつかの良く知られた考えを列挙することから始めよう。人々はたくさんの事柄に高い価値を置いている。いくつかの場合、その価値というのは次の意味で道具的なものだ。すなわち、そこで高い価値が置かれる事柄というのは、それが他の目標の達成を容易にすると信じられているがゆえに、高い価値が置かれるのである。貨幣がここでの標準的な例である。他の場合、高い価値が置かれる事柄は内在的に、つまり「それ自体のために」高い価値が置かれる。人々は多くの事柄にそれ自体として高い価値を置いているのか、それともひとつだけにそれ自体として高い価値を置いているのか。このことについては、哲学それ自体とほとんど同じくらい古くからの論争が存在する。それ自体として価値があるのはひとつだけだと考える一元主義者は、一般に、それが幸福や欲求の充足、またはなにかそれに類似した心的状態だと主張する。わたしは、内在的価値の多元主義が一元主義よりもはるかにもっともらしいと考えたい。それゆえ、人々はさまざまな事柄にそれ自体として高い価値を置きうるし実際にそうしているのだと仮定しよう。もっとも、わたしの見る限り、こういった仮定はわたしの論証において実質的な役割をまったく果たしていないが。また、次のことは指摘しておくに値する。内在的価値の多元主義が正しいとすればありうることだが、いくつかの事柄は内在的かつ道具的に価値を持つことになるかもしれない。というのも、いくつかの事柄は、それ自体として価値あるものであり、また、同じようにそれ自体に価値ある別の事柄をもたらしもするかもしれないからだ。

分析哲学的認識論者の提案によると、さまざまな認識プロセスからの選択は、「日常的な思考と言語に埋め込まれた」認識論的評価の概念によってガイドされるべきだ。しかし、その提案は、そういった常識的概念に適う認識状態を持つことや、そういった認識プロセスに訴えることに高い価値が置かれるのでなければ、きわめて無意味なものとなる。そしてわたしの主張はこうだ。多くの人々は、物事を明確に理解すると、日常言語に埋め込まれた評価概念によって正しいとされる認識プロセスを持ったり、それに訴えたりすることに、それ自体としての価値があるとは考えなくなるだろう。また、正当化された信念や認識プロセス、あるいは合理的な信念や認識プロセスに道具的価値があることを支持する主張として、もっともらしいものはまったくないのである。

まず内在的価値について考えよう。ここではもちろん決定的な論証を与える見込みはほとんどない。自分は、自分の言語に埋め込まれた基準に適った認識状態を持つことに、それ自体として価値があると考えているのだと、心から明確に主張するひとがいるとすれば、それ以上に述べうることはほとんどない。しかしながら、わたしの経験上、そういった人々はきわめてまれだ。そういった方向に誘惑を感じると考える人々に対しては、しばしば次の一組の考察が、そうではないのだと彼らを説得するのに十分なものとなるだろう。

ひとつは前節で強調されたものだ——他言語や他文化は確かに、認識論的評価の概念として、われわれ自身とはかなり異なるものを持ち出すことができるであろうし、おそらくは実際にそうしている。それはちょうど、彼らがエチケットについて異なる理解に訴えるのと同じことだ。ある認識プロセスが、われわれの認識論的評価の言語に埋め込まれた、歴史ある基準によって正しいとされること。あるいはそれが、なにかまったく異なる言語に埋め込まれた、同じように歴史ある基準によって正しいとされること。そういった事実は、多くの人々にとって――そしてわたしにとっても確かに――その認識プロセスに高い価値を置くための理由とはならない。それは、宗教的伝統や古代の書物の基準によって正しいとされるという事実が、その認識プロセスに高い価値を置くための理由にならないのと同じことだ。ただしもちろん、そういった基準が、もっと一般に高い価値の置かれるものや明白に価値があるものと、お互いに関連していると示せない場合に限られるが。あるひとが訴えよう（ないし放棄しよう）と考えている認識プロセスが、そのひとがたまたま生を受けた社会に浸透している評価概念の集まりに適うものだったとして、そういったことを、そのひとはなぜ大変に気にかけるのであろうか。認識上の事柄において自種族中心主義やゼノフォービア［訳注：外国人や異文化を嫌がる傾向のこと］に傾いているのでない限り、その理由を見てとるのは難しいのである。

第二の考察は先とは別の仕方で次の事実を強調する。われわれは、認識論的評価についてまったく異なる概念を持っていたかもしれず、われわれの持っている概念はある点ではきわめて恣意的で特異なものなのである。その中心的な論点はこうだ。認識論的評価についてのわれわれのローカルな概念を分析しようとする、もっとも洗練された近年の試みが、おおよそにせよ妥当なものだとすれば、われわれの概念は、さまざまな諸概念からなる広大な集合のうちのわずかな領域を占めるものでしかないのである。そして、われわれが偶然そういった概念を受け継いできたという事実を除いては、われわれの概念をそれ以外の概念から区別するような明白な長所など存在しないのである。

たとえば、正当化についてわれわれが持つ、ローカルな常識的概念に対するゴールドマンの分析を考察しよう。それは二〇世紀後半の英語に埋め込まれていると推定される概念である。ゴールドマンによる正当化についての「信頼主義的」な説明によると、ある正当化規則のシステムの正しさは、その規則が正しいとする心理的プロセスを用いることで生じることになる、真なる信念のパーセンテージによって決定される。J規則のシステムが正しいのは、それが認める心理的プロセスが「なんらかの特定の高い閾値(〇・五〇以上)を満たすような割合で、真なる信念をもたらすであろう[29]」場合である。だがこの説明は、正しいとされるプロセスが作用している世界の性格を不特定なままにする。

ある規則システムの正しさとは、そのシステムが現実の世界に、そしてその世界だけにもたらす真理の割合によって決定されるのだろうか。それとも、その規則システムのパフォーマンスは他の可能世界でのパフォーマンスによっても判断されるべきなのだろうか。……明らかに、ある特定の規則システムはある可能世界――たとえば現実世界――ではうまくいくだろうし、別の世界ではうまくいかないだろう。どの可能世界が、規則システムの正しさに、つまるところそのシステムにしたがって形成される信念の被正当化性に、関連するのだろうか[30]。

ゴールドマンが指摘するように、さまざまな選択肢がある。正当化についてのひとつの説明では、正しさの規準はそのシステムが活動している世界へと相対化されうるであろうし、別の説明では、正しさは現実世界に概念上結びつけられうるであろう。さらに別の説明によると、正しさは、ある特定の特徴を持った世界に概念上結びつけられることになり、その特徴が現実世界やそのシステムが活動しているると想像される世界においてたまたま成立しているかどうかには関わらないとされる。ゴールドマンの見解によると、「われわれの直観にもっともよく適う[31]」説明はこの後者のカテゴリーに該当する。ゴールドマンはこう主張する。「われわれの正当化概念は……正常な世界［normal worlds］の集まりを背景に構築される[32]」。正常な世界とは、「現実世界で生起する類の対象、出来事、変化に関するわれわれの一般的な信念」に適合する世界として定義されるものだ。

どの世界の集まりが「被正当化性についてのわれわれの日常的な理解」の背景を形成するのか。そのことについてゴールドマンが正しいかどうかはわれわれの現在の関心からするとあまり重要ではない。重要なのは次のことだ。ゴールドマンが事実ほぼ正しいのだとすれば、われわれの正当化概念は、ある広大な集合のうちのわずかな領域しか占めないのである。その広大な集合は多かれ少なかれ似通った諸概念から構成されており、その諸概念は、認識プロセスの信頼性が評価される可能世界の詳細を変えることで生みだされうる。さらに、ゴールドマンの説明の他のパラメータを変えることで、それよりもはるかに広大な、正当化に類似した諸概念の集合が生み出されうる。しかし、この集合でわれわれの概念が該当する領域には、一見したところ好ましいところはなにもない。その集合には正当化に類似した数多くの代替概念が見出されるのだが、誰であれなぜ、正当化されてはいないがそういったさまざまな代替概念によって正しいとされる信念よりも、正当化された信念を持つほうを選択するというのか。そうする理由はまったく明らかではない。

われわれの正当化概念は、多かれ少なかれ類似した諸概念からなる大きな集まりのなかの特異な一要素にすぎない。もちろんこの事実によって、正当化された信念を持つことにそれ自体として価値があると考えられなくなるわけではない。その種の認識論的な自種族中心主義について、論理的につじつまの合わないところはなにもない。しかしながらわたしの経験からすると、ひとたびわれわれ自身の正当化概念の恣意性や特異性が明確に理解されると――われわれのたまたま受け継いできた概念が、他にたくさんある可能な諸概念のうちのひとつにすぎない、ということがひとたび見てとられると――多くの人々は、自分は正当化された信念を持つことにそれ自体として価値があると考えているのだ、とはさほど述べたがらなくなる。われわれの正当化概念は、認識論的評価についての諸概念からなる広大で多様な集まりのなかの一要素にすぎないのだから、正当化された信念に対して内在的な選好を持つことは、多くの人々にとって、単に奇妙であるかひねくれた態度だと思われるのだ。[33]

次に、正当化された信念の道具的価値に向かうことにしよう。正当化された信念を持つことは、なにか他の、それ自体として価値があると考えられる事態を成し遂げることを助けそうだろうか。ここで、特にわれわれが内在的価値について多元主義者であるとすれば、否定的な結論を支持する一般的な論証を見出す見込みはほとんどない。しかし、分析哲学的認識論に対するわたしの批判を維持するのに、そういった一般的な論証はまったく必要とはされない。われわれの認識論的評価の概念が持つ特異な性格、およびそれに代わる可能な概念が広範に存在することを考えると、論証の責務は確かに次のように主張する人々のほうにある。すなわち、われわれの概念によって正しいとされる認識状態と認識プロセスは、代替概念のどれかによって正しいとされる認識状態と認識プロセスよりも、道具的に見て価値あるものだ、と主張する人々のほうにあるのである。そういった結論を支持することを目的とする論証方針を、わたしはふたつしか知らない。そして、そのどちらもまったく説得力のないものだと論じることにしよう。

われわれの日常的な認識論的評価の概念によって正しいとされる信念には、道具的な価値がある、ということを支持する第一の論証方針は、そういった概念の進化に訴えるものだ。われわれは正当化や合理性について複雑で高度に進化した直観的な概念を持っている。そしてまさにその事実こそ、正当化された信念や合理的な信念が、なにか持つに値するものを獲得する際に道具的な価値を有すると考えるための、もっともな理由なのだと主張される。というのも、その論証はこう続くのだが、認識論的評価についてのわれわれの直観的な概念、およびそれに寄与する認識システムは、長年にわたる社会的進化と生物学的進化の産物だと想定するのがもっともらしいからだ。長きにわたる概念の進化のプロセスのあいだに、多くの評価概念が生み出され、退けられたのであろう。そして、それに代わって、仲間とのあいだの協調を容易にし、それゆえつまるところ彼らの生存や繁栄にうまく貢献するような概念が支持されたのである。われわれの現在の認識論的評価についての概念は長い進化論的な選択プロセスの結果なのだから、そういった概念は、生存と繁栄を育むという素晴らしいことをほぼ確実になしているはずなのである。このような論証のうちには、日常言語に埋め込まれたカテゴリーや区別へと洗練されていく伝統的な知恵や経験が大いにあると考えた、J・L・オースティンの声を聞くこともあながち不可能ではない。

賢明な人々であっても、伝統的にあるいは直観的に正しいとされているあれやこれやのカテゴリーや慣習の道具的価値を支持する、この種の進化論的論証に魅力を感じている人々が数多くいることに、わたしはしばしばとても驚かされる。というのも、少し吟味をするだけでも、その論証はあっという間にもろくも消えうせてしまうからだ。手元の事例もまったく例外ではない。その論証が前提するところでは、進化は、長期的には、生存と繁栄を育むものを突き止めて、それを保存し、そうしないものを退けるのだと期待されうる。しかし、前章で見たように、問題の進化が生物学的進化である場合、これは見込みのないパングロス氏的な想定である。生物学的進化を推進する要因には、自然選択に加えて、遺伝的浮動、多面発現、マイオティック・ドライブなどの多くのものがある。そしてその各々とも、進化を最適な表現型から逸脱させることができる。さらに、自然選択だけが力として機能しているときでさえ、それが利用可能なもののなかから最善の選択肢を選択するとは期待できない。また、利用可能な最善の選択肢が可能な最善の選択肢であることも——あるいはそれがとりわけ良い選択肢であることでさえ——保証できないのである。[34]

もちろん、諸概念の進化が争点となっている場合、それに伴うプロセスは、生物学的なものである以上に社会的なものでありそうだ。われわれは、社会的進化において作用するプロセスについて、とても原始的な理解しか持っていないが、われわれがわずかながら知っている事柄によると、文化的産物が常にあるいは典型的には道具的有効性に向かって進化するという示唆は、ほとんど支持されるようなものではない。ほんの数例を挙げると、服装のスタイル、マナー、宗教的慣習、構文論的構造、政治システム。こういったものの進化において一般に適応性や有用性が増加することを支持するような、まじめな主張をなすのは難しいであろう。さらに、互いに連関している事柄を見出す——それゆえ、ある特定の時点で使用されているさまざまな習慣やポリシーや概念のうち、どれが最善の結果に至るのかを見分ける——人々の直観的な能力についての研究は、われわれの先祖が認識論的評価についての概念でうまくいくものを注意深く選り抜いてうまくいかないものを放棄したという仮説を、ほとんど強めてくれない。その分野の研究が示しているのは、代替概念の成功によってもたらされる相違はかなり大きくないと注目されそうにないし、またそれすら好ましい条件のもとでしか起こらないだろう、ということなのである。[35]

ここで下されるべき明白な結論はこうだ。あらゆる可能な選択肢のなかで最善のもの、あるいは最善に近いものでさえ、それを産み出すのに、生物学的進化にも社会的進化にも頼れないのである。それゆえ、認識論的評価についてのわれわれの直観的な概念が、長きに渡る社会的／生物学的進化のプロセスの産物だという事実（それが事実であるとすればだが）は、次のことをもっともらしくするわけではない。すなわち、その概念は、それに代わって訴えられうるどの認識論的評価の概念よりも、生存ないし繁栄（あるいは他のなんであれ）の助けとなる、ということがもっともらしくなるわけではないのである。さらに、認識論的評価について直観的に正しいとされる概念を持つことが、生存や繁栄をとりわけ助けるのだと示されうるとしてみよう。そうだとしても、そのことは依然として、正当化された信念を持つことは、なにか非直観的な認識論的評価の概念によって正しいとされる信念を持つことよりも、道具的に価値がある、ということを示すのに十分ではないだろう。この後者の主張を確立するには、正当化についての直観的な概念を持つことが生存や繁栄の助けとなるのは、その正当化概念を持てば数多くの正当化された信念が得られるからだ、ということを示す必要があるだろう。そして手元の論証はとてもその主張を支持しそうにない。正当化された信念の道具的価値を支持する進化論的論証は見込みのないものだ、という結論を避けるのは難しいように思われる。

われわれの直観的な認識論的評価の概念によって正しいとされる認識状態には、道具的な価値がある、ということを確立しようとする第二の戦略は真理に焦点を当てる。それは次の主張から始まるものだ。正当化された信念を持つことはそれ自体としては価値がないかもしれないが、真なる信念を持つことは確かにそれ自体として価値がある。そして次のステップでは、正当化された信念が正当化されない信念よりも実際に真でありそうだと論じられることになる。もちろん、正当化と真理の結びつきを案出するにあたっては悪名高い問題がある。そして、そのプロジェクトはあれやこれやの装いで、デカルトやヒュームからポパーや現代に至るまでの認識論にとって中心的なものであり続けた。その問題がどれほど難解なものであるかは、正当化概念の分析にかなりかかっているだろう。正当化が、アームストロング、ゴールドマン、ノージックなどによって示唆されるように、信頼主義的な（つまり「認識論的評価を真理に結びつける」）方針に沿って解明されるとすれば、正当化された信念が真でありそうだと考えるための、少なくとも一応の理由があることになる。正当化についての非信頼主義的な説明からすると、正当化と真理の結びつきははるかに擁護しがたい。しかし、信頼主義者でさえいくつかの問題を抱え込んでいる。というのも、正当化についての信頼主義的な説明においても、ある信念が、その所有者の生活している世界で真なる信念を産み出しそうなプロセスによって実際に産み出された、というだけでは、その信念が正当化されたものだとみなされることは滅多にないからだ。その種の簡素な信頼主義は、直観的にはそうでないような多くの信念を正当化されたものとして分類してしまう。そして、直観をうまく捉えるためにその簡素な信頼主義を補おうとする、強い傾向が存在する。ゴールドマンが正当化を「正常な世界」のクラスへと相対化するというのは、その数多くある実例のひとつだ。しかしながら典型的には、簡素な信頼主義に加えられたこれらの装飾は、直観をうまく捉えるかもしれないが、正当化を真理にうまく結びつけることはないだろう。それがわれわれの求めるところの真理だとすれば、われわれは、正常な世界ではなく、われわれの世界において真理を産み出しそうなプロセスを活用すべきなのだ。

正当化された信念が真でありそうだということを実証する見込みについては、さらに多くのことが述べられうる。しかしそのほとんどは励みとなるようなものではないであろう。とはいえ、わたしはこういった歴史ある論争にこれ以上深入りするつもりはない。というのも、わたしの見てとるところでは、正当化の道具的価値を確立するためのこのような戦略には、きわめて根本的な問題があるからだ。その戦略は、真なる信念を持つことがなにか高い価値の置かれるべきことだと仮定する。しかし、次章で論じるつもりだが、多くの人々にとって、そういった仮定は実際にはとても疑わしいものなのだ。真なる信念を持つことには価値があるという主張に、うまく疑念が投げかけられるとしてみよう。すると、たとえ正当化された信念は真でありそうだと示せたとしても、そのことは、正当化された信念を持つことに道具的な価値があると考えるための理由をまったく与えてくれないだろう。

4―7　結論と展望

われわれは本章を始めるにあたって、良い認識プロセスのシステムを悪いシステムから切り離すのはなにか、より一般的には、認識のための規範的基準はどのようにして発見され、擁護されうるのか、ということを問うた。本章でなされた著述の多くは、一組の否定的な結論の確立を目的としてきた。第一に、反省的均衡は、認識プロセスの規範的な原理のための試金石ではないということ。第二に、さまざまな認識プロセスのシステムから決定するにあたって、あるシステムが日常的な思考と言語に埋め込まれた基準に適っているという事実は、認識論的な自種族中心主義者以外の誰にとっても、それほど興味深いものではなさそうだということである。ある推論ないし認識プロセスのシステム、あるいはそこから生じる信念の集まりが、合理性や正当化に関するわれわれの直観的な考えによってたまたま認められているという事実——「実質話法」で述べると、ある推論が合理的であり、ある信念が正当化されているという事実——は、われわれの多くが内在的な価値を見出すような事態ではない。また、正当化された信念を持つこと、あるいは合理的な認識プロセスに訴えることには道具的な価値があるという見解に対しても、評価すべきところはほとんどない。確かに、われわれの認識論的評価の概念が何世紀にもわたって進化してきたという事実だけでは、それが道具的に価値あるものでなくてはならないというテーゼに支持が与えられることなど、ほとんどないのである。

正当化や合理性にはなんの価値もないという示唆はラディカルに聞こえるかもしれないが、わたしの擁護している見解は、実際には、サモンやスキルムスなど幾人かの論者によってずっと前になされた論点を一般化したものにすぎない[36]。ピーター・ストローソンは、その非常に議論を呼んだ帰納の問題に対する解決法——それはグッドマンによる解決法に表面的な類似性という以上のものを持っている解決法だが——においてこう論じた。帰納的推論の合理性ないし妥当性を実証するのは容易なことだ。というのも、帰納的推論によって支持されることは、ある経験的信念が理に適っているとわれわれが述べるときに意味される事柄の一部だからだ、と。[37] サモンはそれに答えて、ストローソンが「理に適った」の意味について正しいとすれば、いったいなぜ誰であれ理に適っていたいと望むべきなのかがまったく明らかでないと指摘した。われわれの多くが実際に気にかけているのは、サモンのコメントによると、われわれの推論の方法が「われわれの目的の達成にもっともふさわしい」ものだということだ。「帰納的に獲得されたからというだけでその信念を理に適ったものとみなし、理に適った信念にそれ自体として高い価値が置かれると考えるのだとすれば、われわれは帰納的方法を内在的善の場所へと祭り上げてしまったように見える」[38]。わたしの分析哲学的認識論批判の核心には、それとまったく軌を同じくする不満がある。分析哲学的認識論者にとって、競合する認識プロセスを判断する際に参照されるべき基準というのは、日常的な思考と言語に埋め込まれた、認識論的評価についての概念である。だがこのことは、認識を評価するわれわれの日常的な用語の外延に収まっていることが、それ自体として良いことであるか道具的に価値あることであるかのいずれかだと考えられるのでなければ、きわめて馬鹿げている。そしてわれわれの多くにとって、それらの選択肢のいずれにも評価すべきところがほとんどない。対照的に、われわれの多くは、自分の訴える認識プロセスが「われわれの目的の達成にもっともふさわしい」かどうかを実際には気にかけているのである。

しかしながらここで、サモンとわたしは袂を分かつのではないかと思う。というのも彼は、他の多くの論者と共に、真なる信念を獲得することが認識の目的のひとつであり、真なる信念を持つことがそれ自体、内在的ないし道具的に価値あることだと想定しているように思われるからだ。次章のわたしのプロジェクトはそういった想定に異議を唱えることである。

第五章　われわれは本当に自分の信念が真かどうかを気にかけているのだろうか

5―1　はじめにあたって

わたしは本章でこう論じたい。ひとたび物事が明確に理解されると、われわれの多くは、真なる信念を持つことに、内在的にであれ道具的にであれいかなる価値も見出さないだろう。このことが正しいとすると、いくつかの帰結が生じることになる。第一に、正当化や合理性、あるいはそれに類似した認識論的評価の概念について信頼主義的な分析を主張する人々は、合理的な認識プロセスや正当化された推論になぜ価値があるのかを説明する際に、真理に訴えることができなくなるだろう。また、概念分析を完全に避けてしまう人々、つまり、うまく推論するとはどういうことかについて真理に結びつけた説明を提供しつつも、そういった推論の良さについての説明が、認識論的評価についてのわれわれの日常的な概念を捉えるのだとはまったく主張しないような人々も、ほぼ同じ困難に直面するだろう。

知識とは正当化された真なる信念であるという伝統的な見解を受け容れると、かなり驚くべき帰結が生じる。というのも、それが知識とはなにかということであり、真理にも正当化にも価値がないのだとすれば、知識それ自体の価値に疑問が投げかけられることになるからだ[1]。これは、わたしが本章で思案するつもりの主題ではないが、確かにそれほど抵抗したい結論というわけでもない。二〇〇〇年以上のあいだ、哲学者の関心は、人々はあれやこれやの理由で本当の知識を獲得できないと論じる懐疑論者を論駁することにあり続けた。しかし、懐疑論者の異議に直面した際に哲学者が感じた不安、および彼らの応答に染み込んだ切迫さというのは、知識を持つことがとても重要だとする思い込みへとおおむね辿ることができる。わたしの考えるところでは、懐疑論者に対処する最善の方法はその思い込みに異議を唱えることだ。われわれは知識とみなされるような特別な種類の正当化された真なる信念を持つことができない、そう懐疑論者が主張するのだとすれば、まず打つべき正しい手は、どうしてわれわれがそのことを気にかけねばならないのかを問うことなのだ。

わたしの経験上、本章で擁護されるテーゼを初めて耳にすると、多くのひとは、わたしがジョークを述べているに違いないとか、馬鹿げた懐疑論的パズルを提起しているに違いない、と考えるようになる。こういった人々からすると、真なる信念に価値があるというのは明白なように思われ、そうでないと示唆することは非常識に思われるのだ。それゆえ、真なる信念は明白に価値あるものだとする思い込みを弱める試みから始めるのがもっとも良いであろう。人々は、真なる信念を明白に価値あるものとみなしている。この事実を部分的に説明するのは、ずっと前から社会通念の枠組みの一部となっているような、一群の哲学的メタファーではないかと思われる。そのメタファーによると、人々の信念は、彼らの世界像、つまり、実在の内的な鏡を構成する。あるいはイメージをやや変えると、われわれの信念というのは、それをもとにわれわれが針路を取るような地図である。[2] 信念が像や鏡や地図のようなものだとすると、真なる信念というのは、主題に類似した絵画、歪んでいない鏡、あるいは正確な地図のようなものだ。そして、確かにわれわれは、正しい世界像や歪んでいない鏡を持ちたいと思う。確かにわれわれは、正確な地図をもとに世界をめぐる針路を取ったほうがよいのである。真なる信念を持つことが、良き世界像を持つようなこと、あるいは実在の正確な地図を持つようなことだとすると、真なる信念を持つことが高い価値の置かれるべき状況でないと示唆することは、端的に言ってひねくれた態度だと思われる。

しかしながら、信念を像や地図として語ることがメタファーにすぎず、容易には説明できないものだと認識されると、先のことはすべて崩れ始める。唯物論者の場合、信念は物質宇宙のどこか――おそらくは脳内――に位置しなくてはならない。しかし、脳内には、文字通りに像や鏡や地図があるわけではない。わたしは、オズワルドがジョン・ケネディを撃ったことや、州間道5号線がソラナ海岸からラ・ホーヤに向けて走っていることを信じているが、ジョン・ケネディが撃たれているように見えるものがわたしの脳内にあるわけではないし、南カリフォルニアの高速道路網の形をしたものがあるわけでもない。たとえ唯物論を退けるにしても、信念を心の外にある実在の像や地図とするメタファーは、バークリやカントも十分に知っていたように、ほとんど解明不可能なものなのだ。次のことを考えてみよう。

わたしは、一〇と二〇のあいだにちょうど四つの素数が存在すると信じている。

わたしは、ロバート・ケネディが暗殺されていなかったらアメリカ大統領に選ばれていたであろう、と信じている。

わたしは、進化の理論から引き出される考察が、正常な人々は一般に合理的だとする見解を支持しえない、と信じている。

わたしは、意識の本性についての良き理論をわれわれがいまのところ持っていない、と信じている。

これらの信念の各々に対して、また他の無数の信念に対しても、信じられている事柄の地図や像がありうると想定することは、まったく意味をなさないように思われる。これらの信念の内容は像にされうるようなものではないのである。ここでわたしが下したい教訓はこうだ。信念が像や地図や鏡であるとするメタファーは、不明瞭でかつ大いにミスリーディングなものなのである。真なる信念と正確な地図、あるいは真なる信念と主題に類似した肖像画、といったアナロジーでは、真なる信念に価値があるという思い込みを維持できない。というのも、そのアナロジーは少し押されるだけですぐにばらばらになってしまうからだ。

5―2　信念と真理

よろしい。したがって信念はさほど像のようなものではなく、真なる信念はさほど正確な地図のようなものではない。しかし、真なる信念を持つことに価値があるかどうかを考察する前に、信念とはなにか、そしてそれが真であるとはどういうことなのかについて、何事かを述べる必要があるだろう。だが、それはいくつかの深刻な困難をもたらすプロジェクトだ。というのも、その問題のどちらも、多くの哲学上の論争の的となってきており、まったく異なる見解がたくさんあるからだ。このかなり雑然とした状況を扱うにあたってのわたしの戦略は次のようなものとなる。信念とはなにか、そしてそれが真であるとはどういうことなのか。それらのことについてのかなりもっともらしい立場のひとつだとわたしがみなすものを、本節および以下のふたつの節で素描することから始めよう。5—5でわたしはこう論じるつもりだ。わたしの提示してきた真なる信念についての説明が妥当なものだとすれば、真なる信念を持つことにそれ自体として価値があると考えるようなひとは、われわれのなかにはほとんどいなくなるだろう、と。またわたしは、真なる信念には道具的な価値があると論じる人々が克服すべき障害のいくつかを検討するつもりだ。もちろん、たとえあなたが5—5で述べられることすべてに納得するとしても、わたしは、真なる信念を持つことに価値がないことを確立したことにはならないだろう。むしろ、わたしが示したことになるのはこうだ。5—2から5—4で展開されるような、信念およびそれが真であるとはどういうことかについての説明をあなたが受け容れるとすれば、右にあるような結論が帰結するのである。それゆえ、わたしは5—6でその論証の一般化を試みることにする。そこでは、5—2から5—4で展開される真なる信念についての説明が持つ本質的な特徴が、それに代わるどのもっともらしい説明によっても共有されるだろう、ということが示される。

まず、信念についてはどうするのか。わたしが自分の論証の背景として使用するつもりの理論によると、信念は実在する心理的状態であり、力の平行四辺形の線のような説明上の虚構ではないとされる。それゆえ、その理論は、ダニエル・デネットが最近有名にしたような類の、信念についての道具主義を退ける。(3) その理論はいわゆるトークン同一仮説を採用するものであり、その主張によると、信念の各事例（トークン）はあれやこれやの神経生理学的状態のようなものと同一だとされる。ただしその理論は、別々のひとの同じ信念タイプが常に同じ神経生理学的状態タイプと同一だとするような、タイプ同一仮説を採用するわけではない。細かい区別を別にすると、以上の想定は要するに、信念状態トークンは脳状態トークンだとする主張である。

しかし、多くの脳状態と異なり、また、宇宙の他のほとんどすべてとも異なり、信念は意味論的な性質を持つ。つまりそれは真であったり偽であったりする。このことはどのようにして可能なのだろうか。脳状態トークン――神経生理学的な状態や出来事――が真であったり偽であったりするとはどういうことなのだろうか。ある解答がそのもとで与えられることを可能にする、ひとつのよく知られた枠組みは、次のような関数の存在を措定する。その関数は、ある脳状態トークン（信念や、おそらくなにかそれ以外のものも含まれる）を、意味論的により自然に考えられる存在者、つまり、命題や内容文や特定された真理条件、といった存在者へと写像する。この考えのバリエーションでは、脳状態を、可能な事実や事態、あるいは、あらゆる可能世界からなる集合の部分集合、といった存在者へと写像するような関数が措定される。ある信念トークン（すなわちある特定の脳状態トークン）が真であるとはどういうことかについての説明はしたがって、その写像先の存在者の観点から与えられうる。

つまり、その信念が真なのは、それが写像される命題（あるいは内容文）が真であるときまたそのときに限る、あるいはその真理条件が成立するときまたそのときに限る、あるいはそれが写像される可能な事態が現実のものであるときまたそのときに限る、あるいは現実世界がその信念の写像される可能世界のひとつであるときまたそのときに限る、というように。

ここで次のように抗議されるかもしれない。この種の説明は、ある信念が真であるとはどういうことかについての完全な説明ではまずありえないであろう。というのもそれは、ある命題（ないし内容文）が真であるという考えや、真理条件が成立するという考えなどを前提してしまっているからだ。そしてこういった考えは、信念の真理とまったく同じくらい不可解なものなのである。さらに悪いことに、いくつかの説明によると、文のような非心理的存在者の意味論的性質は、信念のような心理的状態の意味論的性質に訴えることで説明されるべきだとされる。それが正しいとすると、ある信念が真であるとはどういうことかについてのわれわれの説明は、おそらく循環に陥ることになる。わたしの考えるところ、そういった不満のどちらもが正当化される。さらにそれらは、真理が認識論的な長所であるかどうかを考える際に特有の問題を示しもする。解決されたと称されてきた問題は、カーペットのこぶのようなもので、どこか他のところで持ち上がり続けているのだ。しかし最終的にそういったこぶは取り除かれる必要があるだろう。ある命題ないし内容文が真であるとはどういうことか。このことについてのなにがしかの整合的な説明がないと、信念をなにかよく動機づけられた仕方で命題ないし内容文に写像できるという事実だけでは、信念が真であるとはどういうことかをわれわれに語ってくれないだろう。そして、信念が真であるとはどういうことかについての説明がないと、真なる信念を持つことにわれわれが高い価値を置いているかどうかを明確に考えることなど、まずできないのである。しかしながら、その説明の「形而上学的」側面——ある命題が真かどうかは、あるいは、ある真理条件が成立するかどうかは、なにによって決まるのか、ということを説明する側面——についてもっと知りたいと願う人々に対する共感を表明しつつも、わたしは以下のほとんどでこの問題を無視することにしたい。命題とそれを真とするものについて、あるいは、真理条件とそれがいつ成立するかということについて、なにか完全に問題のない説明が語られうると、議論のためにそう保証してしまうことにしよう。真なる信念を持つことの価値に関するわたしの疑念は、心理的な状態を、命題や真理条件、あるいはその仲間とペアにするような「解釈関数」に向けられることになる。

さて、脳状態から命題ないし真理条件への写像は正確にはなにによって決まるのかを考えよう。解釈関数についてなにが述べられるのだろうか。ここでもまた、答えが多すぎるのではないかと思われる。解釈関数の本性については、たくさんの異なる理論が出回っているのだ。先に告知したとおり、わたしがやろうとするのは、そのなかで比較的もっともらしい理論をひとつ素描し、それから、その理論を背景に自分の論証を展開するというものだ。しかし、その理論を詳述する前に、解釈理論はどのような基準を満たそうとするのかについて少し述べておくのが良い。このゲームの遊びかたを支配する制約とはどのようなものだろうか。思うに、この疑問に対して与えられうる、ふたつのまったく異なる答えがある。ただし、以下で触れる理由のために、どちらの答えを採用するかをわざわざわれわれに語るような理論家は少ない。

第一の答えによると、解釈理論を展開する際にわれわれが試みているのは、既存の十分に固められた直観的な概念ないし能力を解き明かして説明することだとされる。われわれは現に、人々の心理的状態に絶えず内容を帰せしめている。そして、きわめて多くの完全に日常的な事例において、普通の人々は、何者かの信念が真となる条件について、自発的で直観的な判断を提供できる。説明というものが解釈関数についての理論を築く際の本質的な要素だとみなされる限り、次のことが重要である。提案される理論はどれも、普通のひとの普通の信念と対になるのはどんな内容文や真理条件なのかについて一般人が下す判断と、おおむね一致しなくてはならないのである。解釈理論がなすと想定されるのが、内容や真理条件についてのわれわれの日常的な判断の深層にある直観的な能力の説明だとしてみよう。すると、クリミア戦争の出来事やわたし自身の脳内の出来事に関係する真理条件を、わたしの信念のすべてに割り当ててしまう解釈理論はどれも、即座に排除されることになるであろう。

どのような制約が解釈関数の理論化を支配するかという疑問に対する、先とまったく異なる解答は、ある理論家たちの研究に潜在するものだ。その理論家たちの主要な目的は、なんらかのより広範な科学的ないし哲学的なプロジェクトにおいて一定の役割を演じるような関数を構築することにある。たとえばある論者たちが主張してきたところによると、人々の行動を予測し説明することを目的とする心理学的な理論は、解釈関数を組み込むべきだとされる。また他の論者たちが主張してきたところでは、解釈関数は、思考と言語がどのようにして世界に関係するかを説明するような、形而上学的ないし意味論的な理論において本質的な役割を果たすだろう、とされる。さらに、解釈関数を認識論的な理論に不可欠な部分だとみなす論者もいるかもしれない。そしてもちろん、これらの主張のさまざまな組み合わせが可能である。典型的には、解釈関数によって理論的な研究がなされると考える哲学者たちはこうも望む。その仕事を果たす関数というのは、われわれの日常的な解釈活動を説明することで与えられるものにほかならないだろう、あるいは悪くとも、そこから比較的小規模に逸脱するにすぎないだろう、と。とはいえ、事態がそのように都合よく運ぶというアプリオリな保証はまったくない。われわれの心理学的、形而上学的、認識論的理論を築く際に、直観的な解釈関数が理論的に扱いにくいものだと偶然わかるかもしれないし、常識的な習慣から著しくかけ離れた関数のほうが、よりスムーズな、あるいはより強力な、あるいはよりエレガントな理論を生み出すことになるかもしれない。そしてそういった状況では、理論家はどちらにしたがうべきか――理論なのか常識的習慣なのか――を決めなくてはならない。直観的な判断や日常的な習慣からもたらされる指図が理論の要求によって覆されることをともかく必要な限り認める用意が、ある理論家にはあるとしよう。すると、そのような理論家が認識する制約は、適切な解釈関数はどれも常識的直観や習慣にかなり密接に寄り添っていなくてはならないと主張する理論家によって認識される制約とは、まったく異なることになる。

わたしはこの区別を下すためにあらゆる手を尽くしてきた。というのも、一方の側――説明的な側面――が以下のページで次第に姿を現し始めるからだ。わたしの論証が機能するために重要となるのは、信念の真理条件の説明において持ち出される解釈関数が、かなり深刻な仕方で常識的直観に制約される、ということである。解釈関数が常識的習慣にかなり密接に寄り添っているのでなければ、なぜその関数の特徴づけているものが真理条件と考えるに値するのかを見てとるのは難しいと思われる。しかし、わたしはその論点を押し進めるつもりはない。というのもそれは、「真理」という単語を正しく使っているのは誰かということについての退屈な議論に陥ってしまいかねないからだ。その代わりに、単に次のように決めてしまうことにしよう。真なる信念の価値に関するわたしの懐疑論は、常識的直観とおおむね両立しうるような真理条件を割り当てる説明に制限される、と。

5—3　解釈関数——あるひとつの理論のスケッチ

わたしが自分の論証の背景として使用しようと思う、心的状態の意味論的性質についての説明は、よく知られたもので、ごく一般的なものだ。それは、タルスキの真理理論、パトナム—クリプキの指示の因果説、心の哲学における機能主義を含む、さまざまな起源からもたらされる洞察を組み合わせたものだ。その説明は最初ハートリー・フィールドによって示唆されて、ネッド・ブロック、マイケル・デヴィット、ウィリアム・ライカン、コリン・マッギン、キム・ステルレルニーなどによってかなりの洗練が施されてきた。[4] わたしはそれを、因果／機能的理論と呼ぶことにしよう。それはとても広く知られているものなので、わたしからの解説はほんの最小限にとどめておこう。

その説明はタルスキから始まる。彼は、ある言語についての公理的理論で、その言語の無数にたくさんある正しい並びの文の各々に対して真理条件を特定するような理論を築く方法を示した。[5] 正確に言うとその理論は次のような形式の無限の定理を含意する。

(1) Sが真なのは p のときまたそのときに限る

ここで「S」はその言語の文の構造記述名によって置き換えられ、「p」は、名づけられた文が真となる条件を特定するメタ言語の文によって置き換えられる。しかしながらタルスキの業績にはふたつの際立った限界がある。

第一に、タルスキの戦略を直接適用できる言語は、狭い範囲の結合子と量化子に制限される。非真理関数的結合子、非標準的量化子、様相、副詞、命題的態度動詞、またそれ以外のさまざまな厄介な構文を用いる言語に対してタルスキ流の真理理論を展開するために、多大な努力が払われてきた。[6]しかし、そういった努力が成功したのかどうか、そもそもなにをもって成功とするのか、その双方について多くの論争が残っている。そういった論争の多くの根底にあるのは、適切なあるいは受け容れることのできる真理条件という考えそれ自体が決して明確ではないという事実である。おそらく、(1)の「p」に置き換わる文が、「S」に置き換わる名前を持つ文と同じ真理値を持つ、というのは十分でない。というのも、これで十分だとしたら、「1＋1＝2」は論理学や数学のあらゆる真理に対して適切な真理条件となるであろうからだ。実際、必要とされるのが同じ真理値を持つことだけだとすると、「1＋1＝2」は、任意の真なる文に対する適切な真理条件となるであろう。「1＋1＝2」がたとえば「ソクラテスは賢い」に対する適切な真理条件だとまじめに提案するひとなどこれまでいなかったが、「その殺人者は、警官が車でゆっくりと立ち去っていくのを見ることができなかったであろう」とか「ほとんどの大きなチワワは雪を好む」といった文の真理条件を特定するにあたって、可能世界、状況、出来事存在者、またその他の哲学上の想像の産物に訴える、数多くの提案がある。[7]ある特定の真理条件が適切である、あるいは受け容れることができるとは、どういうことなのか。このことについてのよく動機づけられた一般的な説明がないと、右にあるさまざまな提案がいかに評価されるべきか、またそういった提案からいかに決定すべきか、ということが明確にならないのである。

タルスキの業績の第二の限界は次のようなものだ。ある特定の言語に対する真理理論を築くというプロジェクトが軌道に乗るためには、そのプロジェクトは、その言語の非合成的な述語と名前の意味論的性質を特定するような、実質的な公理リスト——いわゆる再帰的な真理定義の基底節——から始まらなくてはならない。それゆえ、たとえば、日本語のある断片に対する真理理論は、次のような公理からなる長いリストで始まるかもしれない。

(2a)(x) x が「は赤い」を充足するのは x が赤いときまたそのときに限る。
(2b)(x) x が「は賢い」を充足するのは x が賢いときまたそのときに限る。

⋮

(3a)「ソクラテス」はソクラテスを表示する。
(3b)「プラトン」はプラトンを表示する。

⋮

対象言語を包含するようなメタ言語を使用することで生じる見かけとは逆に、これらの公理にトリビアルなところはなにもない。その論点を見てとるには、新たに発見された言語に対して、先と同じような公理集合を特定しようとしさえすればよい。その公理がトリビアルなものでなく、ある言語について強い実質的な主張をなすという事実は、タルスキのプロジェクトの欠陥ではまずない。問題が生じるのは、その公理を正しいものにするとはどういうことなのかについて、タルスキがわれわれにはほとんど語っていないためである。ある名前がある人物を表示しうるとすれば、そのあいだにどういう種類の関係が成立していなくてはならないか、ということをタルスキはわれわれに語っていない。また、ある述語がある充足条件に適合する事物によって（そしてそれだけによって）充足されうるとすれば、その述語と充足条件とのあいだにどういう関係が成立していなくてはならないか、ということもタルスキは語っていないのである。

指示の因果説がわれわれの説明にはまり込むのはまさにここにおいてである。必要とされるのは、任意の言語の任意の名前や述語がある特定の対象ないし対象のクラスを指示するとはどういうことかについての、なんらかの一般的な説明である。そしてその説明こそ因果説が与えようとするものにほかならない。因果説の詳細は不完全で議論の余地があるものだが、その基本的な考えによると、ある名前トークンがある個物を表示するのは、適切な種類の因果連鎖が、最初の使用ないし命名から問題となっている名前トークンのいま現在の発話にまで及ぶときまたそのときに限る、とされる。また、自然種述語に対してもだいたいそれに類似した説明を与えることができる。因果的な枠組みでは、「鉛筆」「人気のある」「民主主義的な」といった、明らかに自然種語ではない述語を、正確にはどのようにして扱うべきなのか。このことには議論の余地が大変に残っているが、理論家のなかにはこう主張するものもいる。そういった述語はより基本的な述語の見地から定義されうるのであり、その基本的な述語それ自体が、因果的なロープによって世界に結びつけられているのだ、と。[8]

われわれは因果的説明の細部にこだわらなくても良い。というのも、それは以下で詳述される論証においてほとんど役割を果たさないからだ。ただし、次のことを指摘しておくのは重要だ。指示の因果説を支持する基本的な論証と、その理論の細部の詰めはどちらも、常識的直観、および常識的概念やその根底にある習慣に大きく依存しているのである。たとえば、名前についての記述説的な説明を批判する際に、因果論者の打つ主要な手は、記述説の説明は直観的に見て誤っているように思えると指摘することだ。[9]「アリストテレスはΦだった」という形式の話者の主張の多くが、歴史上のアリストテレスについては偽だが、なにか長いあいだ忘れ去られていた古代人については真だと判明するとしよう。その場合、記述説は典型的には、その話者が「アリストテレス」と発話する際に、長らく忘れ去られていた古代人のほうを指示しているのだと主張して終わってしまう。しかし、因果説を支持する論証は続けて、それが直観的に受け容れられないことだと論じるのである。

あるひとの発話が誰に関するものなのかについての直観は、因果説の積極的な主張の細部を詰めていく際にも、同じように中心的な役割を演じる。結局のところ、ありとあらゆる出来事をありとあらゆる仕方で結びつけるような、無数にさまざまな因果連鎖が世界にはある。それゆえ、「アリストテレス」という固有名のわたしによる具体的な使用がその偉大な哲学者を指示するためには、わたしの発話をアリストテレスの洗礼に結びつけるようななんらかの因果連鎖がある、というだけでは十分ではない。つまり、それは正しい種類の因果連鎖でなくてはならないのだ。理論家は典型的には、関連する因果連鎖についての自分の説明が正しいということを示すにあたって、その説明の含意がいかに直観に適合するかを示そうとするだろう。われわれの発話が、理論家たちに支持される因果連鎖をたどっていくと、われわれがそれについて語っているとは直観的には言えないような人々や対象に結びつけられてしまうとしよう。その場合、指示に対して要求される因果連鎖の説明としてその理論家が提供するものには欠陥があると、一般的には結論づけられることになる。

これまでのところ、わたしの素描してきた理論は、自然言語の文がどのようにしてその真理条件を獲得するかについての説明だった。しかし、われわれの関心は心的状態の意味論にあるのであって、自然言語の文の意味論にあるわけではない。そのギャップを埋めるために、因果／機能的説明は、言語を頭の内側に押し込めるという単純な便法を講ずる。やや慎重に言うとその考えはこういうものだ。信念とは、文がそうであるように、より単純な構成要素から組み立てられるものとみなせるような、複合的な心理的状態である。それゆえ、信念の構成要素をなにか純粋に形式的な言語の構成要素たる記号へと写像する――ただし、正しく並んだ信念の構成要素は必ず正しく並んだ記号列へと移されるような仕方で――ことで、われわれは信念トークンをその言語における正しく並んだ記号列へと対応づけることができるのである。実際、われわれは信念トークンを、それに対応する正しく並べられた記号列の、神経組織上に移しかえられた一種の文字だとみなすことができる。したがって、ある信念を持つとは、そのひとの脳内に適切な仕方で実現された、正しく並べられた記号列のひとつのトークンを持つことを意味する。信念はどのようにしてその意味論的性質を獲得するかという疑問は、いまや次のような疑問として述べなおすことができる。われわれはどのようにして、これら脳のなかに実現された文字に真理条件を割り当てることができるのだろうか。2―1―1で見たように、スティーヴン・シファーは、こういった考えをとりわけ鮮やかに表現するような喩えを提案した。あるひとの頭の内側に目を向けると、「信念」とラベルされた小さなボックスが見えたとしよう。そしてそのボックスのなかには、未知の言語の文字のようなものが長く果てしなく連なっているのが見えるとしよう。すると、解釈関数の役割は、その信念ボックスのなかにある文の真理条件を特定することなのである。[10]

信念の文字を構成する単語のうちのあるものを、適切な表示や外延を割り当てることのできる名前や述語として、そして残りのものを、タルスキ流の真理理論にしたがう結合子や量化子として同定できれば、解釈関数の仕事はなされたことになるであろう。都合の良い事例では、これはかなり容易にできる仕事だと思われるであろう。名前と述語は、指示の因果説によって示唆されるような仕方でその因果的祖先を辿ることで、適切な表示や外延とペアにされうる。実際、公共言語の名辞に対する指示の因果説の洗練されたバージョンは、典型的には、存在すると仮定されているところの、単語に類似した話者の脳状態を経由して、指示を固定する因果経路を定める。それゆえ、われわれが公共言語に対してある指示の因果説を持っているとすると、心的語のトークンがどのようにしてその指示を獲得するかを説明するのに、それ以上の研究は必要とされない。結合子の場合、因果／機能的理論の主張によると、本質的なのは、信念のかたちをとった文字のあいだでの相互作用のパターンである。「P*Q」という形式の文によって示される相互作用のパターンが、「*」が実質含意の記号だとすれば予期されるであろうパターンに近ければ、「*」は実際に実質含意の記号なのである。残りの結合子や量化子に対しても同様である。もちろんわれわれは、人々がその推論において論理的に欠陥がないと予期すべきではない。それゆえ、論理学が認める推論と心のなかの文字が示す相互作用とのあいだには、なんらかのずれが許されなくてはならない。このことは、提案される志向的解釈がどれほどの誤謬によって揺るがされるかという、厄介な問題を生じさせる。とはいえ、それはここで追求する必要のない細部である。[11] 重要なのは、機能主義に触発された次のような考えである。心的文を構成する文字が、それが実際に持つところの論理形式を持つのは、他の心的状態のかたちをとった文字とのあいだでそれが示す、因果的な相互作用のパターンのおかげなのである。

5—4　因果／機能的解釈の限界と特異性

前節でわたしは、心的状態がどのようにしてその真理条件とペアにされるかについての因果／機能的な説明に関して、手っ取り早い素描を与えた。本節では、その説明が持つ含意のうちのふたつ——5—6で見るように、信念とその真理条件の関係に関する他の多くの説明も共有する含意——を引き出そう。真理はひとの信念において高い価値が置かれるべきものだとする、広く行き渡った思い込みを揺るがすのに、その含意は大いに役立つものだと考えたい。だが次節までそのことは論じないことにしよう。

解釈についての因果／機能的説明からもたらされる帰結でわたしが注意を引きたい第一のものはこうだ。その説明が支持する解釈関数は、かなり部分的な関数なのである。その関数によって真理条件が特定されるような信念、あるいはそれに類似した心的状態は、人間や他の生物が持ちうる信念に類似した心的状態のうちの、わずかな部分集合を構成するにすぎないのである。解釈関数がその領域にきっちりと制限されていることには、ふたつの別個の理由がある。一方は、単純な名前と述語の指示についての因果的説明を主題とし、他方は、論理形式についての機能的説明を主題とする。因果的説明の側では、その論点は端的に言えば次のようなものだ。心的語（ないし概念）の指示を固定するのに必要とされる因果連鎖の種類をもっともらしく特定するものはどれも、そのような連鎖が決してどこにでもあるわけではないことを含意するだろう。常識的直観に大筋で適合するどの説明でも、指示を固定する因果連鎖は、心的語が経験上辿りうる因果的な経過の集合から、比較的狭い部分のみを取り出すことになるだろう。それゆえ、ある心的語が最終的にある話者の心的辞書に収録されるにはたくさんの方法があるにもかかわらず、その心的語は、因果説が指示に要求する類の特別な因果的ロープでは、世界の何事にも結びつけられないかもしれないのである。こういった心的語は、もちろん、心の外にあるさまざまな対象や種に対して、因果説に許される以外のさまざまな因果関係に立ちうる。だが、因果的説明が含意するところでは、その心的語は、そういった対象のどれも、あるいはそれ以外のどれも、指示しないことになるだろう。そして、その心的語は指示対象をまったく持たないのだから、それが生起するところの心的文は、因果／機能的な解釈関数によって割り当てられるような真理条件をまったく持たないことになる。

論理形式についての機能的説明がどのようにして因果／機能的な解釈関数の定義域を制限するかは、同じように重要だが、因果的説明のときほど自明ではない。その氷山の一角は、わたしがタルスキ流の真理理論の限界についてなした簡潔なコメントにおいてすでに指摘されていた。そこで指摘されたように、複合表現の真理条件ないし指示的性質がその構成要素の指示的性質にいかに依存するかについての、タルスキ流の説明の与えかたが知られているような構文のクラスは、非常に限られている。ひとたび、真理関数的構文や標準的量化子を越えて、様相的、副詞的、反事実的構文に注意を向けると、なにがその意味論を正しいものにするとみなされることになるのかは、まったく明確ではない。というのも、スコット・ソームズとロバート・スタルネイカーが指摘したように、われわれは、名前や種名辞に対する指示の因果説のようなものを、結合子や量化子やその他の構文に対してはまったく持っていないからだ。[12] そういった構文を支配する再帰的規則について提案された説明が正しいかそれとも正しくないかを語ってくれるようなものを、われわれはまったく持っていないのである。

その論点は重要でありまたほとんど注目されていないので、少し詳しく述べることにしよう。ハートリー・フィールドは、その独創的な論文「タルスキの真理理論」[13]でこう論じた。タルスキの真理定義は「基底節」――その言語の非合成的な名前や述語の各々に対して表示や充足条件を特定するような、ただのリスト――から始まるのだから、彼は、真理について物理主義的に受け容れることのできる説明を与えてこなかったのだ、と。タルスキが与えなかったのは、ある名前がある対象を表示するとは、あるいは、ある述語がある特定の外延を持つとはどういうことかについての、なにがしかの一般的な説明である。それゆえタルスキは、その基底節のリストを正しいものにするとはどういうことなのかを説明しなかったのであり、そういった説明がないと、タルスキの戦略を新たに発見された言語に適用することなどとてもできないであろう。フィールドの提案はもちろん、指示の因果説こそそのギャップを埋めるために必要とされるというものだった。因果説はわれわれに、ある任意の言語の任意の名前（あるいは種名辞）がある事物（あるいは事物のクラス）を表示するとはどういうことかを語ってくれる。たとえば、ある名前がある事物を表示するのは、そのふたつが適切な種類の因果連鎖によって結びつけられる場合である、というように。しかしながら、ソームズとスタルネイカーが指摘してきたように、それと完全に軌を一にする問題が、言語の量化子や結合子に対しても生じる。タルスキの標準的な理論では、「再帰節」は単に、量化子と結合子をリストにして、その各々に対して、そこから作られる複合表現の充足条件が、その諸部分の充足条件にどのように依存するかを特定するにすぎない。そのリストに載っていない新たな構文に直面し、また、その構文を使用する複合表現の充足条件が、その諸部分の充足条件にどのように依存するかを語るような、そういった再帰節の提案に直面したとしよう。そのとき、われわれはその再帰節が正しいかどうかを判断できない。というのも、その再帰節を正しいものにするとはどういうことかについての一般的な説明を、タルスキがまったく与えていないからだ。さらにひどいことに、救いの手を差し伸べてくれるような、指示の因果説に大雑把であれ類似したものがここにはまったくない。この問題がもたらすひとつの結論はこうだ。それ自体としては問題のない、名前や一般名辞に対する指示の因果説によって補完されたときでさえ、タルスキの研究は、真理という考えについて、物理主義的に受け容れることのできる一般的な説明をまったく与えてくれないのである。われわれの現在の関心にさらに関係するのは次の事実である。真理定義の再帰節を正しいものにするとはどういうことか。このことについてなにか一般的な説明がないと、因果／機能論者の解釈関数の定義域に入る複合的な心的文を構成する仕方は、きわめて限られたものだけになるだろう。それは、そこから構成される複合表現の真理値の決めかたが比較的よく理解されているものでなくてはならず、また、それについてわれわれがすでに必要な再帰節を手にしているものでなくてはならないのである。

さて、わたしがこれまで長々と論じてきた問題は、おおむね無知に関わるものであって、それもかなりテクニカルな類の無知なのだと考えられるかもしれない。真理定義の再帰節を正しいものにするとはどういうことかについて、一般的な説明を作り出せるほどの才能を持ったひとはいまだいない。しかし、指示の因果説が真理定義の基底節に対してなしたのと同じことを再帰節に対してなすことに誰かが成功したら、その問題は消え去るだろう。しかし、このような応答が現在の問題の射程を深刻なほど過小評価していることを見てとるのは重要である。たとえ、再帰節を正しいものにするとはどういうことかを実際にもっともらしく一般的に説明したとしても、因果／機能的な解釈関数の定義域の外側には、無数にたくさんの種類の心的文が存在するだろう。というのも、それに対する適切な真理理論的再帰節が端的に言ってまったくないような、無数にたくさんの種類の構文が存在するからだ。

なぜそうなのかを見てとるためには、われわれはいくつかの論点を整理する必要がある。まず、解釈関数の説明を与えるというプロジェクトが、つまるところ、内容や真理条件についてのわれわれの直観的な判断に沿っていなくてはならない説明の試みだということを思い出そう。次に、心的文を組み立てる際の基盤となる「構文」を個別化する際には、その心的文が示す因果的な相互作用のパターンが中心的な役割を果たすことに注目しよう。ある心的文が連言となるのは、その心的文が論理学で許される事柄をおおむね反映するような仕方で他の文と相互作用する、という事実による。同様に、心的言語の様相や反事実やその他の種類の構文を同定する際に、（われわれがそういった構文に対する適切な真理定義を持っているかどうかにかかわらず）その構文の示す推論パターンが直観的に見て論理的に許されるものとおおむね一致している、ということにわれわれは注目できよう。しかし、これが中心的な論点なのだが、心的文同士の因果的な相互作用パターンで形式的に特定しうるものは、無数にたくさんありうる。それゆえ、心的文のとりうる複合表現で直観的にもっともらしい意味論的解釈の余地がまったくないようなものが、無数にたくさんあるのである。文や正しく並んだ記号列のあいだの相互作用パターンで、純粋に形式的で構文論的に特徴づけ可能なものの多くは、直観的に見てもっともらしい意味論をまったく持たないのである。たとえば一項構文「#p」を考えてみよう。ある体系は、任意の有限個の前提の列の各素数番目の前提が「p」である場合、それらの前提から「#p」を導出する。あるいは「$\#_2$p」を考えてみよう。それは、同じような前提の列の素数番目の前提をひとつおきに取り出したものが「p」であるとすれば導出される。以下同様。あるいは構文「p {} q」を考えてみよう。ある体系が任意の前提ペア「p」と「q」から「p {} q」を導出するのは、「p」が「q」よりも多くの「&」のトークンを含んでいるか、「q」が「p」よりも少ない「v」のトークンしか含んでいないか、もしくは「p」と「q」がどちらも記号「((∃」から始まるときまたそのときに限る。これらの各々、またそれ以外の、無数にたくさんある形式的な記号上の相互作用パターンは、構文論的に特徴づけられた生成規則あるいは導出規則として、まったく問題のないものだ。しかしながら、これらの規則によって暗黙のうちに定義される構文には、直観的に自然な意味論的解釈がまったくない。形式的に（つまり構文論的に）可能な生成や計算の空間は、われわれの直観的な意味論が解釈する用意のある空間をはるかに上回るのである。

わたしがこれまで論じてきたのは次のようなことだ。解釈関数についての因果／機能的説明の描写によると、解釈関数の定義域は、心的な記号列からなる集合の非常に限られた部分集合でしかない。まったく解釈が割り当てられないような心的状態のシステムが数多くありうるのである。解釈が割り当てられない理由としては、その心的状態の構成要素が適切な種類の因果連鎖によって世界につながっていないからか、あるいは、その複合表現の示す形式的な相互作用パターンに直観的な意味論的解釈の余地がまったくないからである。さて、因果／機能的な解釈関数はこのように制限されているだけでなく、きわめて特異なものでもあることを、これから論じることにしよう。因果／機能的な解釈関数が解釈を特定できるような定義域においてさえ、心的状態を真理条件（あるいは命題や事態など）に写像する関数で因果／機能的な解釈関数とは異なるものがたくさんあり、常識的直観によって正しいとされる関数に、明白に優れていたり好ましかったりするところはまったくないのである。[14]

因果／機能的な解釈関数以外にも関数が存在するということは、ほとんど論証を要さない。関数とは写像にほかならず、一方の集合のアイテムが別の集合のアイテムにある仕方で写像されうるとすれば、それは数多くの仕方で写像されうるのである。因果／機能的な写像の特異な性質を見てとるには、次のことをもう少しよく見ればよい。因果論者はどのようにして、指示を固定する類の因果連鎖の特定に取り組むのだろうか。典型的には、その説明はふたつの部分に分かれる。一方の部分は、対象ないし対象のクラスを指定するために名前や述語が言語に導入されるプロセス、つまり「接地［grounding］」あるいは「指示固定」のプロセスに焦点を当てる。もう一方の部分は、名前や述語が、それが導入されたときに固定された指示を保ちつつ、ある使用者から別の使用者へと受け継がれていくプロセス、つまり、社会的な伝達のプロセスに焦点を当てる。各々の部分において、まじめな因果論者にとっての課題は、正当な接地ないし正当な伝達とみなされる出来事やプロセスの種類を特定することだ。そして、例の通り、正当性の規準の重要な部分は、結果として生じる説明がどれほどうまく直観と調和するかということにある。

接地や伝達について得られるさまざまな説明に目を向けると、各々のカテゴリーで認められる出来事というのは寄せ集めであって、せいぜい家族的類似という緩やかな織物のおかげでひとまとまりになるにすぎないように見える。また、事態がそのように判明するというのは、まったく驚くにあたらない。固有名や愛称はありとあらゆる事物——ほんの数例を挙げると、赤ん坊、司祭、戦艦、朝食のシリアル、島、戦争、専制君主など——につけられる。そして、それに典型的に伴う洗礼プロセスというのは、対象の種類ごとに著しく異なる。それらが自然種のようなものを構成するとは信じ難い。直観的に受け容れることのできる接地の不均一さは、述語がその外延とペアにされるようになる仕方を考察すると、さらに著しくなる。「金」「ヘリウム」「小惑星」「電子」「カンガルー」「超伝導性」。これらはおそらくどれも自然種語だが、その接地はありとあらゆる仕方でお互いに非常に異なっているはずだ。指示を保存する伝達プロセスも同じくらい多種多様なものだ。急いで付け加えなくてはならないが、こういったことのいずれも、因果説批判として意図されているわけではない。ここでの因果説は、公共言語ないし心的言語の単語をその指示対象に関連づける仕方についてわれわれが持っている、前理論的な見解を説明するものである。ここでのわたしの論点は単に、因果説をもっともらしく詳述すると、適切な因果パターンとして数多くのものが特定されることになるだろう、ということにすぎない。わたしのわが子の名前の心的トークンを適切な若者に結びつける因果連鎖は、わたしの「ソクラテス」の心的トークンをソクラテスに結びつけるような因果連鎖とはまったく異なる。そしてこれらの連鎖のいずれも、わたしの「水」のトークンを水に結びつけるものや、わたしの「クオーク」のトークンをクオークに結びつけるものとは著しく異なる。これらの因果連鎖すべてをひとまとめにするのは、それらすべてが共有するなにかしらの実質的性質ではない。それらをひとまとめにするのはむしろ、常識的直観によるとそれらはすべて指示を固定する連鎖だとみなされる、ということなのである。

さてところで、不均一な因果連鎖の集まりが常識によってひとまとまりにされるというのが事実だとすれば、明らかに、常識的な主題の変奏で同じように不均一なものが数多くあるはずだ。これらの変奏は、常識によって支持されるような集まりから、あるものは小規模に、あるものは大規模に、逸脱するだろう。それらはいくつかの心的語あるいは多くの心的語を、常識的直観が割り当てるのとは異なる対象や外延に結びつけるだろう。そうする際、それらは既存のものに代わる「指示」概念――既存のものに代わる単語と世界の関係――を特徴づけていることになるだろう。それらをわれわれは指示*、指示**、指示***などと呼ぶかもしれない。そして、単語を世界に釘付けにするためのこれらさまざまなスキーマの多くに対して申し立てられる、唯一の明白な不平というのは、それらがたまたまわれわれの常識的直観によって正しいとされるスキーマではなかった、ということにすぎないのである。

ひとつふたつの具体例がこのことをもう少し明確にするかもしれない。因果論者は次のようにもっともらしく論じてきた。指示というのは、常識的直観に沿って解されると、指示されるひとや対象について大幅に誤った信念に直面しても可能である、と。聖書のヨナのお話の面白い箇所がすべて神話だとしても、「ヨナ」は依然として、実在した歴史上の人物を指示しうる。その場合、そのひとについての歴史的事実が忘れ去られても、そのひとについての物語は語られてきたのである。しかし、因果論者は一般にこうも主張する。われわれは、ある名前の指示対象が属する一般的な事物のカテゴリーについて、少なくともいくつかの真なる信念を持っていなくてはならない。聖書におけるヨナの伝説には長い歴史があり、その歴史の始まりは、何者かが数字の一七についての会話をふと耳にして、その一七という数が話の対象となっているひとのことだと誤って思い込んでしまったことにあったのだとしよう。たとえそうだとしても、「ヨナ」が一七を表示することなど実際には起こらないであろう。この場合、因果説とそれをガイドする直観は、「ヨナ」が空虚な名前である、つまりなにも表示しないと定めるのである。直観的に正しいとされる指示概念を変更するひとつのやりかたは、誤った情報によって指示が傷つけられる事例の範囲を拡張することであろう。たとえば、よく知られた因果的説明と、サールなどによって擁護される記述の束説の混成、といったものが想像されうるだろう。すなわち、話指示*が、次の事実を除けば指示にそっくりの、単語と世界をつなぐ関係だとしよう。話者がある名前に結びつける（トリビアルでない）記述の大部分が実際には何者にも適用されない場合、その名前は空虚なものになる、という事実を除いては指示とそっくりの、単語と世界をつなぐ関係だとしよう。それゆえ、ある歴史上の人物でそのひとについての伝説が徐々に発展したようなひとがいたとすれば、「ヨナ」は、その人物を指示するが、いかなる人物も指示*しないことになる。常識的な主題のもうひとつの変奏――指示**――は、固有名の指示を決めるにあたって、記述に対して幾分異なる役割を与えるかもしれない。それによると、「ヨナ」は、水生生物の腹のなかで実際に三日間生き延びたような、長らく忘れ去られていた古代人を最終的に指示**するかもしれない。また、指示***に対してなされるデザインは、「水」が、その外延***において、H_2Oだけでなく、それにそっくりの見かけと味を持つ有名な物質であるXYZも含むようなものかもしれない。明らかにこれら三つの代替概念は始まりにすぎない。さらに多くのものを無数に考え出すというのはトリビアルな試みであろう。話者から話者への単語の受け渡しにおいて指示を保存するような伝達パターンとして認められるものを変えると、やや異なる種類の代替概念を生み出すことができる。

このように、単語と世界をつなぐ関係で既存の関係に代わるものがあるということは、次のようなかたちで、われわれの現在の関心に関連することになる。すなわち、そういった単語と世界をつなぐ関係は各々、既存のものに代わる基底節の集まりを与えてくれるのであり、われわれはそれに基づいて、直観によって支持される因果／機能的な解釈関数に代わるものを作り上げることができるのである。ある歴史上の人物がいて、そのひとにまつわる魚の伝説が次第に発展してきたとしよう。この場合、直観的に正しいとされる説明によると、「ヨナはモアブ人だった」と述べることでわたしが表現しうる信念は、その歴史上の人物がモアブ人だったときまたそのときに限り真であるような命題へと写像されるであろう。しかし、われわれが自分の解釈関数を代わりに指示**関係に基づけるとすれば、先と同じ信念が次の命題へと写像されるであろう。すなわち、巨大な魚の腹のなかで三日間過ごした、ある長きにわたり忘れ去られていた古代人が、モアブ人だったときまたそのときに限り真であるような命題である。同様に、「標準的な」因果／機能的解釈関数は、「太陽に水はない」と述べることでわたしが表現する信念を、太陽にH_2Oはないという命題へと写像するであろうし、他方で、指示***に基づく解釈関数は、その信念を、太陽にH_2OもしくはXYZはないという命題へと写像するであろう。こういった、代替解釈関数は、われわれの直観的な判断によって正しいとされるようなものではない。それらはわれわれからすると誤っているか、あるいは不適切だと思われるものだ。しかし、われわれが自分の直観を再教育したり、自分の子供に自分とはまったく異なる直観を持つよう育て上げたりすることはできないであろう、と考える理由などない。そして、そのようにしたとすると、指示に基づいた解釈のほうが不適切だと、われわれには感じられることになるだろう。また他方で、指示*やそれ以外のもののうちのひとつに基づいた解釈のほうが直観的に見て自然だと、われわれには感じられることになるだろう。つまり、これらの代替解釈関数は他のひとや未来のわれわれ自身にとって直観的にもっともらしくないものだ、と考えるいかなる理由もないのである。そして、このようなかたちでわれわれの直観から逸脱するような直観を持つ人々は、われわれほどには日常生活をうまく送ることができないであろう、と考えるいかなる理由も、あるいは少なくとも、いかなる明白な理由もない。因果／機能的な解釈関数が制限されているだけでなく特異なものでもあるというのは、まさにこの意味においてである。それは、数多くある解釈関数のなかのひとつであり、同種の解釈関数のなかでそれが目立っているのはなぜかというと、主としてそれが、現代のローカルな常識的直観と、その直観の深層にあるおおむね未知の心理的プロセスによって支持されるような関数だからなのである。

議論がわれわれをどこに、そしてどのように連れてきたのかについて、簡潔に反省するべき頃合だ。わたしは最初に、自分の意図が、真なる信念を持つことに高い価値が置かれるべきだとする広く行き渡った思い込みを疑問視することにある、と告知した。そしてわたしは、信念の本性とそれが真であるとはどういうことかについてのもっともらしい一群の見解にまず焦点を当てることで、その問題にアプローチするよう提案した。信念に関しては、わたしはトークン同一説の精神にある実在論的な解釈を選択した。信念トークンは、わたしが想定してきたところでは、神経状態トークンである。信念（および他の「志向的」な心的状態）が、真理値を持たない他の多くの神経状態から区別されるのは、信念を真理条件（あるいは命題や可能な事態）に写像する関数――解釈関数――があるためである。5―3でわたしは、解釈関数がいかに機能するかについてのポピュラーな因果／機能的説明を素描した。そして5―4でわたしは、因果／機能的な解釈関数が部分的で特異なものだと論じた。直観的に正しいとされる因果／機能的な解釈関数以外にもたくさんの関数があり、これらの関数は数多くのいろいろな仕方で心的状態を真理条件へと写像するのである。また、直観的な関数はそれ以外の関数の多くより少しなりとも良いものだ、あるいは自然なものだと想定する、いかなる理由もない。こういった代替解釈関数は各々、信念に対して既存のものとは異なる真理条件を与える。それゆえ、直観的に正しいとされる指示概念に基づく解釈関数によると、わたしのある特定の信念トークンが真なのは太陽にH_2Oがないときまたそのときに限る、とされるかもしれないが、その一方で、指示***に基づく解釈関数によると、同じ信念トークンが真（あるいはいっそのこと真***）なのは太陽にH_2OかXYZがないときまたそのときに限る、とされるであろう。

以上のことがもたらすひとつの帰結はこうだ。われわれは、自身の信念状態やそれを生成するプロセスにおいて、実のところ、なにに高い価値を置いているのだろうか。そのことを決めるとなると、真理はたくさんの競争相手を持つのである。なんであれわたしが持ちうる一群の信念トークンには、あるパーセンテージ、たとえばnの、真なる信念が含まれるだろう。そして、直観的に支持される意味論的概念を主題とする無数のさまざまな変奏に応じて、それとまったく同じ信念トークンの集まりに、あるパーセンテージn^*の真*なる信念、あるパーセンテージn^{**}の真**なる信念、などが含まれることにもなるだろう。さらに一般に$n \neq n^* \neq n^{**}$…である。それゆえ、真なる信念のパーセンテージを増加させると、真*（／真**／真***…）なる信念のパーセンテージを減少させることになるというのは、よくあることだろう。われわれが本当に真なる信念に高い価値を置いているのだとすれば、真理*や真理**を放棄することについて、われわれはおそらくそれほど気にかけていないことになるであろう。しかし、本当にそうなのだろうか。それが、いまからわれわれの取り組もうとする疑問である。

5—5　真なる信念、内在的価値、道具的価値

4—6—3で見たように、認識論的価値についての議論は一組の項目にうまくまとめることができる。すなわち、内在的価値、なにかがそれ自体として持つ類の価値と、道具的価値、なにかがそれ以外のなにかをもたらすことで持つ類の価値である。真なる信念を持つことにそれ自体として価値があ

るとみなすべきかどうかを問うことから始めよう。

内在的価値をめぐる争点については、論証がほとんどできないと考えられるかもしれない。というのも、自分は真なる信念を持つことに内在的な価値を与えるのだと、あるひとがわれわれに語るのだとすれば、そのひとはこう述べていることになるからだ。自分は真なる信念をそれ自体として高く評価するのであって、それが他のなにかを助けるから高く評価するわけではないのだ、と。そのひとは真なる信念が他の価値の達成を容易にするだろうと主張しているわけではないのだから、真理を信じることの帰結についてそのひとが期待していることは誤りだ、と論じることなどまずできないのである。しかしながら、前章で見たように、真なる信念を持つことに内在的な価値を与えるべきでない、あるいは実際には与えていないのだと、何者かを説得する際に有効かもしれない、もうひとつの種類の考察がある。真なる信念を持つことの帰結にこだわるよりむしろ、われわれは次のことを確かめようとすることができる。そのひとは、自分が高い価値を置いている事柄の本当の性質を明確にわかっているのだろうか――そのひとは真なる信念を持つということがつまるところどういうことかを理解しているのだろうか。前節の結論が活かされるのはまさにここにおいてである。そこで見たように、信念をその真理条件とペアにする関数が因果／機能的理論によって素描されるようなものだとすれば、その関数は部分的でかつ特異なものだ。そしてこれらの事実のどちらも、お互いにかなり異なる仕方で、真なる信念に高い価値を置くことが甚だしく保守的なことだということを含意するのである。

まず、解釈関数が非常に限られた定義域しか持たないという事実を考えよう。それはつまり、真理条件をまったく持たずそれゆえ真ではありえないような心的状態を構成要素として、それらを貯えて計算しうるようなシステムが、巨大な集合を構成するということだ。疑いなく、このような意味論から自由な集合に入るシステムの多くは不要で混沌としたものだ。とはいえ、そのすべてがそうだと想定する理由は確かにない。はるかにありそうな可能性はこうだ。その巨大な集合には、その使用者の権力、幸福、生物学的適応度を大いに増大させるであろうシステム、宇宙における苦しみの量をかなり減少させるであろうシステム、われわれが生物圏の多くを道連れに自爆し忘れ去られてしまう可能性をかなり減少させるであろうシステム、といったものがありうるのである。ポール・チャーチランドが好んで考察するように、われわれの現在の認識プロセスは広大な未解明の計算空間に浮かぶ小島にすぎない。そしてその空間は、想像される以上に豊かなものを含むと適切に想定されうる。しかし、そういった空間のほぼすべてが、因果／機能的な解釈関数の手の届かないところにある。つまり、それは真理も虚偽も存在しないような領域なのだ。真なる信念を持つことに内在的な価値を与える人々は、その巨大な空間を研究したがらないだろうし、そこで見出されうるものを採用することに抵抗するだろう。というのも、われわれは先立って、そこには真なる信念がまったく含まれていないことを知っているからだ。しかし、彼らのそういった規範的な姿勢は甚だしく保守的なものだ。というのも、彼らが認識の最終的な産物において高い価値を置くものは、意味論的に解釈可能でなくてはならず、そして、意味論的に解釈可能なものは、現在の推論パターンや、心的状態を心の外の実在に因果的に結びつけようとするよく知られた方法から、それほどラディカルには逸脱できないからだ。真なる信念に高い価値を置くというのは、認識に関わる事柄においてわれわれが現在いる場所からそれほど遠くには進まないと決心することなのだ。

さらにもうひとつのイメージがその論点を示すのに役立つかもしれない。心的状態を貯えてそれを計算するシステムからなる広大な集合というのは、次のようなものだと考えられるかもしれない。それはある一定の地域の地形のようなものであり、その頂上はなんらかの長所、たとえばその使用者の権力を増大させること、幸福を育むこと、生物学的適応度を増加させること、といった長所において卓越したシステムによって占められており、その谷間はそれらの点でうまくいかないシステムに対応するのだ、と。われわれの採用するシステムは因果／機能的な解釈関数の限られた定義域に入らなくてはならない、と主張されるのだとすれば、われわれにできそうなことはせいぜい、局所的な極大値——われわれの現在地の比較的近くにあるほどほどの頂点——を見出すことくらいのものだ。遠くにはそれよりもはるかに高い頂点がおそらくあるだろう。しかし、真理を貴重なものだとするのであれば、われわれがそういった頂点を見出すことはないだろう。

解釈関数の特異な性質が含意する保守主義は、先とはかなり異なる種類のものだ。心的状態を真理条件（あるいは命題や世界の可能な事態）に写像する関数は無数にたくさんある。このように無数に林立する関数のなかには、心的状態に対する「本当の」真理条件を与えるものとして、常識によって選抜されるものがある。それは、真理条件という主題の変奏である、真理*条件、真理**条件、あるいはその他のどのような変奏とも対照的なものだ。しかし、これまで想定してきたように、直観的に正しいとされるのが因果／機能的な解釈関数だとすると、それはとりわけ単純ないし自然な関数というわけではない。むしろそれはなにかごた混ぜになったもので、名辞の指示を固定するための戦略からなる幾分雑多な集まりと、指示を話者ごとに伝達するための戦略からなるもうひとつの集まりから作り上げられるものだ。受け容れてもよい接地や伝達の特徴は、それらがなんらかの一般的な自然性質を共有しているということではない。そうではなく、常識的直観によるとそれらは受け容れてもよいとされる、ということにすぎないのである。

さて、こういった直観それ自体は正確にはどこからやってくるのかを反省してみよう。われわれはなぜ、指示*や指示**、あるいはそういったもののうちのひとつではなく、指示のほうを正しいとするような直観を持っているのだろうか。もちろん単純に答えるなら、これらの直観が正確にいかに生じるのかを詳細に知っているひとなどいない。とはいえ、文法性や道徳性や礼儀正しさに関わる他の複雑な直観システムと同じように、問題の直観はそれ自体文化的に伝えられるものであり、明示的な教育をほとんどあるいはまったく伴わずに周りの社会環境から個人が獲得するのだ、と考えて間違いないだろう。別の可能性、わたしはそれがまずありそうにないと考えたいのだが、それは、直観が生得的なものでありわれわれの遺伝子にコード化されているというものだ。そしてもちろん、遺伝的要因と文化的要因の双方を伴うというのもまったくありうることだ。その説明がどうあれ、明らかにわれわれの直観は、多くの可能な解釈関数と、その各々が持ちうるさまざまな長所を、体系的かつ批判的に評価することでもたらされたわけではない。われわれはあれやこれやの仕方で自分たちの直観を受け継いできたにすぎない。つまり、われわれはその直観を持つにあたって反省的な選択をなしたわけではない。真なる信念（真*なる信念、真**なる信念……ではなく）を持つことに内在的な価値を見出す人々は、われわれの文化(あるいはわれわれの生活様式)がわれわれへと残してきた解釈関数を無反省に受け容れており、その関数に自分の基本的な認識論的価値を決めさせているのである。そしてその際、彼らは甚だしく保守的な選択をなしていることになる。つまり彼らは、伝統に自らの認識論的価値を決めさせている一方で、そのような伝統に対する批判的な評価をまったく試みないのである。

さてもちろん、わたしが述べてきたことで、真なる信念を持つことに内在的な価値を与えることを批判する決定的論証に、少しでも近づいたわけではない。実際、認識論的な事柄において極端な保守主義に向かうことを好む伝統主義者たちはおそらくこう考えるだろう。自分が真理に固執することは、それが非常に保守的な価値だとわかると、むしろ強められるのだ、と。しかしながら、認識に関わる事柄において、伝統的でよく知られているものに内在的な価値をそれほど置きたがらない人々もたくさんいるし、わたしもそのひとりである。そしてそういったひとからすると、次に挙げる事柄は、自分は本当は真なる信念にそれ自体として高い価値を置いているわけではないのだ、と決心するのにおそらく十分な理由となるだろう。すなわちそれは、真なる信念が解釈関数の定義域に入らなくてはならないという事実であり、解釈関数の定義域がわれわれ自身が持つ認識の貯えに似たものに制限されるという事実であり、さらには、その関数がわれわれの文化的／生物学的遺産として与えられた、特異なごた混ぜであるということの認識である。このような思考方針のもとで認識論的価値を反省によって獲得した人々からすると、真なる信念には依然として価値があると判明するかもしれないが、その価値は道具的なものとなるだろう。つまり、それらはなにかの役に立つ必要があるだろう。それゆえ、真なる信念の道具的価値を支持する主張がどれほど強くなされうるかを問うことにしよう。

真なる信念の道具的価値を検討するとは、次のように問うことだ。真なる信念を持つことによって、それ以外のなにか高い価値の置かれている事柄がもたらされるのだろうか。ここでのそれ以外のなにしないと、容易に次のように考えられてしまうであろう。すなわち、ここで問題となっている比較は、真なる信念の道具的価値がなにと比較されるべきかを特定しないからだ。そういったことを特定しろうか、と。しかし問題をそのように提示することはひどくミスリーディングだ。というのも、それは、真なる信念を持つことで、なにか他の、高い価値が置かれている目標が達成される確率は増加するだろうか、と。しかし問題をそのように提示することはひどくミスリーディングだ。というのも、それ

真理が道具的に価値を持つかどうかを問うとは、次のことを問うことだと考えられるかもしれない。真なる信念を持つことで、なにか他の、高い価値が置かれている目標が達成される確率は増加するだろうか、と。しかし問題をそのように提示することはひどくミスリーディングだ。というのも、それは、真理の道具的価値を支持するどの論証も克服しなくてはならない、一般的な困難を素描する。第三の論点かなりの数の人々の心を動かすように思われる、ある論証を妨害することを目的とする。第二の論点は、は三つの論点を示すつもりだ。第一の論点は問題点を明確にすることを目的とする。第二の論点は、った類の、なにがしかのまじめな論証を要求するのである。この主張を支持するにあたって、わたし自明ではないというのがわたしの意見である。それは、わたしの知る限り誰も与えようとすらしなかかに多くの物事にとって望ましいことである——と広く信じられているが、このような主張は決して標ははるかに穏当なものだ。真なる信念の道具的価値は自明である——真なる信念を持つことは明らだ。どのようにしてそういった全面的な結論を論じうるのか、わたしにはわからないし、わたしの目うるいかなることも真なる信念によっては容易にならない、ということを示さなくてはならないから論じようとは思わない。というのも、このことを実証するには、人々が分別をもって高い価値を置き値を置いているのだから、わたしは、真なる信念を持つことが道具的に価値を持ちえないであろうと多くの事柄にそれ自体として高い価値を置いているだろうし、また確かに、多くの事柄に道具的な価かというのは、それ自体、道具的にあるいは内在的に高い価値が置かれうるものだ。人々はおそらく

真なる信念と偽なる信念とのあいだのものであり、われわれの疑問は、真なる信念を持つことが偽なる信念を持つことよりも道具的に価値を持つかどうかということなのだ、と。しかし、この疑問への答えが「イエス」だと示すことは、確かに決してトリビアルなことではないが、十分と言うには程とおい。本当に示される必要があるのは、なにか独立した望ましい目標の達成において、真なる信念が偽なる信念よりも助けとなる、ということだけではない。真なる信念は、真*なる信念や真**なる信念、あるいは、直観や伝統によってたまたま支持されないような解釈関数によって取り出される他の信念カテゴリーのどれよりも、われわれの役に立つということ。このこともまた示されなくてはならないのである。というのも確かに、真*なる信念が真なる信念よりも問題の目標の達成を助けるのだとすれば、他の事情が等しい場合、われわれが本当に持ちたいのは真なる信念よりむしろ真*なる信念であるからだ。さらに、真でないような真**…*なる信念が常に偽だというわけでもないだろう。というのも、真理**…*条件が割り当てられる心的状態のなかには、真理条件をまったく持たないものもあるかもしれないからだ。したがって、真でも偽でもない真**…*なる信念があることになるだろう。またそれゆえ、真なる信念が偽なる信念よりもなんらかの目標をうまく成し遂げると示すことは、真なる信念が真**…*なる信念よりもその目標の追求において道具的に価値があることを確立しそうにないのである。

さて、多くのひとが魅力的だと考えているように思われる論証へと進むことにしよう。それはこう主張するものだ。われわれは、広範な心的状態について、その真理条件に関する複雑な直観の集まりを持っている。そして、まさにそういった事実こそが、なにか持つに値する事柄を成し遂げる際に真理が道具的に価値を持つのだと考えるべき、もっともな理由なのだ。というのも、その論証はこう続くのだが、そういった直観とそれに寄与する認識システムが、長年にわたる社会的進化や生物学的進化の産物だと想定するのはもっともらしいからだ。長きに渡る進化のプロセスのあいだに、多くのさまざまな解釈戦略——心的状態を命題に写すさまざまな写像——が試され、退けられたのだろう。そして、仲間との協調をより容易にし、それゆえつまるところ、その生存と繁栄により貢献するような戦略が支持されたのである。われわれが現在持っている直観的な解釈理論は、長きにわたる進化上の選抜プロセスの結果なのだから、それが生存と成功をかなりうまく促進するというのは、ほぼ確実なのである。

少し読んだだけでこの論証がとてもよく知られたもののように聞こえ始めたとしても、驚くにはあたらないであろう。というのもそれは、われわれの日常的な認識論的評価の概念によって正しいとされる信念の道具的な利便性を支持する、4—6—3で詳述された「進化論的」論証と完全に軌を同じくするものだからだ。そしてそういった「進化論的」論証に対するわたしの応答も、先とまったく同じである。4—6—3で詳述された理由からして、あらゆる可能な選択肢のなかから最善のもの、あるいは最善に近いものですら、それを産み出すのに、生物学的進化にも社会的進化にも頼れないのである。それゆえ、われわれの直観的な解釈関数が長きにわたる生物学的進化ないし社会的進化のプロセスの産物であるという事実（それが事実であるとすればだが）は、次のことをもっともらしくするわけではない。直観的な解釈関数は、真理*…*という代替概念を特徴づける非直観的な関数のどれよりも、生存や繁栄（あるいは他のなにであれ）の助けとなる、ということをもっともらしくするわけではないのである。さらに、たとえ、直観的に正しいとされる解釈関数の使用がとりわけ生存や成功の助けとなるのだと示されえたとしても、このことは依然として、真なる信念を持つことが真＊…＊なる信念を持つことよりも道具的に価値があることを示すのに十分ではないであろう。それを示すためには、直観的に正しいとされる解釈関数が成功の助けとなるのは、それが真理を信じることを促すからだ、ということを示す必要があるだろう。そして「進化論的」論証は、その主張をとても支持しそうにない。以前と同様にここでも、道具的価値を支持する進化論的論証は見込みのないものなのだ。

真なる信念の道具的価値という見出しのもとでわたしが示したい最後の論点は次のようなものだ。われわれは多くの場合、真なる信念を持つことが、自分たちのより根本的な目標を成し遂げる際の最善の方法ではないであろうと、すでに知っているのである。生存を考えてみよう。真なる信念は偽なる信念よりも常に生存を助けるのだろうか。明らかにその答えはノーだ。その論点を見てとるには、自分の乗る便が午前七時四五分に出発すると信じたかわいそうなハリーの惨状を考察しさえすればよい。彼はそのことを書きとめて、その前夜にタクシーを頼んでおき、そして自分の妻に六時半までに確実にベッドから起こすように頼んだ。ハリーの信念は真であり、彼は時間通りに空港に到着した。そして不幸にもその飛行機は墜落してしまい、ハリーは死んでしまった。自分の乗る便が八時四五分に出発すると誤って信じていたら、ハリーはその便に乗り遅れて生き残っていたであろう。それゆえ、真なる信念はときに偽なる信念ほどに生存の助けとはならないのである。ここで次のように抗議されるかもしれない。ハリーは、自分の死に貢献してしまうような偽なる信念を他にいくつか持っていたのだから、上で述べたことは誤解なのだ、と。空港に到着した際、彼は疑いなく、その便が墜落することなどないであろうと誤って信じていた。彼がこの件について真なる信念を持っていたとしたら、彼は決してその飛行機に搭乗しなかったであろう。しかしながら、こういった抗議は論点を逸している。というのも、手元にある疑問は、全知は生存を促進するであろうかというものではなく、真なる信念は少ないよりも多いほうが常に良いのだろうか、というものだからだ。ハリーの場合だと明らかに、偽なる信念がひとつ多くて、真なる信念がひとつ少なかったとすれば、そして、彼の認識の営みにおけるそれ以外のことが可能な限りすべて同じままだったとすれば、彼の命はより長いものとなっていたであろう。

そのことを検討する別の方法は、心的状態を命題へと写す、ある非標準的な写像を考察することだ。その非標準的な写像は、次の点を除くと標準的な写像にそっくりなものだ。すなわちそれは、ハリーが「わたしの便は七時四五分に出発する」と述べることで表現するであろう信念を、彼の便は八時四五分に出発するという命題へと写し、ハリーが「わたしの便は八時四五分に出発する」と述べることで表現するであろう信念を、彼の便は七時四五分に出発するという命題へと写すのである。このような関数は心的状態をその真理条件には写像しない。それは代わりに、われわれがその真理****条件と呼びうるものへと写像するのである。ハリーのかわいそうなお話が示しているのは、真****なる信念を持つことが真なる信念を持つことよりも生存の助けとなるときがある、ということだ。出発時間についてのハリーの信念は真だった。それはまた偽****でもあった。彼がそれとは別の心的状態、つまり真****なる（そして偽でもある）状態を持っていたら、彼はその墜落で死ななかったであろう。真なる信念は常に真****なる信念よりも生存の助けとなるのだろうか。明らかにその答えはノーだ。同様に明らかなことに、この種の論証は、人々が望ましいとか価値あることだとみなしうる、他の多くの目標へと一般化されるだろう。真なる信念は、幸運や快楽や欲求の充足を追求する際に常に最適というわけではないし、われわれの望みが平和や力や愛、あるいはそれらの各々に一定の重みをつけて混ぜ合わせたものだとして、そのときに常に持つべき最善の信念だというわけでもないのである。しかしこう主張されるかもしれない。真理****のほうが生存の助けとなるような特殊な状況があるし、また他に、真理****のほうが愛を育んでくれる状況もあるが、それにもかかわらず、ひとは依然として、古くからあるごく普通の真理を求めたほうが良いであろう。というのもそれは、一般にあるいは長期的に見てよりうまくやってきたのだから、と。よろしい。そうなのかもしれない。しかしそれを示すには論証が必要であり、わたしの知る限り、そのような論証がどのように進行しうるかについて、わずかなりとも知っているひとすらいないのである。

本節でわたしは一組の主張をもっともらしいものにしようとしてきた。第一の主張はこうだ。真なる信念を持つことがそれ自体として価値あることだと理解する認識論的価値システムは、どれほど保守的で、どれほど制限されたもので、どれほど特異なものとなるのか。そのことをひとたびはっきりと見てとると、われわれの多くはそのようなシステムを採用しないだろう。第二の主張は、真なる信念の道具的価値が決して自明ではないというものだ。真なる信念を持つことがわれわれの目標を追求する際の信念的スタンスとして常に最善であるというのは、確かに事実に反する。また、真理を信じることが一般に（あるいは時折においてさえ！）道具的に最適だということを示すのは、まったく容易なことではないであろう。本節での論証は、因果／機能的な解釈関数が正しいものである――それは、心的状態に真理条件を割り当てるためのわれわれの直観的な戦略を説明し、それをより正確なものにする最善の方法である――という仮定のもとでなされてきた。次節では、その仮定を放棄して、なにか他の解釈関数のほうが正しいかもしれないということを認めたとして、その場合にわれわれの論証がどれほどうまくいくかを検討することにしよう。

5―6　他の解釈関数へと論証を一般化する

前節の結論は因果／機能的な解釈関数が正しいという仮定に縛られるものではない、ということを本節では確立したい。わたしが論じるつもりのところではむしろ、次のように考えるほうがもっともらしい。心的文がどのようにして命題（あるいは内容文や真理条件）とペアにされるかについてのいかなるもっともらしい説明も、前節での論証につなげることができるし、そのつなげた結果は、前節での議論と同じように説得力を持ったものなのである。わたしの戦略は、因果／機能的説明の特徴で5―5での論証に本質的だったものに焦点を当てて、解釈関数についてのもっともらしい可能な説明はどれもその特徴を共有していそうだと論じるものになるだろう。先ほど終わったところから、つまり道具的価値の話から始めることにしよう。

真なる信念の道具的価値に関するわたしの論証は、真なる信念に道具的な価値がないことを確立しようとしたわけではなかった。その目標はもっと穏当なもので、わたしが示したかったのはこうだった。真なる信念の道具的価値は決して自明のものではなく、それゆえ、真なる信念に道具的な価値があると考える人々は、われわれに対して、与えるのが容易ではなさそうな論証を背負い込むことになるのである。その結論を支持する際に、わたしは三つの考察を提供した。第一の考察は、真なる信念が偽なる信念よりも道具的に見て好ましいことを示すだけでは十分でない、というものだった。真なる信念は、指示や真理条件に関する既存のものとは異なる説明——常識的直観によって正しいとされることのない説明——に基づいて作り上げられた、無数にたくさんの、真なる信念以外の信念カテゴリー（真*なる信念や真**なる信念など）のどれよりも優れている、ということも示されなくてはならないのである。真理条件についての因果／機能的説明は、信念から真理条件ないし命題への関数で直観的に正しいとはされない代替関数が無数に存在することを鮮明にし、そうすることで右の論証を容易にした。しかしながら、ひとたびその論点が示されたら、理論家が解釈関数についてどのような説明を提示しようとも、実情は変わらないだろう。常識的直観をもっともよく説明する関数がなんであれ、常識的直観をもっともよく説明することのないような一群の代替関数が存在するだろう。そして、真理*条件、真理**条件、真理**…*条件を定義するような関数がそこに入るだろう。解釈関数についての説明として、どれに基づくにしても、真なる信念の道具的価値を主張するには、それが偽なる信念よりも良いことを示すだけでなく、それが真*なる信念や真**…*なる信念、あるいはそれ以外のどれよりも良いことを示す必要もあるのだ。

道具的価値に関するわたしの議論の第二の論点はこうだった。直観的に正しいとされる解釈関数によって真なる命題へと写像されるような信念は道具的に見て最適なものだろう、あるいは最適に近いものだろうということでさえ、そのことを示すのに進化論的な考察を使用することはできないのである。その論点をめぐる論証は、生物学的進化や社会的進化の本性を主題とするものであり、因果／機能的理論の細部を利用するものではなかった。それゆえそれは、理論家が解釈理論についてどのような説明を提供しようとも、変更を加えることなくその説明にも適用されるはずだ。

道具的価値にまつわるわたしの第三の論点はこうだった。われわれはすでに、真なる信念がたとえば真****なる信念ほどに有効ではないような状況がいくつかあることを知っているのである。ここでもまた、解釈関数についてのどのもっともらしい説明に対しても、その論証は機能するだろう。解釈関数についての説明が見込みあるものとなるためには、それは少なくともほとんどのあいだ、常識的直観と一致していなくてはならないことを思い出そう。それゆえ解釈関数は、それがもっともらしいものであるためには、かわいそうなハリーの信念を、飛行機は七時四五分に出発するだろうという命題へと写像するべきである。というのも、それこそ、常識的に見て彼が信じているとされる事柄だからだ。実際にはそれはいささか強すぎる。保守的な説明という精神のもと、この場合の常識的直観を無視して、ハリーの信念をなにか他の命題に写像するような解釈関数もある。とはいえ、ハリーのような事例はたくさんあるはずだし、そのすべてに対して直観に反する解釈を与えるような解釈関数はどれも、真理条件についての直観的な考えを、一般に受け容れられるようには説明していないことになる。

さて、内在的価値を支持する論証に向かおう。そこでのわたしの中心的な主題はこうだった。真なる信念に内在的価値を吹き込む人々は、著しく保守的な規範的認識論を採用しており、われわれの多くはそういった認識論をとても魅力のないものだと考えそうなのである。その論証を詳述する際に、因果／機能的な解釈関数のふたつの特徴が現れた。ひとつは、その関数の非常に部分的な性質――その定義域には、心的状態を貯えてそれを計算しうるシステムのうちの比較的小さな部分集合しか含まれない、つまり、われわれが現在用いているシステム（ないし諸システム）に比較的近いメンバーからなる部分集合しか含まれない、という事実――だった。それゆえ、真なる信念の内在的価値を主張する人々は、そういった考えが因果／機能的方針に沿って説明されるとすると、認識に関わる事柄において現状に近いところに固執することを決意していることになる。まったく同じ論点が、因果／機能的な解釈関数に代わる、どのもっともらしい解釈関数に対しても示されうることは明らかなはずだ。解釈関数は、それがもっともらしいものであるためには、少なくともほとんどのあいだ、常識的直観に多かれ少なかれ適合していなくてはならない。そしてこれまで見てきたように、次のことを示す豊富な証拠がある。認識状態の内容や真理条件についてのわれわれの直観は、認識を貯えてそれを計算するシステムでわれわれ自身のものとはかなり異なるシステムに向けられると、とたんに黙り始めるのである。[15]それゆえ次のように述べることができる。心的状態を貯えるシステムで、因果／機能的解釈関数の定義域から外れるようなシステムは巨大な集合を構成する。そして、そこで真理条件を体系的に割り当てるような解釈関数についての説明はどれも、常識的直観からきわめてラディカルに逸脱するだろう。他方、一般に受け容れることのできる解釈関数はどれも、そのような常識的直観を尊重しなくてはならないのである。

内在的価値についてのわれわれの議論で一定の役割を演じた、因果／機能的説明の第二の特徴は、それが生成する写像の特異な性質だった。三つの事実がこの特異性に貢献する。第一。因果／機能的写像には、それに代わるたくさんの写像があり、そのなかには小規模に異なるものもあれば、きわめてラディカルに異なりうるものもある。そしてこれらの代替写像は各々、真理条件について既存のものに代わる考えを定義する。第二。われわれの文化的に受け継がれてきた直観は、これらの写像から選ぶ際に中心的な役割を果たす。そしてその直観は、伝統的に正しいとされているという事実以外に述べるべきことがほとんどないようなものである。第三。因果／機能的な解釈関数は、心的状態と真理条件とのあいだに、なんであれ単純な、あるいは自然な関係を取り出すことがない。それはいいかげんに作られた仕掛けのようなもので、指示を固定するためのさまざまな戦略からなる雑多な集まりと、指示を話者ごとに伝達するためのさまざまな戦略からなる同じように雑多な集まりを結びつけるのである。これら三つの事実が合わさると、真なる信念に対する選好は、実際にはとても保守的な選好であるように見えることになる。というのも、真理条件*や真理条件**などと比べて、真理条件を特別なものとするのはただ、それが伝統的に正しいとされているということにすぎないからだ。

因果／機能的写像の特異性に貢献する三つの事実のうちのふたつは、明らかに、どの代替写像でも成立するだろう。内容や真理条件についての常識的な考えをもっともうまく説明するのがどの写像であれ、それに代わるたくさんの写像があるはずだ。そしてそこからの選択は、われわれの文化から受け継がれてきた直観のシステムによってガイドされ、制約されるだろう。第三の事実、すなわち因果／機能的写像のごた混ぜな性質は、先のふたつとはかなり異なる事柄だ。内容や真理条件についてのわれわれの日常的な考えをうまく説明する関数で、はるかにスムーズで単純で自然な、そしてそれほどばらばらでないようなものが、何者かによって見出されるかもしれない。それはまったくありうることだ。そしてそういったことがありうるのだから、因果／機能的解釈に代わって提案されるものはどれも等しく気まぐれでいびつなものだろう、と先立って知ることはできない。しかし、認識状態がいかに解釈されるべきかについてのわれわれの直観を捉える、なんらかの整然とした自然な関係を見出すだけでは、本当は真なる信念に高い価値を置いているのだとわれわれの多くを説得するのに、十分ではないだろう。その論点を見てとるにはこう想定しさえすればよい。整然として、自然で、直観的に正しいとされるような関数以外に、なにか他の、それほど整然としてもいないし自然でもない、そして常識的直観をうまく捉えてもいないような写像もまたあるのだとしよう。このよりちらかった写像は真理$^{-m}$条件という考えを定義するだろう。そしてそれは今度は真$^{-m}$なる信念という考えを定義するのに使用されうる。さらに、真$^{-m}$なる信念を産み出す傾向のある認識システムを持つ人々のほうが、一般に、真なる信念を産み出す傾向のある認識システムを持つ人々よりも、幸福で健康で報われる生活に至るのだと想定してみよう。以上のことが事実だとすると、(通常の) 真理条件の関係のほうがはるかに整然としており、またはるかに自然で直観に適うものなのだから、真なる信念を持つことにはなんらかの内在的価値があるであろうと、誰であれなぜそのように考えるのだろうか。そうする理由を見てとるのは難しいのである。

第六章　認識論的評価に関するプラグマティックな説明

先のふたつの章の動機は、さまざまな認識システムの評価に対する関心にあった。われわれは第四章を始めるにあたってこう問うた。ある認識プロセスのシステムが良いものであるとは、あるいは、そういったシステムが別のシステムよりも良いものであるとは、正確にはどういうことなのか。そしてわれわれはいまや、ふたつの広範なカテゴリーに属する解答——分析哲学的認識論の伝統に結びつけられる解答と、認識論的評価を真なる信念の生成に結びつける解答——を退けるようになった。第四章と第五章の論証はその傾向においておおむね否定的なものだったが、それらはまた、どのようにして認識システムの評価に取り組むべきかについての、はるかに見込みのある提案、すなわちプラグマティズムの精神に立つ提案の種子を含むものでもあった。本章でのわたしの目標は次のようなものだ。そのプラグマティックな代案を素描すること（6—1）、それに対して申し立てられうる、かなり明白な不満のいくつかからその立場を擁護すること（6—2と6—3）、その立場が持つ含意のいくつかを検討すること（6―4）。わたしは、認識論的評価に関するプラグマティックな説明を素描するつもりだと述べるとき、言葉を慎重に選んでいる。というのも、わたしが6―1で語る説明は、かなり予備的な素描とならざるをえないからだ。それは、多くの疑問を答えないままにし、なされるべき研究をたくさん残してしまうのである。以下の節で、異議に答えてその理論を機能させる過程で、いくつかさらに細部が加えられるだろう。しかし、本章および本書が終わったときでさえ、依然として、プラグマティックな説明の細部がいかに展開されるべきかについて、述べられるべきことがたくさん残されてしまうだろう。わたしはついでにその欠陥をいくつか指摘し、それを未決問題として残すことにした理由について少し述べるつもりだ。もちろん、その理由というのは概して言えば、わたしがなにを述べるべきかわかっていないというものにすぎない。わたしが本書を、認識論的評価に関するプラグマティックな説明への序説［訳注：原書の副題は“Preface to a Pragmatic Theory of Cognitive Evaluation”であり、訳すと「認識論的評価に関するプラグマティックな理論への序説」となる］とした理由のひとつはそこにある。

6―1　プラグマティズムを目指して

認識論的評価に関する分析哲学的な説明や真理生成的な説明、すなわち認識の正しさはそれが真理を生み出す点にあるとする説明が失敗したのは正確にはなぜだったのか。そのことについて簡単に振り返ることから始めよう。各々の事例には、どうすればもっとうまくいく説明を展開できるかについて、学ぶべき教訓があると思われる。第四章でわれわれは、ひとつのリサーチプログラムを退けた。そのリサーチプログラムは、認識論的評価に関して競合する説明から選択するにあたって、そのうちのどれが、認識論的評価についての常識的な概念や習慣——「日常的な思考や言語に埋め込まれた」概念や習慣——にもっともよく適うかを決めようとするものだった。そして、このような分析哲学的プログラムを批判する論証は、根本的には次のような内容だった。よくよく考えてみると、そういった概念や習慣によって正しいとされることというのは、われわれの多くにとって、特別な価値をまったく持っていないのである。その理由はこうだ。われわれ自身の評価概念が適度に整合的で、体系的で、安定したものだと仮にわかるとしてみよう。たとえそうだとしても、そういった概念は、それ以外の可能な（そしてことによると現実的な）諸概念からなる豊かで多様な集合のうちの、あるひとつの箇所を指し示すにすぎないのである。われわれの認識論的な評価概念、つまり合理性や正当化のような概念が際立っているのは、原理的には、それらがたまたまわれわれの言語や文化によって伝えられてきた評価概念であるからにすぎないとしてみよう。すると、認識論的な自種族中心主義者でもない限り、誰であれなぜ、自分の認識プロセスがそういった概念によって正しいとされるかどうかを大変気にかけるのであろうか。そうする理由を見てとるのは難しいのである。しかし、自種族中心主義を採らない現実主義者が、一方の認識プロセスのシステムを別のシステムよりも好むようになるのは、文化的に受け継がれてきたローカルな概念によるのではないとすると、いったいどのような原因でそうなるのだろうか。

自然な考えはこうだ。われわれの言語に埋め込まれたなんらかの評価基準によると他の可能な認識プロセスのシステムはどれほど高くランクづけられることになるのか、といったことに目を向けるよりむしろ、あれやこれやの代替システムを用いることの帰結——もっと明確に言うと、あれやこれやのシステムを使用することで自分が高い価値を置いている何事かがもたらされることになる確率——に、われわれは注意を向けているのである。わたしの使用する認識システムは、歴史ある書物から取り出すことのできる基準に照らすと、提案されたなにがしかの代替システムよりもうまく機能していることになるのだろうか。わたしはそういったことをさほど気にしない。それと同じように、わたしの使用する認識システムは、おそらく自文化で偶然伝えられてきたような基準に照らすと、うまく機能していることになるのだろうか、ということもわたしはそれほど気にしない。しかし、わたしの認識システムは、わたしが高い価値を置いている帰結を、提案された代替システムよりもうまくもたらしてくれるだろうか、といったことについては、わたしは実際に気にかけているのである。わたしは自分がここで聞きなれないことを述べているとは思わない。その論点を明確に理解する多くの人々にとって、複数の認識システムからの選択をなす際に本当に重要になるのは、それがもたらす帰結であろう。それゆえ、わたしが分析哲学的な戦略の失敗から取り出したい教訓によると、認識論的な長所についてのわれわれの説明は帰結主義的な説明であるべきなのだ。

さてそれでは、認識戦略の評価に関連するのはどのような種類の帰結なのだろうか。真理や真なる信念といったものが明白な答えだ。というのも、真理は認識の適切な目標だと広く考えられているからだ。しかしわたしが第五章の論証から下したい教訓はこうだ。歴史があり直観的にもっともらしいにもかかわらず、われわれの多くにとってこれはまったくの誤った答えなのである。それというのも、帰結主義者は、分析哲学的プログラムを台無しにするような「誰が気にするのか」という不満を避けるために、関連する帰結として、人々が実際に高い価値を置いているようなものを取り上げる必要があるからだ。そして第五章の論証の要旨は、ひとたび真なる信念という考えがどれほど制限されたもので、どれほど特異なものかを見てとると、われわれの多くにとって真なる信念は役に立たなくなるであろう、というものだった。真なる信念が真*なる信念や真**なる信念などよりもわれわれの役に立つと考えるためのなにがしかの理由がないとすると、誰であれなぜ、自分の信念が真であるかどうかを、たとえば真****であるかどうかよりも気にかけるというのか。そうする理由を見てとるのは難しい。さらに、あなたは、自分の信念が真であるかどうかを、真****であるかどうかほどには気にかけておらず、真なる信念を持つことに真*****なる信念を持つことほどの高い価値を与えているわけではないとしよう。すると、あなたはおそらく、自分の認識プロセスが真なる信念をもたらすかどうかを、真*****なる信念をもたらすかどうかほどには気にかけないだろう。

ここで、抜き差しならぬはめに自らを追い込んでしまったのではないかと不安に思うひとがいるかもしれない。認識論的評価に関するわれわれの説明が帰結主義的な説明になりそうだとすれば、そして、真理が関連する帰結ではないとすれば、なにがそうなのか。他になにが認識の評価に関わる価値だとおよそみなされうるのだろうか。

わたしの目指す解答へと向かう最初のステップは、プラグマティズムの伝統に由来する認識への視点を採用することだ。プラグマティストはこう主張するだろう。認識プロセスはそもそも、真理を生み出すための装置だと考えられるべきではない、と。それはむしろ、さまざまな目標を成し遂げるにあたって多かれ少なかれうまく使用できるような道具、技術、習慣に似たものだと考えられるべきなのだ。われわれは、認識プロセスを評価する際、どのような目標や価値に訴えうるのだろうか。認識プロセスを技術に類似したものとみなすと、その疑問に対してある明白な答えが示唆されることになる。ある新技術を採用すべきかどうかを決める際に考慮されうる帰結は、人々がそれ自体に価値があるとみなす事柄と同じくらい、豊かで多様なものだ。そういったもののなかには、健康や幸福、そして自分の子供の幸せというように、おそらくわれわれが高い価値を置くよう生物学的にあらかじめ傾向づけられているものもあるだろう。それゆえ、そういったものには多くの人々が高い価値を置きそうである。また他に、もっと限られた文化的環境でのみ高い価値が置かれるものもあるかもしれない。さらには、わずかな特異なひとだけが高い価値を置くようなものもあるかもしれない。いま主張しているように、認識プロセスのシステムが道具や技術に類似したものとみなされるとすれば、認識プロセスのシステムもまた、それ自体に価値があると人々にみなされる類の、豊かで多様な事柄に訴えることで評価されるべきなのである。

したがって、認識論的評価に関するプラグマティックな説明の最初の試みは次のようになる。認識プロセスのシステムを評価する際、好ましいシステムというのは、その評価の目的に関連した関心を持つひとがそれ自体に価値を認めるような事柄を、もっとも成し遂げそうなシステムなのである。多くの場合、関連するひとというのは、そのシステムを使用している、あるいは使用しうるひとのことだろう。たとえば、スミスの認識プロセスのシステムを、現実のシステムや仮説上のシステムと対比したときの評価がここで問題になっているのだとしよう。その場合、認識論的評価に関するプラグマティックな説明においてより優れているとわかるシステムは、スミスがそれ自体に価値を認めている事柄を、もっとももたらしそうなシステムである。分析哲学的な説明や真理生成的な説明とは対照的に、スミスがこの評価の結果を気にかけねばならない理由には、不思議なところはまったくない。(1)

先に告知したように、これは、認識論的評価に関するプラグマティックな説明のなかでわたしが勧めたいと思うものを素描したにすぎない。その素描において、わたしは未分析の考えを勝手に取ってきて、擁護されていない仮定を持ち出して、いくつかの実質的な問題を隠してきた。さらに、いまのところわたしには、提供すべき分析も、擁護も、解決もない。とはいえ、そういった欠陥の各々と、さらになされる必要のある研究について、少し述べておくことにしよう。

おそらく、わたしが訴えている考えでもっとも明らかに問題があるのは、あるひとが何事かにそれ自体として高い価値を置く、という考えである。内在的な価値づけについての教科書的な説明によると、内在的に価値づけられる事柄というのは、あるひとがそれ自体のために高い価値を置いているような事柄のことである。それは、それとは別の事柄をもたらすだろうと信じられているがゆえに高い価値が置かれるわけではない。そして、十分に訓練を受けた哲学専攻の学部学生なら誰であれ、その説明に細々と難癖をつけるような答案を考え出せるはずだ。(2)価値づけについての——あるひとが何事かに高い価値を置くとはどういうことかについての——教科書的な説明は、次にあるルイ・アームストロング［訳注：アメリカのジャズミュージシャン］の言でほぼ足りる。「問うている時点でわかりっこない」。明らかに、認識論的評価に関するプラグマティックな理論を練り上げるにあたっては、いくつかの点で、価値づけや内在的な価値づけといった概念を、注意深く、そして経験にうまく根拠づけて検討する必要があるだろう。そして、そういった検討に照らすと、プラグマティックな説明それ自体になにか実質的な述べなおしが必要となることがわかるかもしれないが、そうなったとしてもわたしは驚かないであろう(3)。しかしわたしは、多くの目的からして、価値づけについての直観的な考えと内在的な価値づけに関する教科書的な説明が、研究に用いることができる程度にしっかりしたものだと考えたい。以下のふたつの節でのプラグマティズム批判にまつわる議論も、その後の節でのプラグマティックな説明の適用も、内在的な価値づけの本性についての詳細な説明が欠如しているからといって、それほど阻害されるわけではない。

人々がそれ自体に高い価値を置きうる事柄を論じる際、わたしは一貫して、豊かな多元主義を前提してきた。わたしが主張してきたところでは、人々は、非常に多様な事柄にそれ自体として高い価値を置くことができるし、また実際にそうしている。そしてこれらの価値のなかには、広く共有されているものもあれば、ローカルなあるいは特異なものもある。もちろん、逆の見解を取るような長きにわたる哲学的伝統もある。内在的な価値が置かれる事柄についての一元主義によると、誰であれそれ自体に高い価値を置きうる事柄はひとつしかない（それは典型的には幸福や快楽、あるいはなにかそれに類似した必需品である）。これはわたしからするとひどく奇妙な見解であり、説得力のないことで悪名高い論証によって支えられているものだ。とはいえ、現在の文脈では、わたしの価値多元主義を擁護する必要はない。というのもこの種の多元主義は、わたしが擁護する類の認識論的プラグマティズムにとって、事態をより困難なものとするにすぎないからだ。次節で見るように、価値多元主義は、認識論的評価に関するプラグマティックな説明が、真理生成的な説明とは異なるかたちで相対主義的

考えられているのだから、わたしは価値多元主義を仮定することで自分に恩恵を施しているわけではない。

実際には、価値多元主義から相対主義が生じるという事実は、わたしにとってたいした不安ではない。というのも、6—2—2で論じるように、認識論的評価における相対主義はそれ自体ではなんら不安に思うものではないからだ。価値多元主義についてのより不穏な事実というのは、それが正しいとするとプラグマティストの帰結の計算をかなり複雑にしてしまうかもしれない、ということにある。その論点を見てとるために、一方に認識システムを、他方に技術を置くアナロジーに戻ることにしよう。帰結主義的な傾向を持つひとはどのようにして、一組の技術上の選択肢の相対的なメリットの評価に取り組むのであろうか。おそらくもっとも単純な考えは、基本的な功利主義的戦略をそのまま一般化したような、ある種の「コスト—ベネフィット分析」を使用するというものだ。各々の選択肢に対して、われわれは可能な結果のリストを作り上げて、問題の選択肢がそれらの結果の各々に至る確率の決定を試みる。その際われわれは、各々の結果が有する価値についてなんらかの評価をなし、その価値を、一、二、三、というように順序数であらわさなくてはならない。以上のことをなした後に、われわれは、各々の結果の値に、ある選択肢がその結果に至る確率を掛けて、そこから生じる数同士を足し合わせることで、その選択肢の「期待値」を決定することができる。好ましい選択肢というのはその期待値がもっとも大きいものだ[4]。

このようにして技術を評価する政策立案者が直面する困難のひとつは、次のような事実だと長らく考えられてきた。すなわち、その価値が評価されなくてはならない「結果」は、典型的には複合的な事態であり、その構成要素を比較するのは非常に難しいかもしれないのである。たとえば、ある特定の技術上の選択をなすことでもたらされる、ひとつの可能な結果は、経済的に恵まれていない地域で新たに一〇〇〇の仕事が生み出される、といった事態かもしれない。もうひとつの可能な結果は、新たな仕事を作り出すことに加えて一年につきひとりの労働者が工業事故で死ぬ、ということを除いては、最初のものに類似した事態であるかもしれない。明らかに、第二の結果に割り当てられる価値は、第一の結果に割り当てられる価値よりも低くあるべきだ。しかしどれほど低くあるべきなのだろうか。その疑問に答えるためには、生命と経済的利益の相対的な価値について、なにかかなり詳細な量的評価を持っていなくてはならない。そしてそういった評価は下すのが困難なことで悪名高いものである。

さて、技術的評価に対するこういった「期待値」アプローチが、プラグマティックな認識論的評価におけるモデルだとみなされるとしよう。すると、あるひとが活用しうる一組の認識システムについて、その相対的なメリットを評価するためには、われわれは、各々のシステムを採用することの期待値を計算しなくてはならない。そして、そうするためには、各々の選択肢がさまざまな可能な結果に至る確率を決定し、それからその確率を、われわれがその結果に割り当てた選好の順番を表す数で掛けなくてはならない。プラグマティックな評価にとって重要な帰結というのは、当人がそれ自体に価値を認めるような事柄だろう。そして価値多元主義が正しいとすると、数が割り当てられなくてはならない結果というのは、内在的な価値が置かれるさまざまな異なる要素を結びつけるような、連言的な事態だろう。それゆえ、そういった割り当てをなす際、われわれは、あるひとの内在的価値をお互いに照らし合わせて重みづけをする、なにがしかの方法を見出さなくてはならない。そしてそういったことは多くの場合、まったく容易な課題ではないだろう。

もちろん、技術的評価に対する単純な期待値アプローチしか提案されてこなかったわけではない。このアプローチを機能させるのに必要な——整合的に順序づけられた価値と発見可能な確率に関わる——仮定は非常に強いものだ。そして多くの場合、その仮定は見込みがないほど非現実的なように思われる。こういった困難のために、それに代わる決定戦略を検討する、広大で洗練された研究分野が生じることになった。その多くは明らかに精神において帰結主義的であり、期待値アプローチのもっともらしくない仮定のいくつかを緩めるものである。[5] このような代替アプローチがあるということは、競合する認識システムを評価するときの認識論的プラグマティストの方法に関する、わたしの荒削りな説明に対して、問題らしきものを提示することになる。その理由はこうだ。わたしの説明では、好ましい認識システムとは、われわれがそれ自体に高い価値を置いている事柄を達成するのに、もっともふさわしいシステムのことである。しかしいまや、この考えを明確にするのにさまざまなかなり異なるやりかたがあるように見えるし、プラグマティストが単純な期待値アプローチを自分のモデルとみなして、それ以外の説明を自分のモデルとみなさない決定的な理由などないように見えるのである。

明らかにこれは、認識論的プラグマティストがもっと研究をなすべき、さらなる別の領域である。そして、そういった研究の多くは、心理学者や人類学者や経済学者など、人間の価値システムの本性に関する経験的に妥当な説明を獲得しようとしている人々との共同研究において、なされる必要があるだろう。この種の経験的探究と規範的探究の統合は、認識論におけるプラグマティックな伝統のあかしである。われわれはその具体例としてさらにいくつかを6—4で見ることになるだろう。

6—2　プラグマティズムと相対主義

前節で素描された類の、認識プロセスのプラグマティックな評価が有するひとつの長所はこうだ。われわれはどうして、そういった評価がどのように判明するかを気にかけねばならないのか、という疑問に対して、それはある明白な解答を与えてくれるのである。何者かが合理性や真理にかなりの関心を持っていたとして、その理由を理解するのは、そのひとが認識論的な自種族中心主義者でない限りは難しい。しかし、人々は自分の認識プロセスのプラグマティックな評価を気にかけるはずだ、と期待することはできる。というのも、そういった評価は、彼ら自身がそれ自体に価値があるとみなしている目標に結びつけられているからだ。しかし、プラグマティックな評価についてのこういった肯定的な論点を相殺するのは、いくつかの一見したところ欠陥のように思われる事柄だ。とりわけ、多くの人々がもっとも厄介だとみなしているように思われるのは、プラグマティックな評価が露骨に、そして明らかに相対主義的だということだ。本節ではまず、認識論的評価に関するプラグマティックな説明が相対主義を生じさせるそのさまざまなありかたを説明する。続けて、わたしの知る限りめったに問われてこなかった疑問を問うことにしたい。すなわち、認識論的相対主義のなにがそんなに悪いのか、という疑問である。それに対してわたしは一組の答えを提案しよう。それらは合わさると、人々が相対主義に感じる心配の大部分を説明するように思われるものだ。続けてわたしは、こういった心配がおおむね正当化されるものではないと論じたい。というのも、相対主義の厄介な帰結だと称されるもののうち、第一のものはまったく帰結となっておらず、第二のものはたいして不安に思うようなものでないからだ。

6—2—1 プラグマティズムはどのようにして相対主義をもたらすのか

プラグマティズムが相対主義を生じさせるそのさまざまなありかたを詳述する前に、相対主義というものが、わたしがその考えを使用する際に正確にはなにに帰着するのかについて、もう少し明確にしておいたほうが良いであろう。そのためには、少し立ち戻って、第一章で詳しく述べたいくつかの用語法を思い出す必要があるだろう。その章でわたしは、ただひとつの良き認識プロセスのシステムなど存在しない——人々が使用すべきただひとつのシステムなど存在しない——というテーゼに対して規範的な認識論的多元主義というラベルを導入した。規範的な認識論的多元主義者はむしろ、お互いにかなり異なるがそのどれもが等しく良いものであるような、そういったさまざまな認識プロセスのシステムが存在しうる、と主張するのである。そのような状況が——徹底して非相対主義的に——生じうるのは、ひとつには次のようなときだろう。すなわち、ある認識システムが良いものであるとはどういうことかについてのわれわれの説明が、そのシステムの内在的な（おそらくは形式的な）特徴を主題とするときである。もし認識論的な長所に関するそのような説明が正しく語られるとすれば、複数の実質的に異なるシステムの各々が、たまたま、特定された内在的長所をまったく同じ程度に持っており、それゆえ首位を分け合うとわかるかもしれない。

規範的な認識論的多元主義者の想像する状況は、それとはまったく異なるかたちでも生じうる。ある認識プロセスのシステムはどうして別のシステムよりも良いものなのか。このことについてのわれわれの説明に、問題のシステムが持つ関係的特徴の評価が伴うとしてみよう。そういった関係のひとつの要素は、そのシステムを使用するひとやグループ、あるいはそういったひとやグループのなんらかの性質である。認識プロセスのシステムがこのように使用者に相対的なかたちで評価されるのだとすれば、一般に、一方のシステムが別のシステムよりも（それ自体として端的に）良いかどうかを問うことは意味をなさないだろう。むしろわれわれは、ある特定のひとやグループにとって一方のシステムが他方のシステムよりも良いかどうかを問わなくてはならないのである。そして、一方のシステムはあるひとやグループにとって最善であり、他方のシステムはそれとは別のひとやグループにとって最善だと判明するかもしれない。わたしはこういった可能性を、認識プロセスの評価における相対主義のあかしだとみなす。認識論的評価に関する説明が相対主義的なのは、その提供する認識システムの評価が、そのシステムを使用するひとやグループに関する事実に影響を受ける場合なのである。[6]

相対主義をこのようにして特徴づけると、認識論的評価に関するプラグマティックな説明は、ふたつのまったく異なる理由のために相対主義的になるはずだ。もっとも明白な相対主義の起源は、プラグマティックな評価が影響を受けなくてはならない価値の多元性にある。幾分明白でない起源は、プラグマティックな評価の帰結主義的な特徴にある。これらを順番に取り上げることにしよう。

プラグマティックな説明が主張するところでは、われわれは、ある認識システムを評価するにあたって、そのシステムの使用者が高い価値を置いている事柄をそのシステムがもたらす確率に目を向ける。わたしが想定してきたように、人々は広範な事柄にそれ自体として価値を置くことができるし、また実際にそうしているのだとしよう。さらにそれには、個人ごと、文化ごとにかなりのバリエーションがあるのだとしよう。すると、認識システムについてのプラグマティックな評価は、そのシステムの使用者に関する、かなり多様な事実に影響を受けることになるだろう。さらに、目標や価値が多様であるとすると、プラグマティックに見て好ましい認識プロセスのシステムは、ほぼ確実に、ひとごとに異なることになるだろう。実際、プラグマティックな評価は、同じ価値を共有しつつもその価値に対して与える相対的な重要性において異なるような人々さえも区別するだろう。

プラグマティックな評価が人々の持つ多様な価値に相対化されなくてはならないというのはなんら驚きではない。しかし、プラグマティックな評価がそれとはまったく異なる理由のためにも相対主義的であるというのは、おそらくそれほど自明ではないだろう。認識論的プラグマティズムは、推論の価値についての帰結主義的な説明――それによると、ある認識プロセスのシステムの良し悪しは、そのシステムがある特定の帰結をもたらす確率に依存する――を主張する。そして帰結主義的な評価は、典型的には相対主義的なものだろう。というのも、ある特定のシステムがある特定の帰結をもたらす確率は、一般には、そのシステムが機能している環境に依存するだろうからだ。われわれが目標を一定に保つとすれば、特定の認識プロセスのシステムがその目標を成し遂げる確率は、かなりの程度まで、そのシステムを使用するひとの状況に依存するはずだ。

あまり強調されないが、この種の相対主義は、推論の価値についてのプラグマティックな説明の特徴であると同時に、真理生成的な説明の特徴でもある。ある特定の認識プロセスのシステムが真理を産み出しそうかどうかは、そのシステムを使用するひとの環境に依存するのである。(7) おそらく、その論点を見てとるもっとも容易な方法は、デカルトの悪霊を主題とする変奏に訴えることだ。次のような一組のひとを想像しよう。彼らは突然そういった悪霊の犠牲となり、それ以降、規則的にミスリーディングな、あるいは偽の知覚的データを与えられてしまうとしよう。さらにこう想定しよう。その犠牲者の一方はわれわれ自身にきわめてよく似た認識プロセスを使用してきており、そのプロセスはかなりうまく真理を生成し虚偽を避けてきたが、他方の犠牲者の認識プロセスは（われわれからすると）きわめて狂ったものであり、先のプロセスと比べてはるかに多くの虚偽とわずかな真理とを産み出してきた、と。しかしながら、その新たな、悪霊のはびこる環境に置かれると、まともな認識プロセスのシステム――われわれのシステムに類似したもの――は、徐々に偽なる信念が増えていくような集まりを生じさせることになるだろう。他方のシステムは、対照的にここでは、はるかにうまく真理を生成し虚偽を避けることになるかもしれない。というのも、その悪霊がやっているのは、きわめてミスリーディングな証拠――まともなひとなら誰も現実の事柄に対する証拠とはみなさないような証拠――を自分の犠牲者に与えるということだからだ。それゆえ、認識論的評価に関する真理生成的で帰結主義的な説明によると、われわれのシステムはある特定の環境では好ましいものだが、その一方で、狂ったシステムはそれとは別の環境で好ましいものとなるであろう。そして明らかに、求められている目標が真理ではなく、なにか他の、プラグマティックに見てより必要な事柄であるとしても、それとまったく軌を同じくする話がなされうるであろう。

たったいま見てきたように、認識論的評価における帰結主義は相対主義をもたらしうる。しかし、その論点を示すためにわたしが悪霊を引き合いに出したために、それが非常に瑣末な現象であって、デカルト的な悪夢にある場合を除いては不安に値しないものだと示唆されてしまうかもしれない。思うにそれは深刻な誤りであろう。その理由はこうだ。われわれが自分の認識プロセスに産み出してほしいのは真理なのか、それとも、望ましさにおいてそれほど問題のないそれ以外の目標をわれわれは持っているのか。その答えがどうあれ、その目標を成し遂げる確率は、悪霊の跋扈ほどには奇抜でないにせよ、環境の特徴に依存するはずなのである。たとえば、人格形成期にあるひとを取り囲む文化に浸透している常識的な世界観――物理的、形而上学的、宇宙論的、神学的、心理学的、社会的な事柄についての、社会的に共有された（明示的なものと暗黙のものの双方の）信念、概念、区別の集まり――の影響を考えてみよう。もっともらしい推測によると、多くの人々は、言語の獲得や文化受容の過程において、こういった社会的に共有されたかなりの量の世界観を、まったく無批判にとても早くから内在化する。[8]さて、ここで次のことを考えてみよう。認識論的評価に関する帰結主義的な説明はどのようにして、そういった世界観の形成の根底にある認識プロセスを評価するのであろうか。神学、通俗地理学、通俗宇宙論、通俗医学といったものがその形成プロセスの領域に含まれるのだとすれば、明らかに、帰結主義者の評価は、その形成プロセスが機能している環境に応じてかなり変わるはずだ。わたしの子供たちがこれらのトピックについて獲得した通俗的な知識は、タレスの子供たちが獲得した通俗的な知識よりもはるかに多くの真なるものを含み、また（少なくともいくつかの目的からすると）はるかに多くの有益なものを含む。実際、真理をただひとつの目標とする帰結主義者の視点からすると、社会的に与えられた入力を体系的に変形させて、われわれ自身の世界観により似たものへと向かわせるような形成プロセスのシステムのほうが、タレスの子供には役立っただろう。もちろん、その他の目標からすると、入力を体系的に変形させる世界観形成プロセスは、その使用者の役にはそれほど立たないかもしれない。タレスの子供たちが、現代のカリフォルニアの子供たちが持つような通俗的な知識へと導かれたとすれば、彼らは偉大な指導者となったかもしれない。しかし、狂人とみなされて社会的に追放されてしまうことのほうがありそうだ。ここでの教訓はこうだ。認識プロセスの出力がその機能している社会環境にひどく依存するのだとすれば、そのプロセスについての帰結主義的な評価は、典型的には環境にかなり相対的なものとなるはずなのである。

認識論的な長所についての帰結主義的な説明が相対主義を生じさせるのはこれだけというわけではない。しばらくのあいだこう想定してみよう。ある特定のグループ——おそらくは科学者の共同体——のメンバーは各々、そのグループが自然の重要な真理を発見し、それを受け容れるようになることを、とても重要な目標とする。さらに、どれだけの量の証拠があれば受け容れられている理論への確信が取り除かれて、なにか新たな探究方針に沿って出発することになるのかについて、そのグループのなかでかなりのばらつきがあるとしよう。そのスペクトルの一方の極に位置する探究者の認識プロセスは、その探求者に対して、浸透している理論やパラダイムへの反証が圧倒的なものとなるまでそれを手放さないようにさせる。他方、そのスペクトルの逆の極に位置する探究者の認識プロセスは、確立されている見解を支持する証拠が依然として明らかに優勢であっても、普及している主張を拒絶し、新たな考えに関与するようにさせるだろう。そして、これらふたつの極のあいだには、さまざまな中間的な立場がある。その共同体の共有する目標が、重要な科学的真理の発見と受容にあるのだとすると、これらの認識プロセスのどれを科学者は持つべきなのだろうか。つまりどの認識プロセスが最善のものなのだろうか。その疑問に対する答えはおそらくない――その疑問自体が悪いかたちで提示されている――というのが答えである。というのも、その疑問は、記述されたスペクトルのうちに最適な箇所がただひとつあると前提してしまっているからだ。最適な箇所に該当する認識システムとは、科学者共同体の全員がそのシステムを共有しうるとすれば、その共同体が目標を成し遂げる見込みがもっとも高くなるような、そういった認識システムのことである。しかしながら、フィリップ・キッチャーが示してきたように、こういった前提がまったく擁護できないような状況が数多くある。(9) そのような状況だと、共同体が目標を成し遂げる確率が最大化されるのは、ある混合戦略によってであり、その戦略のもと、一方の探究者は、一般に信じられている主張を放棄する際にとても保守的になり、他方の研究者ははるかに容易にそれを放棄することになる。ここでは、キッチャーの結論を支持する洗練された数学モデルの詳述はしない。しかしながら、詳細な証明がなくとも、その論点は直観的に見てもっともらしいはずだ。探究者は典型的には、自らのエネルギーを、自分が受け容れている理論を詳述し支持する試みに注ぎ込むのだとしよう。その場合、その共同体の忠誠心を切り分けて、その共同体の努力のかなりの量を確立された（そしておそらくはもっともよく支持されている）理論のほうに向けさせて、その努力のいくらかを新たな考えや大胆な企ての検討に捧げさせるようにする、というのが一般には最善だろう。さらに、確立された理論が深刻に脅かされるときには、全員をほぼ同時に離脱させるよりも、相当数の擁護者を残してその理論の支援を試みさせるのが一般には最善だろう。

以上のことがわれわれの目的からして重要となるのは、それが、認識論的評価に関する帰結主義的な説明における、もうひとつの潜在的な相対主義の起源を指し示すからだ。探究を行う共同体に所属する、あるひとりの研究者の状況を考えてみよう。そのひとは、一般に信じられている理論への態度において保守的であるべきだろうか。それとも、そのひとがより急進的なひとで、その共同体の支持する理論を退けたい気持ちのほうが強いのだとすれば、そのほうが良いのであろうか。答えはもちろん、その共同体の残りのひとがなにをしているかにかかっている、というものだ。すでにその共同体に保守派が過剰に供給されているのだとすれば、彼らの共有する目標にもっとも役立つのは、そのひとの認識プロセスが急進的な方向に向かっている場合であろう。他方で、急進派が他に豊富にいるのだとすれば、そのひとは保守的であるべきなのだ。さらに、いま問題になっている研究者は共同体による真理の発見に高い価値を置いていると仮定されているが、その代わりに、そのひとの目標は、終身雇用を得ることや、新たな有用な技術を発展させること、あるいはノーベル賞を獲得することにあるのだと仮定してみよう。すると、先とまったく同じ結論が帰結する。ひとの認識プロセスがこれらの目標を成し遂げる確率は、しばしば、そのひとの属する共同体の他のひとがなにをしているかで、部分的には決定されるだろう。というのも、見込みのない領域を研究することで得られると期待される利得は、ひとがあまりに多くの仲間を持つ場合には、通常減退するだろうからだ。われわれが欲するのが真理であろうと、名声であろうと、技術上の業績であろうと、どの認識システムが（それ自体として端的に）最善なのかを述べることなどできない。あるシステムの評価は、それが使用される設定に相対化されなくてはならないのだ。[10]

わたしは、認識論的評価における帰結主義が相対主義を生じさせるそのさまざまなありかたを網羅的に探究するつもりはない。しかし、わたしの与えてきたわずかな描写は、とても大きな氷山のほんの一角にすぎないと考えたい。その目標が真理であれ、もっとわかりやすい望ましさを持ったなんらかの一群の物事であれ、わたしの考えでは、認識プロセスの帰結主義的な評価は、そのプロセスが機能しうる文化的、技術的、認識論的設定にとても影響を受けるはずだ。一方の認識プロセスのシステムが別のシステムよりも、なんらかの適切な目標をうまく成し遂げる確率は、わたしの考えるところでは、次の要因に依存する。すなわち、表記法の存在、学術共同体の存在とその構造、その共同体がより広い社会の政治的、経済的な組織に対して立つ関係、といったものに依存するのである。それはまた、これまでに成し遂げられてきた概念的、数学的、科学的、技術的洗練のレベルにもしばしば依存するだろう。次のように想定するのはもっともらしからぬことではない。幾何学が知られていない共同体では行き詰まりに至るような思考戦略があるし、微積分や確率理論、あるいは強力な計算機がないと行き詰まりに至るような思考戦略も、それとは別にある。さらに、速度と加速度の区別が明確にされてきた環境や、自然選択による進化という基本的な考えが広く受け容れられている環境、あるいは、事物が目的因を持つという期待が退けられてきた環境でのみ、プラグマティックに見て強力であるような思考戦略もあるのである。こういった推測が正しいとすれば、認識論的評価に関するプラグマティックな説明は、あるポスト・ヘーゲル的で歴史主義的な特色を持つことになるだろう。ただひとつの理想的な探究方法など存在しないだろうし、あらゆる歴史的設定のもとで卓越しているような認識システムも存在しないだろう。むしろ、認識システムの評価はその歴史的設定の変化とともに変わっていくだろうと予想されうるのだ。また、技術に関して（そしてまた実際には遺伝子に関しても）言えるように、もともとうまくいっていたシステムが、自分で環境を変えてしまうことでうまくいかなくなってしまい、そのような環境の変化によって、競合するシステムのほうがいまやうまくいくことになってしまうこともときにはあるだろう、とも予想されうる。認識に取り組む最終的で究極的で最善の方法などないかもしれないと考えることで、なにかが生き返り、解き放たれさえすると考える人々がいる。わたしもまたそのひとりである。しかし、少なくとも哲学者のあいだでは、プラグマティックな認識論から生じる類の相対主義は、たいていの場合、祝福よりも恐怖の源である。それゆえ、わたしの次の議題は、多くの人々が相対主義をそれほどに不吉な見解だとみなすのはなぜかを検討し、その懸念を静めるためになにが述べられうるかを見てとることだ。

6―2―2　認識論的相対主義は本当に厄介なものなのか

現代の哲学者のあいだに広まっている、相対主義に対する憎悪の証拠を見つけるのは容易なことだ。実際、ときにこう思われるのだが、わたしの哲学上の知人の多くは、その言葉を悪口のなかに埋め込まずにはほとんど述べる気になれないようだ。「相対主義という妖怪」は、多くのひとの心に自然に浮かぶフレーズなのである。しかしながら、そういった否定的な態度を正当化しようとする――相対主義は悪いことだとか、それは不穏な帰結をもたらすであろうといったことを示そうとする――なんであれまじめな努力を見出すのは、はるかに難しい。本節では、認識論的相対主義が不吉な、あるいは歓迎されざる主張だという見解を支持するよう哲学者に求めたときに、会話でもっとも頻繁に生じたふたつの論証方針を素描する。最初の事例でのわたしからの応答は、その危険が杞憂のものにすぎない――それは相対主義者、とりわけプラグマティックな相対主義者の主張内容についての誤解に基づいている――というものだ。第二の論証はより長い議論を要するだろう。というのも、その事例では、相対主義に向けられる非難が有効なものにできそうだと思われるからだ。しかしながら、前章で詳述された論証がうまくいくとすれば、その非難を厄介だと考えるのは、認識論的に自種族中心主義的な内在的価値を持つ人々だけであるはずだ。もしかしたら他に、認識論的相対主義が厄介なものだと考える、よりもっともらしい理由があるのかもしれない。とはいえそうだとしても、わたしにはそれがなになのかわからない。

6—2—2—1　相対主義に向けられる第一の非難で、もっとも片付けやすいのはこういうものだ。すなわち、相対主義はニヒリスティックなものであり、認識の良し悪しを区別するというプロジェクトを放棄して、ファイヤーアーベント流の認識論的放任主義――「なんでもあり」という原理――を採用しているにすぎない、というものである。認識の取り組みかたに良し悪しの区別などないという見解を、ファイヤーアーベントは本当に支持していたのだろうか。あるいは、彼が実際にそうしていたのだとして、そのことを真面目に考えていたのだろうか。そういったことについてわたしはまったく確信がない。[11] とはいえ、それがどうあれ、「なんでもあり」というスローガンが、認識論的プラグマティズムや、そこから生じる相対主義にとって、著しく不適切なものだというのはきわめて明らかだ。プラグマティズムは認識プロセスを評価するというプロジェクトを放棄しているわけではない。事態はまったく逆である。認識論的プラグマティズムは、認識論的評価に関する説明を提供するのであり、その説明は要求水準が高く、また、人々が気にかけるような評価を産み出すようデザインされているのである。プラグマティックな評価からすれば、ある特定の歴史的設定にある特定の認識主体にとって、ある認識システムが別の認識システムよりも高くランクづけられることになる、というのはよくあることだろう。ときにはもしかしたら、一組の認識システムが同じようにランクづけられるとわかるかもしれない。しかし、プラグマティズムが競合するシステムすべてを同じようにランクづけるというのは、ほぼ間違いなく事実に反するだろう。

認識論的相対主義者は、他の人々や他文化の認識活動を評価するとなると弱気な無能者になってしまうに違いない——彼らは自分の見出すものをなんであれ認めてしまうに違いない、と想定されることがときにある。しかし明らかに、そういった帰結がプラグマティズムから生じることはない。ある特定の認識プロセスのシステムがある文化に浸透しているという事実は、そのシステムがその文化にとって最善のものだということを、まず示しそうにはない。なにか他の文化に属すひとは、そのひとの認識プロセスとわれわれの認識プロセスを取り替えることができるとすれば、もっとうまく認識を行うであろう、そう考えるための下地がプラグマティストには完全にできている。しかし、プラグマティストには、次のように考えるための下地もまたできている。別の文化に属す人々は、たとえ彼らの認識プロセスのシステムがわれわれからすると惨事になってしまうようなものだとしても、彼らの目標や状況のもとでは、うまく認識を行っていることになるのだ、と（実際、近代以前の科学の認識習慣を評価する際に、このことが言えたとしてもわたしは驚かないであろう）。認識の評価におけるプラグマティズムは、代替技術の評価におけるプラグマティズムと同様に、ニヒリスティックなものではない。どちらの事例でも、提案される評価は、使用者の目標と、彼らが自らのうちに見出す状況に依存するはずだ。しかし、いずれの事例においても、プラグマティズムはなんでもありということを含意するわけではないのである。

6—2—2—2　認識論における相対主義への第二の不満は、それが認識上の探究と真理とのつながりを脅かしてしまうというものだ。その論点を見てとるには、デカルトや近代認識論のそもそもの始まりに立ち戻ることが有益だ。『省察』でデカルトは、探究の正しい戦略——正しい認識の取り組みかた——だと彼が主張するところの、明晰判明な観念の方法を素描する。その方法を述べた後、デカルトは続けて、それがどのような保証を与えるのかと問う。われわれはどうして、その方法を熱心に使用すれば最終的には真理に到達するはずだと想定せねばならないのだろうか。デカルトの答えは、神の善性に訴えるもので、大筋次のように進むものだ。——もしこのような、諸方法のなかで最善のものが失敗してしまいうるのだとすれば、われわれは、自分になしうる最善のことをなすにもかかわらず、偽なる信念へとおそらく導かれることになるだろう。しかし、自分になしうる最善のことをなしたのだから、われわれの誤りはわれわれの欠陥ではないであろう。つまりそれは神の欠陥であろう。さらに、われわれが自分になしうる最善のことをしても結局だまされてしまうように、神が世界を作り上げたのだとしよう。すると神は詐欺師だということになる。そしてそれは神の善性と両立不可能なのだから、われわれがありえないと知っていることなのである。

このような答えは説得力のないことで有名なものだ。しかし、デカルトの答えが見込みのないものだったとしても、彼の疑問も同じように見込みがないわけでは確かになかった。彼の時代以降の認識論者は、一方に良き思考や良き探究方法を置き、他方に真理を置くような関係に没頭してきた。われわれがうまく認識を行うとすれば、われわれが導かれる信念は、下手に推論した場合に導かれる信念よりも少しなりとも真理に近いものだろうと、そう信じるための理由として、われわれはどのようなものを持っているのだろうか。ここ四世紀のあいだ、その疑問に答えようとする試みに事欠くことはなかった。また、それに答えることができないことを示そうとするかなりの数の懐疑論的な論証も、そのあいだに見受けられた。そして、相対主義がその図式に侵入するのはまさにそこにおいてである。というのも、認識論的相対主義が支持されうるとすれば、懐疑論者は勝利を得たことになるだろう、とおそらく考えられるからだ。

そういった趣旨の論証の最初の試みは次のように進むだろう。

認識論的相対主義者が正しいとしてみよう。すると、ある一組のひとが存在し、そのふたりの認識システムは、お互いにはまったく異なるが、どちらも同じように（そして最適にさえ）良い、ということがありうることになる。しかし、彼らの認識システムが本当にお互いにまったく異なるのだとすると、彼らは、本質的に同じデータにさらされても、一般に、まったく別個の信念の集まりへと導かれることになるだろう、と予想される。その場合、どちらの集まりも真だということはありえない。つまり、少なくとも一方の信念の集まりが、実質的に誤ったものでなくてはならないのである。少なくとも仮定されたふたりのうちのどちらか一方は偽なる信念へと導かれるのであり、また仮定上どちらも最適に良い認識システムを使用しているのだから、良い認識が真理を保証するということはありえないのである。実際には、良い認識が高い確率で真理を産み出すということすらありえない。というのも、われわれの話は、ふたりの場合と同じように容易に、五〇人でも語られうるからだ。相対主義が正しいとすれば、この五〇人は、五〇の異なる、そしてそのどれもが同じように良い、認識システムを持つことができるであろう。しかしせいぜい、そのなかのひとりしか真理へと導かれそうにないのである。

さて、この論証はそのままでは反駁を許さないようなものではない。ひとつの可能な異議は、異なる認識システムから生じる異なる信念の集まりのどちらもが真だというのはありえない、という想定を標的とする。異なる信念の集まりがお互いに論理的に両立不可能でなくてはならないと考える、なにがしかの理由があるとすれば、確かにその想定を擁護できるであろう。しかし相対主義者は、自身の述べるどのようなことによっても、そういった想定には関与していないのである。もしかしたら、異なる認識システムは、論理的に両立不可能なのではなく、むしろなんらかのかたちで論理的に「通約不可能な」異なる信念を産み出すのかもしれない。たとえばこう想像されるかもしれない。そういった異なる信念は別々の思考の言語の変種に貯蔵されており、それぞれの思考の言語にある概念や構造、および、そこから作り上げられる心的文は、相互翻訳できるようなものではないのだ、と。

こういった異議に直面すると、上で素描した論証に惹かれる人々にはいくつかの選択肢がある。ひとつの選択肢は、その異議を受け容れて、問題の論証が確立しようとする結論を変更することであろう。その論証が示しているのは、相対主義によって良き思考と真理のつながりが切り離される、ということではない。それが示しているのはむしろ、相対主義によって良き思考と真理全体のつながりが切り離される、ということなのである。あるふたりが、ある特定の環境でそれぞれ良き認識プロセスを活用し、結果、まったく別々の信念の集まりへと導かれてしまうことがありうるとしよう。すると、たとえどちらの信念の集まりも真であるとしても、依然としていずれの側も真理全体には及ばないことになる。それゆえ、相対主義はわれわれを、ばらばらの真理という主張へと導くように思われる。別々の同じように良い認識システムの使用者はそれぞれ、そこから相手が排除されるような実在への視点を持つのである。しかしこのことは、次のふたつの理由のために、認識論的相対主義が悪いものだと論じる人々からすると、それほど見込みのない道筋だと思われる。第一に、そう論じるためには、ある心的文ないし認識状態がわれわれ自身の信念と「通約不可能」であるにもかかわらず真理条件や真理値を持ちうる、という考えについて、なんらかの理解がなされなくてはならない。第二に、真だが通約不可能な信念という考えになんらかの理解がなされうるとしても、この新たな非難がなぜ相対主義にとって問題なのかは決して明確ではない。多くの理論家は、われわれがうまい推論によって真理により近づくことを示そうとする。しかしデカルトでさえ、しかるべき推論戦略を追求することで、われわれは真なるあらゆる事柄を知るようになりうるだろう、とは考えなかったのである。

第二の選択肢は、相対主義に対する不満を押し進める人々にとって、そしてわたしから見ても、はるかに見込みのあるものだ。それは、通約不可能な信念システムのどちらもがおよそ真でありうるという示唆に、異議を唱えることであろう。その方針を追求する人々は、信念に類似した認識状態でわれわれの信念とは通約不可能なものからなるシステム——おそらく、われわれのものとはかなり異なる概念や構造から作り上げられる心的文のシステム——がありうることを認めることができる。しかし彼らはこう主張するであろう。それらが通約不可能だというまさにその事実こそ、その認識状態がまったく真理条件を持たず、それゆえ真でも偽でもないことを含意するのだ、と。もちろんそのためには、このような応答を支援し、われわれ自身のものと通約不可能な認識状態システムが真理条件をなんら持たない理由を示すような論証が、かなり付け加えられなくてはならない。とはいえわたしは、その方針に沿ってもっともらしい主張がなされうると考えたい。実際、前章でなされた、真理に関するわれわれの議論はうまい滑り出しを与えてくれる。というのも、そこで見たように、心的状態が真理条件を持つとはどういうことかに関する、かなり見込みのある明確な説明のひとつによると、信念に類似しているが真理条件を持たない認識状態からなる、莫大な集まりが存在するからだ。われわれはまた、解釈関数についてなされうるもっともらしい説明がなぜどれも同じ結論に至りそうなのか、ということも見た。それゆえわたしは、少なくとも論証のために次のことを認める用意がある。ひとつは、右で示された論証をなにかそれらしく詳述したものが実際にうまくいくということである。もうひとつは、認識論的相対主義が正しいとすれば、うまい推論が真理をもたらすことを示す望みがまったくなくなってしまうということである。

しかし、前章の結論に言及することで、わたしがなぜこういった不満に気後れしないのかがおそらく示唆されるだろう。その章の中心的なテーゼはこうだった。頭と世界をつなぐ関係から構成される集合は巨大なものであり、社会的に伝達されて直観的に正しいとされる真理概念が、その集合から取り出す関係には、独自のアドバンテージがまったくないのである。自分の信念が真かどうかを、なぜ現実主義者が気にかけるのであろうか——なぜそのひとは、真*なる信念や真**なる信念などより真なる信念のほうを好むのであろうか。認識論的な自種族中心主義者でもない限り、その理由を見てとるのは難しい。そして次の理由を見てとるのはさらに難しい。なぜ現実主義者が、プラグマティックに見て正しいとされる認識プロセスよりも、真なる信念を一般に生じさせるような認識プロセスのほうを好むのであろうか。というのも前者は、後者とは対照的に、そのひとが欲したり高い価値を置いたりする事柄と明白な結びつきを持つのである。それゆえ、相対主義は良き認識と真理とのつながりを切り離してしまうであろう、といった不平に対するわたしからの答えはこうだ。おそらくそれは正しい。おそらくそうなのであろう。しかし、自分の信念が真であってほしいと欲するなんらかの理由をわれわれが持たない限り、そして、自分の信念が真*や真**などではなく真であるかどうかを気にかけるなんらかの理由をわれわれが持たない限り、これは相対主義を不安に思う理由ではまったくないのである。頭と世界を結ぶ関係として、真理以外の無数にある多様な関係よりも真理のほうを好む理由がないのであれば、うまく推論しても真理に至らないかもしれないという事実を気にする必要はない。それは、うまく推論しても真理****には至らないかもしれないという事実——あるいはさらに言えば、うまく推論しても、なにか昔の書物に照らして正しいとされるような信念には至らないかもしれない、という事実——を気にする必要がないのと同じことなのだ。

デカルトから始まる認識論の伝統の基盤には、認識状態が自然に対して立つべき、なにか唯一の、特別で、それ自体として望ましい関係——真理という関係——があるという、不問に付されてきた想定がある。そしてその伝統にある研究の多くは、この関係が危うくなっているかもしれないという恐れにたきつけられている。しかし、わたしの考えるところでは——そしてここでわたしは、自分がプラグマティズムの歴史における中心的なテーゼを繰り返していると思うのだが——デカルト的なプロジェクトは全体としてうまく構想されたものではないのである。あらゆる認識主体が望むべき、唯一の、それ自体として望ましいような、頭と世界を結ぶ関係など存在しない。そして、認識活動の終着点として普遍的に望ましいものなどないのだから、相対主義が正しいとすればうまく思考してもそのような終着点に到達できないことになる、といった事実に悩む必要はないのである(12)。

6—3　プラグマティズムと循環性

認識論的評価に関するわたしのプラグマティックな説明に潜んでいる相対主義は、その説明の欠陥だとみなされるかもしれない。そのような不安が前節の議論を動機づけた。そしてわたしの応答はこうだった。プラグマティズムは実際にある種の認識論的相対主義をもたらすけれども、われわれの多くにとって、この相対主義はなんら心配の種とはならないはずなのである。本節でわたしは、プラグマティックな認識論を妨げると考えられるかもしれない、もうひとつの欠陥とみなされるものを考察したい。ここでの非難は循環性である。しかし、わたしはこう論じるつもりだが、その非難が正確なところなにに帰着するかを見てとると、ここでもまた、欠陥と称されるものが不安に値しないことがわかる。認識論的評価に関するプラグマティックな説明が哲学の分野で脚光を浴びることはこれまでなかった。そのため、その説明がともかく悪しき循環なのだという非難について、詳細に論じられることもこれまでなかった。しかしそのような非難は、認識論的評価を真理に結びつけるさまざまな説明に対して繰り返し向けられてきており、その非難のかたちはプラグマティックな説明へと容易にそのまま拡張できるものだ。それゆえ、循環性批判についての議論を始めるにあたっては、そのもっとも説得力のあるバージョンの不満だとわたしがみなすものに手を加えて、そのターゲットとして、真理に結びつける理論ではなくプラグマティックな理論のほうを取ることにしよう[13]。それが終わったら、わたしは一連の応答を詳述するつもりだが、その応答の多くはそれ自体、それと軌を同じくする、真理に結びつける説明を擁護するときに打たれた手から翻案されたものだ[14]。これらの応答は、ひとまとめにすると、循環性とみなされるものがプラグマティズムになんらダメージを与えないことを示すのに十分なはずだ。

認識論的評価を真理に結びつける説明はなんらかの類の悪しき循環を伴う、と称する論証で最善のものは、われわれがその説明を適用しようとするときに生じる状況を主題とする。それゆえ、それと軌を同じくする、認識論的プラグマティズム批判を打ち立てるにあたっても、その理論の適用のどこに循環が潜むと考えられるかを考察することにしよう。プラグマティックな説明によると、ある認識プロセスのシステムが別のシステムよりも良いものであるのは、そのシステムのほうが、関係者にとって内在的な価値を持つ事柄を成し遂げそうな場合である。一例として、わたしが関係者であり、自分自身の認識プロセスのシステムが提案された代替システムよりも良いかどうかを決めようとしているとしてみよう。そのためには、わたしはそれらふたつのシステムを研究し、かつ、それぞれのシステムを使用した場合に起こりうるさまざまな帰結の確率の決定に努めなくてはならない。だがもちろん、そうするためには、わたしはなんらかの思考をなさなくてはならない。つまり、わたしは自分の認識システムを使用しなくてはならない。そして、批判者の抗議によると、われわれが悪しき循環に直面するのはまさにそこにおいてである。その理由はこうだ。わたしが探究の結果、自分の認識プロセスのシステムは提案された代替システムよりも実際に良いものだと結論づけるとしよう。そういった結論に至る際、わたしは、その優位性を確立したと自分で主張しているところの、当のシステムを使用していたのである。さらに、なにか他の認識プロセスのシステム（おそらく、わたしがその利点を自分のシステムと対比している、その当のシステムであっても）を使用したら、わたしは実際にはまったく逆の結論へと導かれていたかもしれない。つまり、提案された代替システムのほうがわたしのシステムよりも良いシステムだと結論づけたかもしれないのである。わたしは、自分の推論システムが優れていることを確立する際に、まさにその当のシステムを本質的に利用していたのだから、批判者は、わたしの努力が悪しき循環だったのだと結論づけることになる。わたしはいたずらに自分で自分の足を持ち上げようとしている、と論じられるのである。

たったいま素描された論証は、哲学史において歴史のある、そしてとても影響力のある主題のひとつの変奏である。それに類似した論証は、セクストゥス・エンピリクス、モンテーニュ、ロデリック・ファースといったさまざまな論者のうちに見出されうる。[15] だが、その長い歴史とそれがもたらした莫大な影響にもかかわらず、わたしはその論証が著しく説得力のないものだと理解している。その標的が、認識論的評価を真理に結びつけるような説明であれ、プラグマティックな説明であれ、先の論証が主題とする循環性がなぜ良性のものでないのかを見てとるのは、とても困難なのである。その論点を示すために、いくつかの応答を整理することにしよう。

第一に、批判者が想像するような話の結末しかありえないわけではないことを理解するのは重要だ。批判者の話だと、わたしは自分の認識システムを使用して、提案されたなにがしかの代替システムよりも自分の認識システムのほうが良いシステムだという結論に達することになる。しかしながら、探求がまったく逆の結果に終わることもありうるだろう。つまり、自分の認識システムを使用しながらも、代替システムのほうが実際には良いシステムだと結論づけることもあるかもしれない。それは完全にありうることだ。そういったことが生じると、わたしは、(おそらく、認識上の再整備を少し行った後に) 提案された代替システムを用いて探究をもう一度やり直す計画を立てて、そのようにしてもやはり代替システムが最善であることを見出すかもしれない。これは、認識を評価するプロジェクトが、認識の改良を目標とするより大きなプロジェクトの一部だと理解する人々に想像される類の、「独立独行」の最たる例であろう。そして明らかに、このシナリオに悪しき循環はまったく潜んでいない。同じように、わたしのシステムと代替システムの双方によって評価が実行されて、そのどちらとも、わたしのシステムのほうが良いという結論へと導かれるのだとすれば、歓迎されざる循環はかけらもないことになるだろう。論点先取という、一見したところ危険に思われるものでさえ、そういったことが生じるのは次の場合に限られる。すなわち、わたしのシステムでは自分のシステムのほうが良いという結論へと導かれて、代替システムでは逆の結論へと導かれるような場合に限られるのである。しかし明らかに、プラグマティックな認識論的評価の試みがすべてこのような結末に終わらなくてはならないわけではないし、そういった事例がとりわけ一般的なはずだと考える理由もまったくない。それゆえわたしの第一の応答はこうだ。批判者が恐れる循環性は、認識論的評価に関するプラグマティックな説明を適用する試みのすべてに見出されるわけではないだろう。それはきわめてまれなことだとわかるかもしれないのだ。

わたしの第二の応答はこうだ。一見問題のある事例でさえ、形式的な誤謬への関与はまったくない。ある論証が論点先取をなす、あるいは悪しき循環であるためには、その論証は前提のひとつとして、それが確立すると称するまさにその結論を取り上げなくてはならない。しかし、批判者の想像するプラグマティックな認識論的評価は、そういった形式的な論点先取をまったく伴わないのである。その評価がもたらす結論によると、わたしの認識システムは、代替システムよりも、わたしがそれ自体に高い価値を置いている事柄を成し遂げそうだとされる。そしてこの結論を確立するには、問題のふたつのシステムの機能を詳述し、それらがわたしの物理的環境や社会的環境とどのように相互作用しそうかを検討する必要があるだろう。しかし、こういった探究のどこにおいても、わたしは結論を前提として主張していないはずだ。このことをより明確に見てとるためには、一組の認識システムのプラグマティックな評価を、一組の非認識的な道具のプラグマティックな評価と比較することが助けとなるかもしれない。いずれの事例でも、わたしは、どちらの選択肢のほうが自分にとって価値ある事柄を成し遂げそうかを決めようとしている。そしてもちろん、いずれの事例でもわたしは、答えを提供する過程で自分の認識システムを使用しなくてはならない。しかし、道具を評価する際に、自分が使用している認識システムの有効性に関する前提を引き合いに出す必要は、明らかにない。そして認識システムを評価する際にも、そうする必要はまったくないのである。

ここで批判者は次のように抗議するかもしれない。問題の結論は、われわれ自身の認識システムの優位性を支持する論証において、明示的に主張されているわけではないが、それでも暗黙のうちに前提されているのだ、と。しかしながら、こういった異議を有効なものにするためには、その批判者は、前提に関する自身の考え、および、ある特定の論証によってどの命題が前提されているかを決める原理について、さらに多くのことをわれわれに語る必要があるだろう。それは容易なことではありそうにない。というのも、暗黙の循環という批判者の非難を裏書きするように思われる原理は、即座におかしなことをもたらすからだ。そのことを見てとるために、手元の事例をもう少し詳細に考察してみよう。われわれの認識システムは提案された代替システムよりもプラグマティックに見て良いものだという結論に至る、そのような経験的論証がわれわれの前に示されているとしよう（その代替システムをシステムA、その結論を命題Aと呼ぶことにしよう）。ここで、われわれはその論証を構築し評価する際に自分の認識システムを使用しているのだから、その論証は暗黙のうちに命題Aを前提しているに違いない、と主張される。しかし当然のことながら、われわれは自身の推論のすべてに自分の認識システムを使用している。それゆえ、われわれがある論証を構築し評価する際に自分の認識システムを使用している、という事実だけで、その論証が命題Aを前提することが含意されるのだとすれば、われわれの論証はすべて命題Aを前提していることになる。認識システムの比較上の利点とはまったく関係のない論証であってもそうなのである。さらに、命題Aはそれほど独特のものというわけではないのだから、それは、批判者の提示する、常に隠されている前提のリストの始まりにすぎない。われわれの認識システムは、なにか他の代替システム、すなわちシステムBよりも良いものだ、という主張（それを命題Bと呼ぼう）を考察しよう。おそらくその批判者はこう主張するであろう。われわれは、自分の認識システムを使用して命題Bを支持する論証を構築する際に、暗黙のうちに命題Bを前提してしまっているのだ、と。しかしここでもまた、われわれがある論証を構築する際に自分の認識システムを使用している、という事実だけで、その論証が命題Bを前提することが含意されるのだとすれば、われわれの論証はすべて命題Bを前提していることになる。命題C、命題D、そしてさらに無数にある多くの命題に対しても同じことだ。しかし確かに、われわれの論証はどれも無数にたくさんの前提を持つ、ということを含意するどのような見解にも、かなりおかしなところがある。要約すると、わたしの第二の応答はこうなる。プラグマティックな説明を適用する際に明示的な循環など存在しない。そして、暗黙の循環があると主張する批判者は、おかしな帰結をもたらすことのない前提についての考えかたを、われわれに説明しなくてはならないのである。

議論を進めるために、前提に関する考えに伴う問題を無視して、認識論的評価に関するプラグマティックな説明を適用する際には暗黙の循環に陥る場合もあるだろう、と認めてしまうことにしよう。このような譲歩のもと、わたしの第三の応答はこうなる。そういった循環性は、プラグマティックな説明に固有の問題というわけではない。というのも、それとまったく軌を同じくする循環性が、認識論的評価に関する他のどの説明を適用する試みにもつきまとうだろうからだ。プラグマティックな説明を適用すると循環に陥る、という批判を動機づけるのは、単に、自分の認識プロセスのシステムがなんらかの提案された代替システムより良いものだということを示す過程で、その当のシステムを使用してしまっている、ということにすぎない。さてそれでは、プラグマティックな説明を退けて、それとは異なる説明を支持するとしてみよう。そしてその説明によると、システムAがシステムBよりも良いものであるのは、Aが性質Pを持ちBが性質Pを持たないときまたそのときに限る、とされるとしよう。この場合でもまた、わずかなりとももっともらしいどのようなPに対しても、われわれは、自分の認識システムがそれを持つかどうか、そして代替システムがそれを持たないかどうかを決めるのに、自分の認識システムを使用する必要があるはずだ。そして、われわれの認識システムをそのように使うことが、認識論的評価の説明をして循環に陥らせてしまう原因のすべてなのだとすると、プラグマティズムに対する代替案でわずかなりとももっともらしいものはなんであれ同じように循環に陥るはずだ。それゆえ「循環性問題」は、プラグマティックな説明を退けてなにかそれ以外の認識論的評価に関する説明を支持する理由を、まったく与えてくれないのである。

循環性論証が認識論的評価に関するあらゆる説明に等しく脅威となっているという事実は、なんら驚くにはあたらないはずだ。というのも、その論証の歴史的原型は、その意図において懐疑論的であり、われわれの信念が正当化されていることを示そうとするあらゆる努力を傷つけようとするものだったからだ。批判者は、懐疑論的な遺産から手がかりを得て、わたしの第三の応答にこう答えるかもしれない。すなわち、循環性論証が広範に適用できることを認めて、認識論的評価に関する説明は実際のところすべて循環なのだと主張するのである。こういった手に対しては、第四の、そして最後の応答を提供することにしよう。プラグマティズムは、それ以外のあらゆる認識論的評価に関する説明と同様に、それを適用しようとすると「暗黙の循環」に陥る。この点でわれわれが批判者に同意するとしよう。それでは、こういった循環性はなぜ欠陥だと考えられるのだろうか。批判者の与える答えはおそらくこうだろう。われわれは、認識論的評価に関する説明から、なにかさらに多くのことを欲すべきなのだ。つまり、われわれは、この種の循環を伴わずに適用されうる説明を欲すべきなのだ。しかし、そのことをもう少し注意深く考えてみよう。「暗黙の循環」が生じるのは、単に、われわれが認識システムを評価する際に自分の認識システムを使用する、という事実のためにすぎない。それゆえ批判者によると、われわれが欲すべきなのは、まったく認識活動を伴わずに適用できるような認識論的評価の説明である。そして、確かにここでなされるべき正しい応答は、それが完全に非常識な望みだというものだ。批判者がプラグマティックな説明（そしてそれ以外のすべての説明）のうちに見出した「欠陥」は、単に、われわれは思考せずにはそれを適用できない、ということにすぎない。そしてそれは、わたしが思うに、賢明なひとなら誰であれ不安に思うべき欠陥ではないのである。

6—4　推論についての心理学的研究を解釈する——プラグマティズムの適用

非常にしっかりした記憶力の読者なら思い出すかもしれないが、認識を行うさまざまな戦略の評価に向けられたわたしの関心は、もともと、いくつかの顕著な実験上の発見と、その発見がどのように解釈されるべきかという疑問によって引き起こされたものだ。その発見が示したところでは、まったく日常的でなんらあせる必要のない環境において、多くの正常な観察対象たちが、奇妙な思いもよらない推論パターン——幾人かの実験者からすると、その観察対象がとても下手に推論していると結論づけたくなるようなパターン——を示した。その発見を認めつつも実験者の下した結論に異議を唱える批判者は、次のような疑問を提起した。すなわち、その観察対象は本当に推論を下手に行っているのだろうか、という疑問である。この疑問は、あっという間に、なにかより一般的な疑問をもたらすことになる。つまりこうだ。うまく推論する、あるいは下手に推論するとは、どういうことなのか。うまく認識を行うというのは、なにから構成されるものなのか。第四章から第六章の研究の多くは、これらの疑問に対するいくつかの広く支持された解答を傷つけて、プラグマティックな代案の基礎を築くことに捧げられてきた。それゆえ次のことを検討して本書を終えるのが良いだろう。わたしの支持してきた認識論的評価に関するプラグマティックな説明をどのように使えば、実験上の発見が持つ含意について提起されてきた疑問に答えることができるのだろうか。認識に関する心理学上の研究で生じた厄介な実験結果について、プラグマティックな説明はなにを述べるのだろうか。人々が信念の残存を示し、考慮されるべき基礎的な比率を無視し、バイアスのかかったサンプルをもとに判断を下すとき、あるいは、なにか他の怪しい推論パターンのひとつを活用しているとき、彼らは実際に下手に推論しているのだろうか。

おそらく、第四章と第五章の論証から下されるべき、もっとも議論の余地のない教訓はこうだ。上に挙げた疑問のなかの最後のものは、それに答えようとする前に、なにがしかの慎重な説明を要するのである。ある推論パターン、あるいはその根底にある認識プロセスのシステムの良し悪しを問うとき、質問者が心に抱きうる事柄にはたくさんのものがある。そのひとはたとえば、問題の認識プロセスが合理的かどうかを、つまり、そのプロセスが正当化された信念を生じさせる類のものかどうかを、問うているのかもしれない。ここで、合理性や正当化の概念は、われわれの日常的な思考や言語のうちに潜在していると想定される。もしこれが問われている疑問だとすれば、それに答えようとするにあたっては明白な方法がある。まず最初のステップで、日常的な思考のうちに埋め込まれている合理性や正当化の概念を分析ないし説明する。次のステップで、手元の認識プロセスが正確にはどのようなものなのかを十分詳細に見出すために、なんらかの心理学的考察を行う。そして最後のステップで、記述されてきた認識プロセスが、説明されてきた概念の外延に収まるかどうかを決めるのである。そのいずれもちろん容易ではなさそうだし、不可能だとわかりさえするかもしれない。というのも、第四章で見たように、日常的な語法の根底にある合理性や正当化の概念が、有用な説明をになえるほどに整合的で行儀の良いものだという保証はまったくないからだ。さらに、たとえ事態がこの点でうまくいくとしても、誰であれどうして、そのプロジェクトが全体としてどのように判明するのかを大変気にかけねばならないのか、ということについて深刻な不安がある。というのも、なにかさらなる論証がなければ、そのプロジェクトを推し進めるローカルな評価概念は、エチケットについてのローカルな理解と同様に、そのひとつの役に立つものではないからだ。しかし、わたしの現在の目的は「分析哲学的認識論」との戦闘を再開することではない。むしろわたしの現在の目的は、認識システムの良し悪しについての疑問には多様な解釈の余地があるということを強調することにある。そういった疑問を自分はどのように理解するつもりなのか、そのことを最初にちゃんと考えずにその疑問に取り組んでしまうと、混乱を招き寄せてしまうことになる。われわれが本当に知りたいのはなにか、われわれはどのようにして発見に取り組むのか。そういったことについてなにがしかの明確な考えがないと、あるひとがうまく推論しているかどうかを問うのは無意味なのである。

認識プロセスの評価に関する疑問はプラグマティックな疑問として理解するのがもっとも生産的である――多くの場合、われわれが本当に知りたいのは、問題となっている認識プロセスがその使用者にとって価値ある事柄をどれほどうまく成し遂げるか、ということである――と、わたしは主張してきた。しかし、認識システムのプラグマティックな評価についてわたしが述べてきたことの多くは、複数のシステムの比較による評価に焦点を当てるものだった。そしてこのような比較に基づく説明は、ある特定のシステムは良いものかという疑問や、そのシステムの使用者はうまく推論しているかという疑問には、直接には取り組まない。それゆえ次のことをよく考えることにしよう。比較によるプラグマティックな説明は、比較を伴わない評価的疑問をもっともらしくプラグマティックに解釈するための基盤として、どのようにして役立ちうるのだろうか。

魅力的に思われるかもしれないひとつの考えはこうだ。ある特定の認識システムが、プラグマティックな観点からして、論理的に可能ないかなる代替システムとも少なくとも同程度に良い場合、そのシステムを（ある特定の人物にとって、ある特定の文脈において）良いシステムだとみなすのである。だが、一組の密接に関連した理由のために、わたしはこの提案にかなりの疑念を持っている。第一の理由はこうだ。それを文字通りに理解すると、その提案は、われわれ自身の認識システムへの否定的な評価をあらかじめ先取りしてしまうように思われる。われわれの認識システムがプラグマティックに見てどれほどうまくいくものだと判明しうるとしても、それよりもさらに少しでもうまくいくような、なんらかの論理的に可能な代替システムがないと信じることは難しいのである。さらに、これが第二の理由となるのだが、ある認識システム——われわれ自身のものであれ、われわれ以外の何者かのものであれ——の評価に取りかかる際に、われわれが次のことに関心を持っているかどうかが明らかではない。問題の認識システムが、いかなる論理的に可能な代替システムとも少なくとも同程度にうまくいくという理想的基準を満たしているかどうかを、われわれは本当にそれほど知りたいのだろうか。なぜこのことが明らかでないかというと、プラグマティックな評価に組み込むことが妥当な、ほとんどどんな価値を考慮に入れたとしても、先の基準は、われわれのような脳を持った生物に達成できそうな事柄をはるかに超えてしまいそうだからだ。それゆえ、人々がうまく推論しているかどうかを議論する際、われわれの関心は、問題の推論が、自分たちのような存在にはとても近づくことのできない基準を満たしているかどうかということにある、と想定するのはもっともらしくないのである。この論点は重要なものであり、われわれの生物学的な能力と、論理的に可能な事柄からなる理想化された基準とのあいだのギャップは、えてして評価されずに過ぎてきたのだから、いくつかの事例を考察したほうが良いと思われる。

最初の事例は、複雑性理論の持つ認識論的な含意に関する、チャーニアクの魅力的な研究からもたらされる。[16] 複雑性理論とは、さまざまなアルゴリズムのクラスの計算上の実行可能性を評価することに関わる計算機科学の一分野である。この領域での驚くべき結果のなかには次のことを証明するものがある。それによると、多くのきわめてよく知られたアルゴリズム——そのうちのいくつかは、それを容易に計算しうる認識システムに対して、かなりのプラグマティックな利便性を通常もたらすであろう——は、人間の頭に詰め込みうるよりもはるかに多くの計算能力を要求するとされる。たとえば、信念の真理関数的な無矛盾性をときおりテストするという、一見したところプラグマティックに見て望ましいプロジェクトを考察しよう。これを実行するひとつのよく知られた方法は真理表を使用することだ。しかし、わかっているところでは、これは人間の脳に実行できないばかりか、物理的に構築しうる理想的な計算機だと想定されうるものにすら実行できない。チャーニアクはその論点を次のように示す。

［あるひとの］信念すべての連言に対する真理表の各行が、光が陽子の直径を横断するのにかかる時間、つまり適切な「超短周期」時間でチェックされうるとしよう。さらに、その計算機は二〇〇億年間、つまり宇宙の「ビッグバン」の始まりから現在に至るまでの推定時間、作動することが許されているとしよう。このとき、論理的に独立した命題としては一三八の命題しか含まない信念システムでも、このスーパーマシンの時間的リソースを圧倒してしまうであろう。[17]

チャーニアクは続けて、典型的な人間の信念システムにある原始命題の数を見積もるのは容易ではないが、その数は一三八をはるかに超えるに違いないと指摘する。したがって、無矛盾性をチェックするアルゴリズムとして提案されたものは、その実践上の利益がなんであれ、人間の脳が近づくことさえできないものなのだ。[18]したがって、あるひとの認識システムが、そのようなアルゴリズムを定期的に実行することができず、それゆえ自身の信念の無矛盾性をチェックできないとしても、そのような理由からそのひとは下手に推論しているのだと主張してしまうのは、控えめに言ってもひねくれた態度だと思われるであろう。

第二の例証として、信念の残存という現象を考えてみよう。その現象では、観察対象がある信念の推論上の証拠をもはや受け容れていないという事実にもかかわらず、その信念が持続してしまう。[19] その詳細は疑いなく長い話になるであろうし、容易には語ることのできないものでもあろう。とはいえ、(多くの設定において、また多くの価値に対して) 信念の残存のせいでときにあなたがプラグマティックな困難に陥ってしまう、と考えるのは、一見したところもっともらしい。それゆえ、信念の残存を示さないなんらかの論理的に可能な認識システムは、信念の残存を示してしまうわれわれの認識システムのようなものよりも、プラグマティックに見て好ましいものだろう。しかしハーマンが指摘してきたように、そのような残存のないシステムを築くためには、記憶に対して異常な要求を設けなくてはならないであろう。というのも、そのシステムは、その信念の各々が基づけられる (おそらく知覚的信念のすべてを含む) あらゆる証拠を覚えておく必要があるだろうからだ。[20] 明らかにわれわれの脳はこのようには機能していない。われわれは、現在の論点を支持する決定的な論証を与えるほどに、人間の記憶のメカニズムについて知っているわけではない。しかし、われわれのように作られた脳がそれほどに多くの情報を貯えるためには、バスタブやひょっとすると戦艦ほどの大きさが必要になるであろうと、そのようにわかったとしても、わたしはそれほど驚かないであろう。それが正しいとしてみよう。その場合、信念の残存を示さず、それゆえプラグマティックに見てよりうまく機能するであろう、論理的に可能な代替システムがあるのだから、自分の認識システムはこの領域で下手に推論をしていることになる、と述べる用意がわれわれにはあるのだろうか。明らかに、それはとてもおかしなことであろう。

最後の例証として、もう一度チャーニアクから、今度は記憶の区画化についての研究を取り入れることにしよう。まず、チャーニアクが語る一組の逸話を考察しよう。[21]

フレミングがペニシリンを発見する少なくとも一〇年前には、多くの微生物学者は、カビが原因となって、細菌の培養に空白部分が生じることに気づいていた。また彼らは、そこが、細菌がまったく成長していないことを示すということも知っていた。しかし彼らは、カビが抗菌物質を生み出しているという可能性を考慮しなかったのである。[22]

スミスは露出した火がガソリンを引火させうると信じており……スミスは自分のいま持っているマッチが火を露出していると信じている……そしてスミスは自殺衝動に駆られているわけではない。しかしスミスは、明かりのためにマッチを近くに持ってガソリンタンクの内側を覗き込むことで、そのタンクが空かどうかを見てとろうとする。よく似た話が新聞でもしばしば見かけられる。フォークナーの登場人物のひとりであるエック・スノープスが『街』で死ぬのも、ほとんどそれに近い仕方においてである。[23]

チャーニアクがこれらの事例で例証している論点はこうだ。われわれは「相互に結びついた信念のネットワークにおいてときに「つながりをつくり」そこなう」が、それは「人間の条件の一部」なのである。[24] このような失敗は、チャーニアクの示唆によると、次のように説明される。人間の長期記憶は、個々のファイルないし区画に組織化されており、認識上の問題を扱う過程では、一般に、これらの区画のうちのわずかな数にしか自発的にサーチされない。サーチされなかった記憶の区画に重要な情報が貯えられているとすると、その観察対象はそれを検索せず、「つながりをつくり」そこなうことになるだろう。さらにチャーニアクが論じるところでは、人間の記憶が個々のサーチ可能な区画に組織化されているという事実は「人間の心理機構の単なる偶然ではない」。[25] その理由はこうだ。典型的な成人の記憶容量が非常に大きいということ、記憶のサーチには時間がかかるという事実、われわれの認識活動の多くには深刻な時間的制約があり、とりわけそれが実践的な事柄を伴う場合にはそうだという事実。それらのことを考えると、記憶の網羅的サーチを試みることはたいていの場合実行不可能であり、また実際には致命的であろう。区画化のおかげで、システムは、もっとも関連する見込みのあるファイルを素早くサーチできるのである。とはいえ、チャーニアクのふたつの逸話が示すように、この効率性に対して支払われるべきプラグマティックな代償がときにはあるだろう。もちろん、サーチのスピードがとても速いために記憶を区画化する必要がなく、それゆえわれわれより優れたプラグマティックなパフォーマンスを有する、そういった論理的に可能な認識システムを想像することは容易である。しかしここでもまた、そういった代替システムが論理的に可能だというだけで、われわれのシステムが下手に認識していると結論づけるのはひねくれた態度だと思われる。

わたしがこれらの事例で長々と論じてきた論点によると、多くの領域で、われわれのような脳になしうることと、論理的に可能な最善の認識システムによってなされるであろうこととのあいだには、莫大なギャップがあるはずである。そしてわたしが下したい結論はこうだ。あるひとの認識システムが良いものかどうかを問うときにわれわれが知りたいことについて、もっともらしいプラグマティックな解釈が求められているとしよう。するとここで、われわれが知りたいのは、そのシステムがいかなる論理的に可能な代替システムとも少なくとも同程度に良い（あるいはほぼ同じくらいに良い）ということなのだ、と主張してもうまくいかないであろう。しかし、それがわれわれの問うている疑問でないとすれば、なにがそうなのだろうか。

上の三つの事例のいずれにおいても、プラグマティックに見て優れた認識システムは、あれやこれやの理由のために、われわれにはまったく実行できないものだった。それは、われわれのような脳を持った生物が近づくことを望みうるものではなかった。そして、最善の代替システムはわれわれにとって近づくことさえできないものだったのだから、単にそういった代替システムが論理的に可能だというだけで、人々が下手に推論していると結論づけるのは不適切に思われた。以上のことが示唆するところはこうだ。観察対象がうまく推論をしているかどうかを問う際にわれわれが本当に知りたいのは、おそらく、その認識システムがいかなる実行可能な代替システムとも少なくとも同程度に良いものか、ということなのである。ここで、ある代替システムが実行可能であるのは、それがなんらかの適切な制約の集まりの内部で活動する人々によって使用されうる場合である。思うに、これは正しい方向への第一歩である。しかし、われわれは正確にはどの制約を適切なものとみなすつもりなのか。そのことを述べる問題が残されている。そしてここでは、われわれの考慮に入る制約において行きすぎの危険がある。

わたしは、ドナルド・ノーマンとの会話でその危険を痛感した。その会話で彼は（おそらく天の邪鬼なひとがそうするのと同じように）下手な推論や不合理な推論といったものがまったく存在しないという見解を擁護した。われわれは、いくつかの事例では、観察対象が実際に示す推論パターンよりもうまい推論パターンを記述できる。彼はもちろんそのことを認める用意が完全にあった。しかし彼の主張によると、そのような推論パターンは議論となんの関係もない。というのも、その推論パターンは、代わりにその観察対象に使用できたかもしれないものではないからだ。ある場合には、その観察対象は、問題の推論パターンを学習していなかったために、それを使用できなかった。また別の場合には、問題の推論パターンを忘れてしまったために、それを使用できなかった。さらに別の場合には、ある環境上の、ないし内的な刺激が存在し、それが原因となって観察対象の認識システムは実際になしたような反応をしてしまったのかもしれない。いずれの場合においても、その観察対象は、歴史的、心理的、環境的制約からなる豊かな構造の内部で推論し、行動している。そしてノーマンが論じたところでは、それらの制約すべてを考慮に入れると、その観察対象は可能な限りうまく推論し、行動していることになるのである。

ノーマンの論証のなかには、われわれに認める用意があるべきだと考えられる論点がひとつある。観察対象がそのもとで機能している制約のすべてを考慮すると、彼らの認識プロセスが完全に決定されているというのはおそらくその通りだろう。それゆえ、そういった制約のすべてを所与とみなすと、その観察対象はそれ以上うまく（そしてそれ以上悪く）振る舞えないであろう。しかし、わたしがここで下したい教訓は、ノーマンが提案したものとはかなり異なる。下手な推論が不可能だと結論づけるよりむしろ、正しい結論は次のようなものだとわたしには思われる。ある観察対象がうまく推論しているかどうかを問う際、われわれは、その制約のすべてが自分の疑問に関連しているとは考えないのである。われわれが本当に知りたいのは、次の意味で実行可能であるような、プラグマティックに見て優れた認識システムが存在するかどうかである。すなわち、現実に成り立っていた制約のすべてではなくいくつかが緩められたとすれば、その観察対象はその認識システムを使用したかもしれない、という意味において実行可能な認識システムなのである。このことはわれわれを、どの制約が適切なのかという疑問へと立ち戻らせることになる。

この疑問に取り組むひとつの方法は、ある単一の制約の集まり、つまりわれわれがあるひとの推論の質を問題にするときにはいつでもわれわれの意図をうまく表現するような、実行可能性についての一般的な考えを捜し求めることだろう。しかし、明らかにこのアプローチは、きわめて単純な理由から失敗する運命にあると思われる。あるひとの推論の良し悪しに関わるあらゆる疑問の背後にある意図から構成されるような、単一の集まりなどないのである。むしろ、わたしの考えだと、われわれがあるひとの認識システムの良し悪しを問う理由には、たくさんのさまざまなものがある。その疑問はおそらく、いろいろな目標を持った、いろいろなプロジェクトの一部として生じるだろうし、また、その疑問を問う際にわれわれが知りたいことにも、たくさんのさまざまなものがあるだろう。これらさまざまなプロジェクトは、ある特定の認識システムに代わる実行可能なシステムという考えに、多様な解釈を課すことになる。それゆえ、どの制約が適切かという疑問には一般的な解答の余地がまったくないのである。わたしの提案（そしてここでふたたびわたしはプラグマティストの歩みにしたがっているのだが）はこうだ。どの制約が関連するのか、つまり、どの代替認識システムをわれわれは実行可能なものとみなすのか、そういったことを決める際、われわれは、その疑問を問うときの自分の目的に目を向けなくてはならないのである。つまり、ウィリアム・ジェイムズが述べるように、われわれはその疑問の「現金価値」がなにか――あれやこれやの解答の結果としてわれわれはどのような行為をとりうるか――を問わなくてはならないのである。その提案がもたらすひとつの帰結はこうだ。推論の良し悪しに関するわれわれの疑問に潜む、さらに別の種類の相対主義、すなわち、探究の目的を主題とする相対主義が存在するのである。もうひとつの帰結はこうだ。人々の推論の良し悪しを問う際、そこに明確な目的がない限り、その疑問自体が不明瞭で不明確なものとなるのである。そして、実験において観察されたあれやこれやの推論戦略の規範的地位をめぐる多くの議論は、探求の目的がちゃんと考えられないままに、それゆえ、議論されている事柄についての明確な理解がまったくなされないままに続けられてきた、と考えるもっともな理由があるのである。[26]

ある特定の領域での人々の推論の良し悪しを問う際に持ちうる目的にはさまざまなものがあるが、そのなかでも、伝統的な認識論的関心に明らかに関連するものが少なくともひとつある。ベーコンやデカルトからミルやゴールドマンに至るまで、認識論者は、単に推論を評価するのではなく、それを改良することを望んできた。それと同じ目標が、その推論についての研究がとても不穏なものだと判明してきた心理学者たちに対しても現れている。それゆえ、現在の目的からすると、推論の質を問題にすることが持つ現金価値は、後で人々をより良く推論させる手助けになるような手段のうちに見出される、と決めてしまおう。そのもとで、われわれはようやく、推論の心理学における研究がどのように解釈されるべきかを問うことができる。自身の研究が「人間の推論に対する荒涼たる含意」を持つと考える心理学者たちは正しいのだろうか。その研究は、観察対象が下手に推論していることを示すのだろうか。わたしが擁護したい答えはこうだ。ほぼすべての事例において、日常的な推論の批判は時期尚早だったのだ。先の疑問がわたしの示唆してきた方針に沿って説明されると、観察対象が下手に推論しているというのは決して明らかではないのである。

ある特定の実験の観察対象が下手に推論している、という非難を支持するには、次のことが示されなくてはならない。すなわち、その観察対象が現在使用している認識システムに代わるなんらかのシステムがあり、それはプラグマティックに見て優れたものでかつ実行可能なものでもある、ということである。われわれの目標が、推論をよりうまく行うよう人々を手助けすることにあるのだとすると、実行可能な代替システムとは、われわれがやろうと思えば実際に人々に用いさせることのできるようなものだろう。それゆえ現在の目的からすると、既存のものに代わる実行可能な認識システムとは、それを教授するためのなんらかの効率的な方法ないし技術をわれわれが持っているようなものだ。そして、少なくともさしあたっては、さまざまな種類の教育的戦略が、真面目に取り上げられる必要のある唯一の候補である。したがって、問わねばならないのは、観察対象が現在使用している戦略よりもプラグマティックに見て優れた戦略でなおかつ教育可能なものがあるか、ということだ。もちろん、この疑問に詳細に答えるためには、さまざまな教育的戦略が成し遂げうる効果について、注意深く経験に照らして検討する必要があるだろう。そして折りしも、奇妙な推論パターンを早くに明らかにした研究者のなかに、より近年の研究で、どんな推論戦略がさまざまなテクニックでもって教育可能で、どんな推論戦略がそうでないか、という疑問に注意を向けてきた者がいるのである。

現在までのところ、そういった研究の結果は暫定的なものであり、議論の余地があるものだ。また、その研究自体、一握りの教育戦略を研究してきたにすぎない。とはいえ、その結果を考察する前でも、次のことには注意しなくてはならない。推論についての実験から荒涼たる含意を引き出した人々は、いくつかの事例では明らかに性急すぎたのである。信念の残存についての研究がここでの良い例だ。その実験結果は、人々が残存をなすこと、また、その現象が広範なもので堅固なものであることを明らかにする。しかし、その実験の目標が改良にあるのだとすれば、われわれの最近の反省が示してきたように、それらの発見それ自体は、人々が下手に推論していることを確立するのにふさわしくない。その結論を支持するためには、プラグマティックに見て優れた実行可能な代替システム――教えられ学習されうるような代替システム――があることも示されなくてはならないのである。ハーマンが論じてきたように、所有する信念のすべてについて、それを支持する証拠のすべてを憶えているような代替認識システムは、ほぼ間違いなく、学習しようとしてもできないものだ。というのも、それは記憶に対してそのような異常な要求を課すことになるからだ。それゆえ、残存をなさないシステムは、プラグマティックに見てわれわれのシステムよりも優れたものであるだろう、と仮に認められるとしても、依然として次のことは帰結しない。すなわち、ある信念の基盤となる証拠を退けた後でもその信念を保持してしまうとき、われわれは下手に推論していることになる、ということは帰結しないのである。もちろん、ある認識システムがわれわれのシステムよりも良いものであるためには、信念の残存を完全に避けなくてはならないというわけではない。残存をほどほどに減少させることは、プラグマティックに見て有意味な成果であり、われわれは残存をある程度まで減少させる方法を学習しうるかもしれない。とはいえわたしの知る限り、そういった代替システムの実行可能性についてはいままで研究されてこなかった。それゆえ、残存をなす人々が下手に推論しているかどうかは未決問題なのである。自分の信念の矛盾をすべては消去できない人々や、自分に利用できる関連情報のすべては使用できない人々についても、ほぼ同じ結論があてはまる。

推論戦略の教育に関する近年の研究が示唆するところはこうだ。その分野に当てられた教育課程を経ても、人々は一般に、伝統的な形式論理において日常的に遭遇する類の、純粋に形式的ないし構文論的な推論原理を使用することがひどく下手なのである。しかし、とりわけ「大数の法則」を活用するものを含む、さまざまな統計的推論の戦略を人々に使用させることは、それと比べるとはるかに容易である。(27) 均一でなさそうな母集団だと、小さなサンプルに基づく予測は、より大きなサンプルに基づく予測よりも、はるかに信頼できなさそうだという、そういった考えかたは、比較的ほどほどの教育で理解されうるらしい。さらに、人々が学習する事柄は、典型的には、訓練のときのトピックや課題とはまったく異なるものを扱う際にも利用される。それゆえ、不均一な母集団の小さなサンプルからたやすく一般化を行ってしまう認識システムには、それに代わる実行可能なシステムが存在することになる。とはいえもちろん、こういった結果だけでは、大数の法則に常習的に逆らう推論を行う人々が下手に推論していることを示すのに十分ではない。われわれはまた、そういったひとの学習しうるあれやこれやの代替システムがプラグマティックに見て優れたものであろう、ということも示さなくてはならない。そしてそのためには、われわれは、彼らの価値や彼らの活動する環境のことを十分に知らなくてはならない。そうすることでわれわれは、学習可能な代替システムのうちのひとつを彼らが採用できるならば、それは現行のシステムよりも彼らの役に立つであろう、ということを示すことができるのである。大数の法則を無視する推論がどのようにしてフラストレーション――あるいはさらにひどいこと――をもたらしうるのかを例証する逸話は、その研究分野では事欠かない。だが、そういった逸話と、ある代替認識システムが特定の人物ないし集団にとってプラグマティックに見て優れたものだという体系的な実証とのあいだには、かなりのギャップがある。それゆえわたしは、こういった事例でさえ、日常的な推論を厳しく評価することが時期尚早ではなかろうかと思うのだ。

しかしながら、こういった慎重な結論は、常識的な推論を支持するものと誤解されるべきではない。またそれは、認識に関わる事柄においてわれわれがあらゆる可能世界のなかで最善の（ないしそれに近い）世界に住んでいるのだと考える、パングロス氏的な楽天家に大きな励みを与えるべきでもない。というのも、実行可能でかつプラグマティックに見て優れたものだと知られている認識システムの集まりに属するものがいまのところ希薄だとしても、次のように考える理由はないからだ。すなわち、認識システムを有益なものとする要因についてさらに多くのことを学び、自然と文化が与えてきたシステムを変更するための技術としてさらに強力なものを開発しても、状況が劇的に変化することはないだろう、と考える理由はないのである。認識とは、プラグマティストからすると、多様な目標の追求において中心的な役割を演じる活動である。この視点からすると、認識に取り組む最善の方法があるというのは、輸送やコミュニケーションに最善の手段があるというのと同じくらい、ありそうにないことだ。われわれが人間の能力を拡張する方法についてより多くのことを学ぶにつれて、そして、われわれの物理的、社会的、技術的環境がわれわれに新たな機会と新たな課題を提示するにつれて、人間の認識システムは際限なく改良されていくかもしれない。プラグマティックな認識論はそういった希望を促進してくれる。また、人間の推論における改良がどれも同じ道筋を辿らなくてはならないと想定すべきでもない。プラグマティズムの視点からすると当然予想されることだが、別の目標や技術や環境のもとにある人々にとっては、認識方法を改良する戦略もまったく別のものが好ましいとわかるかもしれない。食事の準備や、育児や、社会の組織化にたくさんのうまいやりかたがあるのと同じように、認識への取り組みかたにも、うまいやりかたがたくさんあるかもしれないのである。

注

第1章

（1） たとえば Burtt（1932）; Koyré（1956）; Blake, Ducasse, and Madden（1960）; Laudan（1968）を見よ。

（2） その出発点となった論文は Gettier（1963）である。その後のその分野の研究についての詳細なレビューとしては Shope（1983）を見よ。

（3） たとえば Moore（1959）, Popkin（1968）, Rescher（1980）, Klein（1981）, Stroud（1984）を見よ。

（4） フォードについては Lehrer and Paxson（1969）; Harman（1973）, chap. 8; Annis（1973）; Sosa（1974）を見よ。納屋については Goldman（1976）を見よ。

（5） Stich（1988a）は本書第四章の予備的研究であり、第四章の素材の大部分はその論文から取り入れられている。

（6） Nisbett and Borgida（1975）.

（7） この分野の研究についての素晴らしいレビューとしては Nisbett and Ross（1980）を見よ。その分野における重要な論文のいくつかは Kahneman, Slovic, and Tversky（1982）に収められている。それとは別の有益な資料集は、Tweney, Doherty, and Mynatt（1981）のうちに見出すことができる。より最近の著作についてのサーベイとしては Holland et al.（1986）, chaps. 8, 9 を見よ。その他の良き典拠としては Goldman（1986）, chaps. 13–16, と Johnson-Laird（1983）; chaps. 2–6 がある。

（8） Wason（1968a）,（1968b）,（1977）; Wason and Johnson-Laird（1970）; Johnson-Laird and Wason（1970）.

（9） これらの問題点についてのさらなる議論として

はJohnson-Laird; Legrenzi, and Legrenzi (1972); Manktelow and Evans (1979); Griggs and Cox (1982); Rips (1983); Cheng and Holyoak (1985); Holland et al. (1986), chap. 9を見よ。

（10） Tversky and Kahneman (1983).

（11） Smedslund (1963), Ward and Jenkins (1965).

（12） Doherty et al. (1979).

（13） Nisbett and Ross (1980), p. 92.

（14） Ross, Lepper, and Hubbard (1975); Ross and Anderson (1982). この分野の研究の良き紹介としてはNisbett and Ross (1980), chap. 8を見よ。

（15） 詳細については4—1を見よ。

（16） Conee and Feldman (1983).

（17） その説明は最初Stich (1982a) に現れたものであり、その後Stich (1983) の第四章と第五章へと書き直された。

（18） 人文基金、メリーランド大学、アンドリュー・W・メロン財団にも感謝する。そのいずれも、わたしがセンターで過ごすための財政的なサポートを与えてくれた。

（19） 本節で素描されるさまざまな見解をわかりやすく分類する方法を見つけるのを助けてくれた、フランシス・スネアに感謝する。

（20） たとえばGladwin (1964), Levi-Strauss (1966), Colby and Cole (1973), Gellner (1973), Cooper (1975) を見よ。未開の民族は異なる仕方で推論するという主張について疑いを提起するエレガントな研究としてはHutchins (1980) を見よ。

（21） Jenkins (1973).

（22） たとえばLevy-Bruhl (1966), (1979) を見よ。

（23） 「相対主義」や「相対主義者」といった用語は、困惑させられるほどさまざまな仕方で使用されている。わたしがその用語を使用する場合、認識論的相対主義とは一種の規範的な認識論的多元主義である。認識論的な長所についての——ある推論システムを良いものとする要因についての——説明が相対主義的なのは、それが、良いシステムはひとごとに（あるいは、人々の集団ごとに）異なる、ということを含意する場合である。認識論的な長所についての多元主義的な説明はどれも相対主義的だというわけではない。というのも、いくつかの説明は、異なる複数の推論システムが誰にとっても同じように良いものである、ということを含意するだろうからだ。このことについてのさらなることは6―2―1を見よ。

（24） これは、わたしがStich（1984a）において徹底的に叩き潰そうとしたトピックのひとつである。

（25） Davidson（1973-74）.

（26） Feldman（1988）にはStich（1985）への有益な批判がある。第三章で展開される論証は、フェルドマンの指摘する陥穽をすべて避けるようなものだとわたしは考える。

（27） ただしまったく注目されなかったわけではない。Dennett（1981c）, p. 52を見よ（ページの参照はDennett（1987a）による）。

（28） Cohen（1981）. Cohen（1979）,（1982）も見よ。

（29） 他にも可能な解答がある。それらは4―1でいくらか詳細に議論されている。

（30） Stich（1970）,（1976）を見よ。

（31） こういった事柄についてのわたしの考えは、ピーター・ゴドフリー＝スミスとのあいだでなされた多くの多岐にわたる会話で促進された。Godfrey-Smith（1986）を見よ。

（32） たとえばDretske（1971）, Armstrong（1973）, Nozick（1981）, Goldman（1986）を見よ。有益な批判としてはLycan（1988h）を見よ。

（33） たとえば、次のウィリアム・ジェイムズの『プラグマティズム』からの引用と対比せよ。

いまはただ、真理は善の一種であって、ふつう考えられているように、善とはまったく別な範疇でもなければまた善と同位のものでもない、ということだけをいっておこう。真なるものとは、信仰という面から見て……善であることが証拠だてられるものならば何であれそのものに附与される名前である。確かに諸君も承認されるに違いないが、もし真なる観念のなかに人生にとって善なるものがないとしたら……真理は神聖で尊いものであり真理の追求は義務であるとする通念は、決して育ちもしなかったし、またひとつのドグマとなることもなかったであろう。……「それを信じる方がわれわれにとってよりよいもの」という。これはさながら真理の定義であるように思える。それは「われわれの信ずべきもの」というのとほとんど同じである。そしてこの定義ならば、諸君は誰もなんら奇妙なものとは考えられないであろう。いったいわれわれは、信じた方がわれわれにとってよりよいものを信ずべきではないのか？ それなら、われわれにとってよりよきものという考えと、われわれにとって真なるものという考えとを、われわれは永久に引き離しておくことができるか？ プラグマティズムはこれにたいして否と答える、そして私はプラグマティズムと完全に同じ意見である。（pp. 59–60〔邦訳六一～六三頁。ただし、邦訳と本書では参照している底本が異なる〕）

（34） 認識論的評価を真理に結びつける説明が相対主義的であるという論証は6―2―1において詳述される。

第二章

（1） Quine（1960）. 本節の残りの部分では、クワインに対するページの参照を、テキスト中のカッコ内で示すことにする。

（2） 思考の言語というパラダイムを論じるにあたってしばしば引き合いに出される古典は Fodor（1975）である。その見解についてのさらなる議論および詳述としては Fodor（1978 b），（1981 b），（1987）app.; Field（1978）; Dennett（1982）; Devitt and Sterelny（1987）; Lycan（1988b）; MacNamara（1986）を見よ。

（3） Schiffer（1981）.

（4） Dennett（1978）p. 20. デネットは他の多くの箇所でほぼ同じ主張をなしてきた。たとえば、Dennett（1981 b），p. 19; Dennett（1980），p. 74; Dennett（1978），p. 22 を見よ。デネットに公平を期すためには、次のことを指摘しておかなくてはならない。彼はときに、自分が日常的で素朴心理学的な志向的記述について語っているということを否定しているのである。このような傾向にあるときに彼が宣言する目標は、信念についての素朴心理学的な言語を、整理されたテクニカルな言語に置き換える、というものだ。そして、完全な合理性が要求されるのは、この新たなテクニカルなジャーゴンでの志向的記述だけだとされる。どうすればデネットがもっとうまく解釈されるかを議論したものとしては Stich (1981) とデネットの応答 Dennett (1981a) を見よ。

(5) Harman (1986) pp. 3–4 を見よ。

(6) Dennett (1978), pp. 11, 20, 44 を見よ。しかしながら Dennet (1981a) で次のように書くとき、彼はそのような意見を撤回しているように思われる。「まず、合理性が何と違うかについてひと言。合理性は演繹的閉包性ではない。……合理性は完全な論理的無矛盾性ではない」(pp. 94–5［邦訳一一〇頁］)。その論文において彼がわれわれにもたらす見解は、「合理性という概念は……つかみどころがない」(p. 97［邦訳一一三頁］) というものだ。ページ参照は、Dennett (1987a) でリプリントされたバージョンの Dennett (1981a) による。

(7) Hollis (1982), p. 73.

(8) 固定された橋頭堡、浮遊する橋頭堡という用語法は Lukes (1982), pp. 272ff による。

(9) Cherniak (1981a), (1981b), (1983) ; Davidson (1973) (1974) (1975) ; Loar (1981), Lukes (1982) を見よ。ロアがわたしに語るところでは、彼の良く考え抜かれた見解は、実際には、あるバージョンの固定された橋頭堡の見解である。

(10) こういった疑問を判断する際の直観の役割については、Stich (1983), pp. 51–52 を見よ。

(11) Stich (1981) ; (1983), chap. 5, sec. 4 ; (1985).

(12) Cherniak (1986).

(13) Cherniak (1981b), p. 254.

(14) Davidson (1974), p. 19.［邦訳二一〇頁。ただし、一部表現を本文にあわせて変更した］

(15) Ibid.［邦訳二一〇頁。ただし、一部表現を本文にあわせて変更した］

(16) Grandy (1973). 本節の残りでは、その論文のページ参照はテキスト中のカッコ内で示す。

(17) この考えを興味深く詳述したものとしては

Gordon (1986) を見よ。

(18) この論点を詳しく述べたものとしてはStich (1982a) を見よ。

(19) Quine (1960), p. 219. [邦訳三六六～三六七頁]

(20) さらなる詳細としてはStich (1982a) とStich (1983), chap. 5を見よ。

(21) 注20を見よ。

(22) この論点についてのさらなる証拠としてはStich (1982a), Stich (1983), chap. 4, Stich (1984c) を見よ。

(23) 2―3―2を見よ。

(24) この第二の事例についてのさらなる詳細としてはStich (1983), p. 69ff. とStich (1984b) を見よ。

第三章

(1) Quine (1969), p. 126.

(2) Dennett (1981b), p. 75.

(3) Fodor (1981b), p. 121.

(4) 以下、さらにもう少し例を挙げる。

真理を信じることはしばしば、あるひとが実践的な目標を達成することの助けとなる。そして、食物や棲家や交配といった実践的な目標を実現することは、一般には、生物学的な目的の達成を促進することになる。また、次のように想定するのももっともらしい。真なる信念の獲得、あるいは目標の実現といったことに役立つ、数多くの認識上の機能は、それがもたらす生物学的な帰結、つまりそれが遺伝的な適応度に対してなす貢献のために、進化において選択されたのである。(Goldman (1986), p. 98)

わたしの示唆はこうだ。認識論的な用語が持つ規範的な力というのは、自然によるデザインという考えをとる心理学 [design-stance psychology] のうちに明示的に、あるいは暗黙のうちにあるような価値概念に由来するのである。母なる自然が与えてくれるのは良きデザインであり、その評価概念こそが、「より良い説明」や「合理的な推論」

などといった、評価に関するわれわれの日常的で表面的な考えの、究極的な起源なのだ。（Lycan (1988d), p. 142)

信念を形成し使用する能力は、主にその形成された信念が真である（あるいはほぼ真に近い）限りにおいて、生存価を持つと仮定してみよう。また、人間が現在こういった能力を持っているのは、部分的には、歴史的に見てそれを持つことに生存価があったからだ、と仮定してみよう。すると、信念を産み出したり、新たな概念を学習したりなどするわれわれのメカニズム——おそらく、そのメカニズムは別のメカニズムをプログラムし、そしてその別のメカニズムはさらに別のメカニズムをプログラムするだろう——は、そのどれもが、少なくともひとつの特有の機能を共有する。すなわち、真なる信念を産み出すのに役立つのである。(Millikan (1984), p. 317)

演繹的に妥当なステップに対応する思考習慣は、自然選択によって保存される傾向があるだろう。真理条件は、信念が有益な行為もたらすような状況と同一視されるのだから、表象についての目的論的な理論は次のことを含意する。すなわち、真なる信念は、まさにその事実によって、生物学的に見て有益なのである。またそれゆえ、新たな真なる信念を古い信念から生み出すような思考習慣は生物学的に見て有益だろう、ということも帰結する。（Papineau (1987), pp. 77–78)

(5) その方針に沿ったもっとも詳細な論証としてわたしが見出したものが Lycan (1988d) にある。しかし以下で指摘するように、ライカンは、いくつかの重要な論点で、強い経験的な前提を、ほとんど、あるいはまったく擁護せずに主張ないし仮定する。Sober (1981) には、進化と合理性に関する広範な議論がある。しかしソーバーが確立したいのは、合理的な推論プロセスが進化によって産み出されえたであろう、といったことであり、不合理な推論プロセスが産み出されえなかったであろう、といったことではない。

（6） たとえば Armstrong (1973)；Dretske (1969), chap. 3; Dretske (1971)；Goldman (1986) を見よ。

（7） 本章の初期のバージョンに対するコメントとして、ピーター・ゴドフリー＝スミスは、合理性と真理をこのように結びつける分析があまりにも粗雑すぎてもっともらしくない、と抗議した。ある推論システムを別の推論システムよりも良いものとするのは、単に、より多くの真理を産み出しよりわずかな虚偽しか産み出さない、ということではない。そのシステムは、ある特定の種類の真理を産み出し、ある特定の種類の誤謬を避けることにおいて卓越していなくてはならないのである。こういった異議は、その限りでは、確かに正しいものだ。問題はそれが十分でないことにある。つまり、どの種類の真理と誤謬が重要なのかが述べられていないのだ。そして、ある程度具体的な解答がなければ、良くデザインされた認識システムは合理的だという主張を支持するまともな論証を、われわれは再構築することさえできそうにない。どの真理と誤謬が重要なものかを述べるためのひとつの容易な方法は、繁殖の成功に訴えることだ。獲得すべき真理とは適応度を高めるようなものであり、避けるべき誤謬とは適応度を減ずるようなものである、というように。しかし、このような示唆を採用すると、合理性を真理に結びつけるわれわれの説明は、合理性を適応度の見地から直接に分析する先の説明と、ほとんど区別できないものになるだろう。

（8） Sober (1981).

（9） Williams (1986), p. 33.

（10） Sober (1981), p. 105.

（11） Sober (1984), p. 29.

（12） Kimura (1983)；Nei (1987). また Sober (1984), chap. 4; Kitcher (1985), pp. 221–26 も見よ。

（13） Kitcher (1985), pp. 223–24. Lycan (1988d) はこう主張する。「進化論的プロセスにおいて非選択的な要因が持つ効果は（実際の歴史的事実として）認識の効率を最大化するという母なる自然の基本戦略を偏向させるほどに大きなものではなかった」(p. 153)。しかし、こういった主張をなす際の彼の理由は、明確なものでも説得力のあるものでもない。

(14) Sober (1984), pp. 104–5; Kitcher (1985), chap. 7; Lycan (1988 d), p. 149; Feldman (1988), p. 220.

(15) ここに挙げた事例、および、この問題にまつわる非常に有益なアドバイスは、エリザベス・ロイドが与えてくれたものである。

(16) 本節の初期のバージョンについて有益なフィードバックを与えてくれたことに対して、エリザベス・ロイドとマイケル・ディートリッヒに感謝せねばならない。

(17) マイオティック・ドライブについてさらに多くのことは Crow (1979); Crow (1986), pp. 191–93 を見よ。

いかさま遺伝子をある個体群に広めるプロセスは自然選択の一事例である、とわたしが想定してきたことに注意せよ。遺伝子が選択の単位だと理解されるならば、これはもっともらしい想定である。というのも、明らかに、いかさま遺伝子は、次世代に入り込むことにおいて、その競争相手よりも成功しているからだ。しかし、遺伝子よりむしろ個体が選択の単位であると考えると、いかさま遺伝子の広がりは自然選択の事例ではないと論じられるかもしれない。こういった視点を採用する人々は、マイオティック・ドライブを、われわれが遺伝的浮動を分類したような仕方で分類するだろう。つまり、それは自然選択とは別個の進化の原因なのだ、とされるのである。

マイオティック・ドライブについてのわたしの議論は、マイケル・ディートリッヒとフィリップ・キッチャーからのいくつかのとても有益なアドバイスに多くを負ったものである。

(18) Kitcher (1985), p. 215. Cf. Templeton (1982), pp. 16–22.

(19) これは遺伝的浮動の事例でないことに注意せよ。生き延びた人間のあいだでの遺伝子の分布は、絶滅した個体群における分布と同一かもしれない。もしそうだとすれば、その場合、生物学的進化は遺伝子の頻度分布の変化を要求するのだから、ここでの事例は生物学的進化をまったく伴わないことになるであろう。

(20) なんらかの生得的な推論戦略がなくてはならないという想定は、ゴールドマンの『認識論と認知』において非常に明確である。その著作では、生得的であることが、「二次的な」認識論から「一次的な」認識論を区別するのに使用される。一次的な認識論が「生まれつきの」認識プロセスに焦点を当てる一方で、二次的な認識論の関心は獲得されたプロセスにある。ゴールドマンは、「一次的な」認識論を扱う際に、推論に類似したさまざまな認識プロセスを考察する。しかし彼は、自分の考察している認識プロセスが生得的だと想定すべき理由を、われわれにまったく提供してくれない。

Lycan (1988d) もまた、われわれの「理論選好の根本的なカノン」が生得的なものだと想定する。われわれの理論選好の規則が、それ自体としては、認識論的に正当化されうるものではないとしてみよう。たとえそうだとしても、次の想定には抵抗しなくてはならない。すなわち、われわれは自分の用いる方法の誤謬を簡単に見てとることができるだろうし、その方法の使用をやめることもできるだろう、という想定である。われわれは、他の方法ではなくまさにその方法を使用するという選択を、意識的になしたわけでは決してない。また、その方法を使用するという選択を、われわれが子供のころに無意識のうちになしている、ということがいつか心理学によって明らかにされるというのも疑わしい。おそらくそれは物理的に組み込まれたものなのだ (p. 138-39；強調引用者)

しかし、ゴールドマンと同様、ライカンは、問題の原理が「物理的に組み込まれたもの」だと想定する理由をまったく与えていない。また彼は、子供が無意識のうちにそういった規則を獲得するということを疑う理由も、われわれに語っていない。

(21) このことについてさらに多くのことは Stich (1996) を見よ。

(22) Stich (1978), Stich (1996)；Lightfoot (1989) を見よ。

(23) また、言語獲得についてのチョムスキー派の言語学者の説明に批判者がいないわけではない。とはいえそれは別の問題である。それについていくらか議論しているものとしては Ramsey and Stich (1991) を見よ。

(24) さらに詳細な議論としては Kithcer (1985), pp. 88–95 およびそこで言及されている研究を見よ。

第四章

(1) Rawls (1971), pp. 20ff.

(2) Goodman (1965), pp. 66–67. [邦訳一〇九～一一〇頁。[ ] は邦訳者による。一部表現を本文にあわせて変更した。ただし、邦訳と本書の底本は版が異なる。] 強調はグッドマンによる。

(3) Cherniak (1986), chap. 4; Harman (1986), chap. 2; Goldman (1986), sec. 5. 1.

(4) このことを少し論じておく。まず次のことに注目しよう。グッドマンによると、規則ないし推論のいずれかに対して必要とされる唯一の正当化は、反省的均衡プロセスによって成し遂げられる一致に「存する」。このように正当化が一致に存すると語ることは、構成的な読みを強く示唆する。さらに、非構成的な読みによると、グッドマンの原則は、奇妙にも不完全なものとなるであろう。それは正当化のためのテストをわれわれに提示するであろうが、それがなぜテストであるのかをわれわれに語らないし、テストされるとはどういうことかについての説明をわれわれにまったく与えないことになるであろう。対照的に、構成的な読みのもとでは、そういった問題はまったく生じない。正当化概念の分析、および、正当化とグッドマンの記述するプロセスとの関係についての問題のない説明、その双方をわれわれはきちんとひとまとめにすることになるのである。

(5) たとえば Kripke (1972); Putnam (1973 a), (1973b), (1975a) を見よ。有益な全体像としては Schwartz (1977) を見よ。

(6) さらなる説明としては Goodman (1966), chap. 1 を見よ。保守的な説明という考えは、Loar (1981), pp. 41–43 において論じられている。

(7) 心理学的論理という考えの経験的なもっともらしさを論じたものとしては Johnson-Laird (1983);

Rips (1983a), (1983b) ; MacNamara (1986) ; Stich (1988b) を見よ。

(8) Cohen (1981), p. 321.

(9) 反省的均衡による説明は正当化についてのわれわれの日常的な概念の分析や説明を構成する、という主張を、コーエンが明示的には擁護していないことは注目に値する。コーエンを次のように主張しているものとして読むこともできる。それによると、反省的均衡テストは規範的な理論にとっての正しいテストだが、その理由は、正当化概念の分析や説明からそのテストが帰結するためではない、とされる。しかしながら、実際にそのように彼を読むと、彼の立場は奇妙にも不完全なものとなるであろう。というのも、そうだとすると彼は、規範的な理論が直観についてのデータに「基づけられる必要がある」という主張について、なんの擁護も提供していないことになるからだ。

(10) Stich and Nisbett (1980).

(11) その論者とはアンリ・コッペだった (Henry Coppée (1874))。簡潔に引用すると次のようなものだ。「それゆえ、サイを投げる際、われわれは、なんらかの単一の面、あるいは面の組み合わせが出るだろうと、確信することはできない。しかし、何度も投げても、なにがしかの特定の面が出ないままだったとすると、それが出る確率は、それが確実性にとても近づくまでに、次第に強くなっていく。それは出なくてはならないのである。つまり、サイが何回投げられてもそれが出ないままであれば、それにつれて、その面が出ることがますます確実になっていくのである。」(p. 162)。この箇所にわたしの注意を向けてくれたことに対してアーノルド・ウィルソンに感謝せねばならない。

(12) コーエンが「異なる能力は、そういうものが実際にあるとすれば、対応する規範的理論を改訂するよう求める証拠を生みだすであろう」(Cohen (1981), p. 321) と主張するとき、彼はそれに近い立場にいる。

(13) Rawls (1974).

(14) Daniels (1979), (1980a), (1980b).

(15) Stich and Nisbett (1980).

(16) Conee and Feldman (1983) が指摘するように、エキスパートによる反省的均衡という分析で、ニスベットとわたしが提供したバージョンだと、状況は実際にはさらにひどくなる。その説明によると、エキスパートと認識されるひとがグループごとに異なるかもしれない。また、あるグループが、カリスマ的であると同時に気が狂ってもいるような指導者をエキスパートとして受け容れてしまう、ということは確かに少なくとも可能である。しかしわれわれは、次のようには述べたくはない。そういった指導者の信者は、その指導者にとって反省的均衡の状態にあるような推論原理であれば、どんなにでたらめなものでも、それに訴える際に合理的であろう、あるいは正当化されているであろう、とは確かに述べたくないのである。

(17) この領域で初期になされた研究についての良きレビューとしては Smith and Medin (1981) を見よ。より最近の研究についてのレビューとしては Smith (1990) を見よ。

(18) カテゴリー化に関する経験的研究のいくつかが持つウィトゲンシュタイン的な雰囲気は、決して偶然のものではない。エレノア・ロッシュは、その独創的な研究によって近年の心理学者のあいだでのカテゴリー化に対する多くの関心を触発してきたが、彼女はウィトゲンシュタインから得た恩恵を明示している。ロッシュとウィトゲンシュタインのつながりに関する議論としては Lakoff (1987), chap. 2 を見よ。

(19) 常識的な概念が潜在的には複雑なものだということ、そして、直観的なテストが諸概念の外延を捉えることにどのようにして失敗するかということ。これらのことについての洞察に富んだ考察としては Rey (1983), (1985) を見よ。概念的表象がどれほど複雑なものとして判明しうるかを示す、近年のいくつかの研究のサーベイとしては Smith (1990) を見よ。

(20) 実際には、わたしの挙げる四つの異議のうち、後ろの三つは、少し書き直すことで、以下で定義される分析哲学的認識論のすべてに適用されるように一般化されるかもしれない。しかし、後に見るように、分析哲学的認識論はもっと差し迫った問題を抱えているのだから、わたしはそれを追求するつもりはない。

(21) Goldman (1986).

(22) Ibid., p. 60. ゴールドマンのJ規則という考えをもっと直接に知りたい読者のために、引用の続きを挙げておく。「たとえば、ある認識主体がなんらかの適切な先行状態ないし現在の状態をもとにある特定の信念を形成することを、J規則は許すかもしれない。それゆえ、時点tにおいてある特定の状態にある「ように見える」ひとは、時点tにおいてpと信じることが許されるかもしれないが、そういった状態にない他のひとはそうすることが許されないであろう。あるいは、その規則は心的な操作に焦点を当てるかもしれない。たとえば、Sが時点tにおいてpと信じることが、ある操作ないし一連の操作の結果であるとしよう。するとそのひとの信念は、J規則のシステムがその操作ないし一連の操作を許すのだとすれば、正当化されることになる」。

(23) Ibid., p. 64.

(24) Ibid., p. 58.

(25) Ibid., p. 66.

(26) Ibid., pp. 58-59.

(27) この分野の研究を広範に検討したものとしては R. Shope (1983) を見よ。ショープが指摘するように、知識(あるいはなにか他の認識論的概念)の「分析」を構築しようとしてきた哲学者で、自分の目標を明示した者は比較的少ない (pp. 34-44 を見よ)。しかし反例がない限り、わたしはこう考えたい。ある哲学のプロジェクトが、定義や「真理条件」を提供して、それを、現実の事例や想像上の事例に関するわれわれの直観に照らしてテストすることで進むのだとすれば、そのプロジェクトは概念分析や説明を試みるものとみなされるべきである。直観についてなにか相当変わった見解を持っているのでなければ、直観を理解することで得られるものとして、諸概念とその深層にある心理学的メカニズムに対する洞察のほかに、なにが期待できるのかを見てとるのは難しい。

直観について変わった見解を実際に持っている哲

学者のひとりはウィリアム・ライカンである。グッドマン、コーエン、ゴールドマン、その他の多くの哲学者と同様に、ライカンは、被正当化性や、その他の認識論的評価の概念に関する直観が、認識論において中心的な役割を演じているとみなす。「基本的な認識論的規範は……さらに根本的な規範から演繹されることで正当化されるわけではない（明らかにそれは不可能だ）。そうではなく、特定の個々の規範的な直観とその他の関連データを、経済的でわかりやすい仕方で正しい箱へと選り分ける能力によって正当化されるのである」（Lycan (1988d), pp. 135–36)。

しかし、ライカンにとって、直観に訴えることの目的は、日常言語に埋め込まれている認識論的概念を明らかにすることにあるわけではない（Lycan (1988f), p. 179)。むしろ彼の主張によると、「認識論的直観」(Lycan (1988g), p. 209) は、様相的、道徳的、形而上学的直観と共に、一応のところ正当化されるのである。このことは、あらゆる自発的な信念は一応のところ正当化されるという、より一般的な原理から帰結する。

> わたしは次の軽信の原理［Principle of Credulity］を提案したい。「真だと思われる事柄の各々をまずは受け容れよ」。つまりわたしは、自分の挙げた自発的な信念の各々が一応のところ正当化されると考えるのである (Lycan (1988e), pp. 165–66)

この原理は見かけほどラディカルなものではない。というのも、ライカンの見解によると、その原理は「容易に無効にされうるものであり、実際には……［それは］ほとんどいかなることによってでもくつがえされうる」(Lycan (1988e), p. 166) からだ。道徳的直観と認識論的直観の双方が、個人間で、そして文化横断的に相違するとすれば、そのことは、それらの直観の一応のところの被正当化性とライカンがみなすものを損なうのに、大いに役立ってしまうであろう、と考えられるかもしれない。しかしライカンはそういった多様性がまれであるかまったく存在しないと考えているように思われる (Lycan (1988g), p. 212, n. 12)。

(28) この点に関する証拠は、認識プロセスの文化横断的な相違に関する証拠と同様に、獲得するのが難しいし、解釈するのも難しい。しかしその分野の研究にはいくつかの興味をそそられるヒントがある。Hallen and Sodipo (1986) は、西アフリカのヨルバ族が用いている、認識を評価する用語を研究した。彼らの主張によると、ヨルバ族は、われわれが知識と(単なる)真なる信念とのあいだに下すような区別に対応するものを持っていない。しかしヨルバ族は信念を別のふたつのカテゴリーに――大雑把には、ひとがそれに対して直接目撃した証拠を持つような知識と、そうでない知識とに――分けている。標準的なヨルバ語―英語の辞書では、前者の種類の信念に対応するヨルバ語の表現「mo」は「knowledge [知識]」と翻訳され、後者に対応する表現「gbagbo」は「belief [信念]」と翻訳される。ハレンとソディポが論じるところでは、「mo」は「knowledge」よりもはるかに狭い外延しか持たないのだから、こういった翻訳は誤りである。たとえば、われわれが科学的知識として分類するであろうものの多くは、ヨルバ族にとっての「mo」とはみなされないであろう。というのも、そういった知識は、推論や間接的な報告に基づけられているからだ。ヨルバ族は、知識と(単なる)真なる信念を区別しないのだから、そのような区別を助けることで生計を立てている、われわれの認識論的正当化の概念を必要とはしない。代わりに、ヨルバ族はおそらく、「mo」を「gbagbo」から区別するのに活用されるような別の概念を持っているのだろう。ハレンとソディポは、ヨルバ族がこの概念に対応する単一の語を持っているかどうかを述べていないが、もし持っているのだとすれば、その単語を「(認識論的)正当化」と翻訳するのは誤りであろう。明らかに、ハレンとソディポが正しいとすれば、認識論的評価に関するヨルバ族のカテゴリーはわれわれ自身のものとはかなり異なることになる。

(29) Goldman (1986), p. 106.

(30) Ibid., p. 107.

(31) Ibid.

(32) Ibid.

(33) ここまでのいくつかのパラグラフでわたしは、4—5で述べられた懐疑論的不安を無視してきた。その不安は、必要十分条件を与えようとする類の概念分析が経験的に実行可能かどうかに関わるものだった。とはいえ、われわれの認識論的評価の概念が、4—5で示唆されたように、標本的な構造ないし混成的な構造になっているとわかったとしても、わたしが素描してきた論証は容易に翻案されるだろう。わたしの論点を示すのに要求されるのは次のことにすぎない。すなわち、われわれが実際に持っている概念は、さまざまな次元に沿ってパラメータをいじることで生成されうる、多かれ少なかれ関連した諸概念からなる大きな集まりのなかのひとつだ、ということである。

(34) 後ろのふたつの論点についての論証としては3—3—3および3—3—2を見よ。

(35) Chapman (1967); Chapman and Chapman (1967), (1969) を見よ。優れた全体像としては Nisbett & Ross (1980), chap. 5を見よ。

(36) Salmon (1957), Skyrms (1975) を見よ。

(37) Strawson (1952), chap. 9.

(38) Salmon (1957), pp. 41, 42.

第五章

(1) ゲティアの高名な論文 (Gettier (1963)) にならって、多くの哲学者は、知識を正当化された真なる信念とする説明が不適切だとみなすようになった。というのも、それはあまりに多くのものを許しすぎてしまうからだ。しかしながら、そういった哲学者の多くは、正当化と真理を主要な認識論的長所とみなす点で伝統にしたがっている。つまり、その各々が知識にとって必要であり、それらは知識を重要なものとする要因の一部だ、と考えているのである。

(2) 地図というメタファーは Ramsey (1931), p. 238 において引き合いに出されており、Armstrong (1973), pp. 3-5, 71-72 や Dretske (1988), p. 79 によっても肯定的に繰り返し述べられている。

(3) たとえば Dennett (1981b), (1981c), (1987b) を見よ。デネットの見解を批判的に論じたものとしては Stich (1981) およびデネットの応答 Dennett

(1981a) を見よ。

(4) Field (1978); Block (1986); Devitt (1981); Devitt and Sterelny (1987); Lycan (1988 b), (1988c); McGinn (1982) を見よ。

(5) Tarski (1956) を見よ。

(6) たとえば Davidson (1967), (1968); Kaplan (1968), Clark (1970), Parsons (1972), Wheeler (1972), Burge (1974), Weinstein (1974), Loar (1976), Lycan (1984) を見よ。

(7) たとえば Davidson (1967), (1968); Lewis (1973); Barwise and Perry (1983) を見よ。

(8) さらなる詳細としては Kripke (1972); Putnam (1973a), (1973b), (1975a); Devitt (1981); Devitt and Sterelny (1987) を見よ。

(9) 記述説は典型的にはこう主張する。ある話者によって使用される名前は、その話者がその人物について提供するであろう記述の大部分(あるいは重みづけられた大部分)を満たすような人物を表示する、と。それゆえ記述説は、因果説と異なり、話者がどれほど誤った情報を手にしうるかには限界があることを含意する。ある話者が受け容れるであろう「アリストテレスはΦだった」という形式の主張の多くが、その偉大な哲学者について偽であるとしてみよう。その場合記述説が正しいとすれば、その話者は、その偉大な哲学者について、多くの偽なる信念を表現しているわけではない。彼はその偉大な哲学者についてまったく語っていないことになるのである。

(10) Schiffer (1981).

(11) こういったことすべてについて、2—1—3での議論と比較せよ。

(12) Soames (1984), Stalnaker (1984).

(13) Field (1972).

(14) 因果/機能的な解釈関数の特異性についてわたしが述べなくてはならないことの大部分は、Peter Godfrey-Smith (1986) および、その論文の初期の草稿についてわれわれのあいだで交わされた多くの会話によって触発されたものだ。

(15) この論点についての議論としては2—1—3、2—3—1、2—3—2を見よ。さらなる証拠としては Stich (1982); Stich (1983), chap. 5 を見よ。

第六章

(1) ここで、わたしが受けたかなり重要な知的恩恵のひとつを記録しておくのが良いであろう。わたしが賛同する類の認識論的プラグマティズムは、Rescher (1977) が「方法論的プラグマティズム」と呼ぶ種類のものであり、それに関するわたしの考えは、レッシャーの豊かで明晰な著作の影響を、多くの点で受けてきた。レッシャーとわたしが不一致をなす論点はたくさんある。真理の重要性や、プラグマティックに見て正しいとされる認識戦略が真理をもたらすことを示す見込みについては、われわれはこれ以上離れることがまずありえないほど異なる見解を持っている。しかし、レッシャーに同意するにせよしないにせよ、彼の著作は、プラグマティックな認識論に興味を持つひとなら誰にとっても重要なものだ。

(2) 歴史的に見るともちろん、プラグマティストは、内在的価値と道具的価値の区別にとても懐疑的である。

(3) プラグマティックな説明の枠組に向けられた、ひとつのとりわけ厄介な異議は、人々は典型的には安定したあるいは確定した価値を持っていないという主張である。この結論を支持する研究をいくつか論じたものとしては Slovic (1990) を見よ。

(4) さらなる詳細としては Stich (1982b) を見よ。

(5) 明晰な議論としては Schick (1984), Levi (1986) を見よ。

(6) この「相対主義」の使用は Stich (1984) における使用とは異なる。そこではわたしは相対主義を、非相対主義的な類の多元主義から区別しなかった。相対主義と多元主義の区別についてより明確に考えるのを手助けしてくれたフランシス・スネアに感謝せねばならない。

(7) 認識システムが機能する環境は、それが真理をどれほどうまく産み出すかに影響を与えるだろう。この事実に特に敏感だった、信頼主義的伝統にあるひとりの論者は、ゴールドマン (1986) である。4—6—3での、彼の「正常な世界」という考えについての議論を見よ。

（8） たとえば Carey（1985）を見よ。

（9） Kitcher（1990）.

（10） その状況が3―6で議論されたタカ遺伝子とハト遺伝子の事例に重要な点で類似していることは、注目に価する。

（11） 自分で判断したい読者にとっての出発点は Feyerabend（1978a）あるいは（1978b）である。

（12） プラグマティストは、信念が世界に関連すべき単一の望ましい方法があるという見解を退けるが、このことについてのいくつかの洞察に満ちた考察としては Rorty（1982b）を見よ。

（13） プラグマティズムに適用された循環性批判に関する議論としては Rescher（1977）, chap. 2, 3, 7 を見よ。

（14） Goldman（1986）, pp. 116–21 には、認識論的評価を真理に結びつけるような理論を対象とした循環性批判に関する、素晴らしい議論がある。わたしは、とりわけ自分の二番目と三番目の応答において、その議論をかなり取り入れた。

（15） Sextucs Empiricus（1933）, pp. 163–64; Montaigne（1933）, p. 544; Firth（1981）, p. 19.

（16） Cherniak（1986）, chap. 4.

（17） Ibid, p. 93.

（18） チャーニアクはより効率的なアルゴリズムが知られていることを指摘するが、それすら「最悪の事例においては依然として同じくらい多くの時間を要求する」（p. 93）。

（19） 1―2―1―4を見よ。

（20） Harman（1986）, pp. 37–42.

（21） Cherniak（1983）;（1986）, chap. 3.

（22） Cherniak（1986）, p. 50.

（23） Ibid., p. 57.

（24） Ibid., p. 50.

（25） Ibid., p. 61.

（26） たとえば Cohen（1979）,（1980）,（1981）,（1982）; Kahneman and Tversky（1973）,（1979）を見よ。

（27） Cheng and Holyoak（1985）; Fong, Krantz, and Nisbett（1986）; Cheng et al.（1986）; Nisbett et al.（1987）. 有益なレビューとしては Holland et al.（1986）, chap. 9 を見よ。

訳者解説

薄井尚樹

1　本書と著者について

本書は *The Fragmentation of Reason: Preface to a Pragmatic Theory of Cognitive Evaluation*, Cambridge, MA: Bradford Books/MIT Press, 1990. の全訳である。原著の翻訳としてはすでに一九九六年にイタリア語訳が出版されており、本書は二番目の翻訳となる。

著者のスティーヴン・P・スティッチは、心の哲学と言語哲学を主要な研究分野とし、過去四〇年近くにわたり数々の刺激的な考察を発表してきた、現代の英米哲学を代表する哲学者のひとりである。スティッチはペンシルヴァニア大学で学んだ後に、一九六八年にプリンストン大学で博士号を取得した。その後、メリーランド大学、カリフォルニア大学サンディエゴ校の教授を歴任し、現在はラトガーズ大学教授、シェフィールド大学名誉教授の地位にある。

2　本書の内容

われわれは、日常生活において様々な認識活動を行っている。それはたとえば、イヌを目にして「あれはイヌだ」と判断するような単純な知覚に基づけられるものから、実験心理学の対象となるような無意識になされる一見不合理な推論（本書1—2節参照）に至るまで、多岐にわたるものだ。そして「認識論」と呼ばれる哲学の一分野は、そのようなわれわれの行っている様々な認識活動を、単に記述するのではなく、確固とした基準のもとで評価し、価値づけることを目標とする。「知識とは正当化された真なる信念である」という、知識の古典的な定義は、そのような思想的文脈のもとで提案されてきたものである。

本書でスティッチが提案する「認識論的プラグマティズム（epistemic pragmatism）」もまた、われわれの認識活動に対する体系的な評価基準を提案する試みだという点で、認識論の伝統的な主題を受け継ぐものだ。とはいえスティッチの提案する立場は、ある点で伝統的な認識論的プログラムから大きく逸脱するものでもある。

その相違は端的にはこう述べられる。スティッチによると、認識とは多様な目標をもった活動である。そしてここで言われる多様な目標は、生物学的に決定されているもののみならず、各々の文化によって与えられているものをも含み、最終的には個人ごとに異なりうるものとして理解される。それゆえ認識論的な理論は、われわれの認識活動を、われわれが抱く多様な目標にどれだけ役立っているかという観点から価値づけなくてはならない。このことを考えると、知識の古典的定義において述べられる「真なる信念の獲得」が究極的な認識の目標になったり、あるいは他の目標の達成に奉仕したりするかは疑わしい。つまりスティッチは、本書において、徹底して多元的で相対主義的な認識の評価基準を提案することで、「正当化された真なる信念」という知識の古典的な定義に異議を唱えようとするのである。

このように、スティッチの認識論的プラグマティズムに際立った独自性をもたらしたのは、「真なる信念の獲得」という認識論的目標を否定しようとしたことにある。そしてこのようなラディカルな主張を可能にしたのが、「解釈関数（interpretation function）」と呼ばれる哲学的装置をめぐる考察である（本書第五章）。この考察は、以後のスティッチの思想展開においても重要な役割を果たすことになるので、詳しく見ておくことにしたい。

先に挙げた知識の古典的定義からも理解されるように、認識論は伝統的に、知識というものを、「信念」と呼ばれる心的状態カテゴリーの部分集合として位置づける。つまり、知識を特別な信念だと考え、その特権性を説明しようとしてきたとみなすことができる。そして、知識の（単なる信念と比較した場合の）特権性を説明する際の概念的リソースとして、しばしば、真理や合理性の必要性が主張されてきたのである。

それに対しスティッチは本書でこう論じる。認識活動を行うにあたって真理や合理性といった概念に特権を与える必要はないし、信念という心的状態カテゴリーは、われわれの知的活動のベースとなりうる心的状態の一部を占めるものでしかないのだ、と。そう考えることで、われわれの認識活動の可能性が拡張されることになり、それに応じて、真理や合理性よりも豊かな概念的リソースの余地が確保されることになる。つまり、われわれの認識活動において必要とされる概念的リソースが伝統的な認識論の想定よりも豊かなものであり、真理や合理性以外の概念が機能するだけの余地がわれわれの認識活動には存在しうると論じられるのである。

それゆえ、スティッチのプログラムは、伝統的な認識論だけでなく、現代の認識論的プログラムのなかでも、きわめてラディカルな、独自の内容を持ったものだと述べることができる。というのも、現代認識論の主要な動機のひとつが知識の古典的定義の不十分さにあり、それゆえ多くの論者が、「正当化された真なる信念」という古典的定義の修正を求めてきたのに対し、スティッチのプログラムは、そのような古典的定義の枠組みそのものを無効にしようとするからだ。スティッチのプログラムの現代認識論における位置づけについては、次節でもう少し詳しく論じることにしよう。

それではスティッチはどのようにして、正当化や真理といった概念にもとづく信念よりも豊かな認識活動のベースを確保しうるのだろうか。ここで採用される戦略は、直観的に望ましいとされる認識活動の領域が部分的で特異なものにすぎないことを強調する、というものだ。まずスティッチは、信念のような心的状態がいかにして意味論的性質を持つかという疑問からはじめて、この疑問に対して、タルスキの真理理論、指示の因果説、心の哲学における機能主義などからなる哲学的枠組み（因果／機能的理論）のもとで、心的状態とその真理条件を組み合わせるような写像（解釈関数）を想定する。

因果／機能的な解釈関数をめぐる考察から、ふたつの重要な帰結がもたらされる（本書5－4節）。第一に、そのような解釈関数は部分的なものである。というのも、因果／機能的な解釈関数の定義域に入る心的状態は、人間が持ちうる心的状態のごく一部にすぎないからだ。

たとえば指示関係を考えてみよう。指示の因果説の基本的な考えによると、ある単語がある対象を指示するのは、その対象がその単語によってはじめて命名された場面から現在のその単語の使用場面へと至るような、適切な因果連鎖が存在するときである。そして、このような説明を心的状態の意味論へと拡張するためには、言語に類似した記号列が脳内に実現されていると仮定するのがもっとも簡単である。すると、そのような語（心的語）がある対象を指示するためには、その対象がはじめて命名された場面から心的語の現在の現れへと至る、適切な因果連鎖があればよいことになる。

しかし、指示の因果説によって「適切」だとされる因果連鎖は可能な因果連鎖の一部にすぎない。というのも、心的語が世界の対象とのあいだに持ちうる因果連鎖は、指示の因果説が要求するもの以外にも数多くあるからだ。そのような心的語は、指示の因果説によると、なにも指示していないことになるだろう。そしてその語が現れる心的文は、真理条件をまったく持たず、意味論的解釈がまったく与えられないようなものとなるだろう。

論理形式についても同じことが言える。心的文のあいだでの相互作用のパターンにおいて、通常の結合子や量化子の働きとして同定できるようなものは、形式的に取りうるパターンのうちのごくわずかにすぎない。ここでもまた、意味論的解釈を与えることのできないような相互作用のパターンが莫大に存在しうるのである。以上の考察から、因果／機能的な解釈関数の定義域に入る心的状態は人間が原理的に持ちうる可能な心的状態の部分集合にすぎないことがわかる。

第二に、因果／機能的な解釈関数は特異なものでもある。上で述べたように、解釈関数とは、ある一定の仕方で心的状態を真理条件に結びつける写像のことである。しかし一般に、ある集まりに属するものと別の集まりに属するものを結びつけるやりかたは無数に存在するだろう。そして、因果／機能的な解釈関数には、そのような数多くある他の可能な写像と比べて、単純であったり自然であったりするところがない。それはきわめて恣意的に選び出されたものなのである。

このことを具体的に理解するには、指示の因果説がどのようにして「指示を固定する因果連鎖」を特定するかに目を向ければよい。因果連鎖を特定するにあたっては、名前や述語を導入する際の指示固定のプロセスと、それを社会的に伝達するプロセスの双方が考察される。しかし、スティッチによると、それらのプロセスは単語ごとに多種多様であり、「常識によってひとまとめにされる」という以外の共通点を持たない。それゆえ、心的語に対する対象や外延の割り当てがなんらかのかたちで常識的直観から逸脱しているようなオルタナティブな指示概念が（指示*、指示**、指示***といったかたちで）想定できるだけの余地が存在するのである。またそれとともに、（通常の）指示関係は「たまたまわれわれの常識的な直観によって認められている」という以上の積極的な意味を持たないことになる。

このような議論により、スティッチの解釈関数の議論は、直観的に認められるよりも広い範囲を（原理的に可能な）認識活動の領域として提供することになる。つまり、解釈関数をめぐる考察によってスティッチは、「真なる信念」の獲得に大きな価値を置いてきた伝統的な認識論が想定するよりも、豊かな認識活動の可能性を見出すことを可能にしたのである。

3　本書の位置づけ

次に、本書を、現代哲学とスティッチ自身の思想展開の各々において位置づけることにしよう。以下で見るように、本書は、現代哲学の文脈では自然主義的認識論（naturalistic epistemology）のひとつの達成として見ることができ、スティッチ自身の思想遍歴に照らすと消去主義から多元主義へと移行するにあたっての重要なポイントとして見ることができる。

3―1　自然主義的認識論

本書は、二〇世紀中頃以降の英米哲学のひとつの主要な課題である「認識論の自然化」を主題とするものだとみなすことができる。自然主義的認識論がそもそもどのような性格を持ったリサーチプログラムなのかということについてはいくつかの定式化がなされているが、[1] 歴史的に見ると、認識論の自然化を動機づけてきた問題意識は、フィリップ・キッチャーが論じるように、[2] ゲティア問題への応答における心理学的考察の導入と、（哲学的な反省によって生じるとされる）アプリオリな知識に対する懐疑という、ふたつのトピックに求められるだろう。

最初のトピックから見ていこう。エドマンド・ゲティアは、一九六三年の論文「正当化された真なる信念は知識だろうか」[3] において、知識の古典的な定義に対する、ある説得的な反例を提示した。その反例の詳細を見る余裕はここではないが、それによると、われわれは、ある特殊な状況のもとでは、知識の古典的な定義（「知識とは正当化された真なる信念である」）を満たしているにもかかわらず、直観的には知識を持っているとはみなせないことになる。

このような、いわゆるゲティア問題の提示は、多くの認識論者に対して、知識の古典的な定義になんらかの問題があると感じさせることになり、先にも述べたように、知識の古典的な定義の修正を求めさせることになった。そのなかでも有力なアプローチのひとつは、問題の信念が生じた因果プロセスに焦点を当てるというものだ。つまり、きわめて大雑把に言えば、ある信念が知識だと言えるためには、なんらかの意味で「適切な」因果プロセスを経由してその信念が生じたのでなくてはならない、と考えるのである。そして、そのような因果プロセスの特定において、認識論はとりわけ心理学的なイディオムに頼らなくてはならないと考えられるようになった。

このアプローチは、認識論的性質と心理学的性質が独立したものだと考えてきた、それ以前の哲学的伝統からの決別を意味することになる。このように、自然主義的認識論のひとつの起源は、ゲティア問題に対する応答において心理学的なイディオムを活用しようとするプログラムの展開に求めることができる。

それでは、もうひとつのトピックである、アプリオリな知識（いかなる経験からも独立に知られるような知識）に対する疑念は、どのような歴史的起源を持つのだろうか。このトピックの代表的な論者としては、「認識論の自然化」というスローガンの提唱者でもあるW・V・O・クワインを挙げることができる。クワインは、分析的な真理（「独身者は結婚していない」という文のように、言葉の意味のおかげで真となるもの）の否定を通じて、アプリオリな知識の存在に対する懐疑をもたらした。

他方、本書でも指摘されているように、二〇世紀の認識論において用いられたオーソドックスな方法論は、日常言語に埋め込まれた概念を分析することで認識論的な主張をなそうとするものであり、その主張はアプリオリに保証されうるものだとしばしば考えられてきた。そのような方法論を用いる典型例として、本書では、反省的均衡が正当化に対して構成的だとするグッドマンの主張が考察されている（本書第四章）。グッドマンの立場のひとつのもっともらしい解釈によると、反省的均衡が正当化に対して構成的だとする主張は、正当化という概念の分析によってもたらされるのであり、アプリオリに知ることができるとされる。そしてそのようなアプリオリ性が、概念分析という哲学の方法論の独自性を説明するとも考えられてきた。したがって、アプリオリな知識に対する懐疑は、哲学の方法論の独自性（およびそこからもたらされる認識論的主張のアプリオリ性）を否定することになるのである。

さて、以上が、現代の自然主義的認識論を歴史的に特徴づける問題意識であるが、それをもとにすると、本書でのスティッチの立場についてこう述べることができる。本書で提案されているのは、別々の歴史的背景のもとで生じてきた自然主義的認識論のふたつのトピックの双方を、解釈関数をめぐる考察によって包括的な視座のもとに収めるような、きわめて射程の広いプログラムなのである。

まず、第一の論点から見ていくことにしよう。先に見てきたように、解釈関数という、それ自体心理学的な考察を本質的に伴う装置が、ゲティア問題に代表される知識の古典的な定義に対する問題の解消において大きな役割を果たすことは間違いない。解釈関数をめぐる考察は、真理や正当化という概念にとらわれない認識活動の領域を確保することで、そういった直観的に望ましいとされる概念に価値がないことを強調するものだった。それゆえスティッチは、知識の古典的定義の欠陥を示すゲティア問題に対して、きわめてラディカルな応答をなすことができる。知識の古典的定義を修正しようとしてきた多くの哲学者と異なり、スティッチは、正当化や真理といったものを本質的に伴う古典的定義の枠組みそのものを放棄してしまうのである。

他方、概念分析という方法論（およびそこからもたらされる認識論的主張のアプリオリ性）に対する批判においても、解釈関数をめぐる考察は大きな役割を果たす。スティッチの批判は、概念分析の対象となる、日常言語に埋め込まれたわれわれの常識的な概念に向けられる。そのような概念は、必要十分条件が与えられるほどにしっかりした構造を持っていないかもしれないし、なによりも、われわれがそのような概念を獲得したということ自体、歴史的な偶然にすぎない。われわれとはまったく異なる認識論的評価の概念を活用する文化がありうるのだから、認識活動においてわれわれ自身のローカルな概念に頼るべき特別な理由は見出すのは困難なのである。そして解釈関数をめぐる考察は、先と同様に、常識的概念にとらわれない豊かな認識活動の可能性を鮮やかに示すことで、認識論的な問題において（ローカルな）常識的概念の果たしうる役割を否定する、より一般的な視座を提供してくれるのである（本書第四章と第五章）。

ところで、「認識論の自然化」とは、二〇世紀後半の英米哲学のひとつの側面を特徴づけてきたとも言えるプロジェクトである。それだけに、そのプロジェクトそのものの妥当性についても、これまで活発な議論がなされてきた。そこでもっとも問題になったのは規範性（normativity）に関わる問題である。

これまで見てきたように、自然主義的認識論の枠組みはふたつの論点によって構成される。すなわち、認識論的な問題に取り組むにあたって心理学的な考察の有用性を認めることと、哲学的な反省の産物に特別な認識論的地位を与えないこと、である。このような枠組みのもとだと、認識論の仕事は、「ヒトはこれこれの感覚入力の結果としてこれこれの信念を獲得する」というような、信念の形成に関する経験的な記述に尽きるのだと理解されるかもしれない。しかし、そのような記述をどれほど集めようとも、「われわれはそもそもどのような信念を獲得すべきなのか」という規範的な問題に関して答えたことにはならない。そしてそのような規範的な問題こそが、伝統的に認識論によって取り組まれるべきだとされてきた問題なのである。それでは、自然主義的認識論の枠組みを残しつつ、規範性に関わる問題を扱うことはできるのだろうか。

このような問題に直面したときに採りうる選択肢は、一見したところ、次のふたつしかないように思われる。ひとつは、自然主義的認識論において規範性に関わる問題を扱うことを、完全にあきらめてしまうというものだ。つまり、自然主義的認識論がなしうるのは記述的な仕事だけだと考えるのである。少なくともある時期のクワインが、このような主張をなしているのではないかとして、批判の対象になってきた。このような選択肢が問題なのは、自然主義的認識論が、それ以前の伝統的な認識論とその課題を共有しておらず、実際にはまったく別のリサーチプログラムだということになってしまうからだ。

もうひとつは、哲学の方法論に独自の認識論的地位を認めることで、そこから生じる主張に規範性の起源を残そうとするものだ。たとえば、ゲティア問題への応答において心理学の成果を取り入れることに積極的でありつつも、哲学独自の仕事として概念分析（およびそこから生じるアプリオリに保証される認識論的主張）の余地を残そうとするような立場も可能だろう。

もし採りうる選択肢がこのふたつに限られているのだとすれば、自然主義的認識論は、いずれの選択肢を採るにしても、なんらかの譲歩を求められるように見える。前者の選択肢を採るのだとすると、認識論の自然化というムーブメントは実際にはそれ以前の伝統的な認識論と連続するものではなく、規範性に関わる問題を放棄することで主題を変えてしまったにすぎない、という批判の余地を残してしまうことになる。他方、後者の選択肢を採るのであれば、自然主義的認識論の歴史的起源を構成する重要な論点のひとつ（アプリオリな知識に対する懐疑）が弱められてしまうことになるのである。

本書の第六章でスティッチが行う議論は、規範性に関わる問題に対して自然主義的認識論がとりうる、もうひとつの、魅力的な選択肢を提示するものだとみなすことができる。そこでの議論はこうである。認識論的規範は、正当化や合理性についてのわれわれの直観的な概念を分析することで理解されるわけではない。本書でたびたび指摘されるように、われわれの概念は、たまたま歴史的に受け継がれてきたということ以外に、特別なところはなにもないローカルなものだ。むしろわれわれは、自分たちがさまざまな事柄に内在的な価値を置いている（それ自体に価値を認めている）という事実に注目しなくてはならない。認識論的規範の起源は、そのような多様な内在的価値への貢献に求められる。つまり、われわれの認識プロセスは、そのように多様に存在する内在的価値の実現にどれほど役立つかという観点から、多元的かつ経験的に評価されるべきなのである。

こう主張することで、われわれは、概念分析に頼ることなしに、規範性に関する問題を自然主義的認識論の真正の課題として残すことができる。したがって、スティッチの認識論的プラグマティズムは、自然主義的認識論の枠組みのもとで規範性の起源を説明するひとつのやりかたを示すものであり、その後の自然主義的認識論のありかたに大きな影響を与えたと言えるのである。(4)

3―2　スティッチの思想の展開

それでは本書は、スティッチ自身の思想の展開ではどのように位置づけられるのだろうか。本稿の最後にリストを挙げておいたが、スティッチは著作として、『素朴心理学から認知科学へ――信念に抗して *(From Folk Psychology to Cognitive Science: The Case Against Belief)*』(一九八三年、以下FC)、『断片化する理性――認識論的プラグマティズム』(本書、一九九〇年)、『心の脱構築 *(Deconstructing the Mind)*』(論文集、一九九六年、以下DM) を発表している (さらにショーン・ニコルズとの共著として『マインドリーディング *(Mindreading)*』(二〇〇三年) がある)。これらのタイトルからもうかがわれるように、スティッチの主たる関心領域は、「心の哲学」と呼ばれる分野にある。しかしそこで採用される立場については、八〇年代と九〇年代のあいだで大きな変化が生じており、その変化はFCとDMの内容における相違に反映されることになる。たとえば次のふたつのコメントを比べてみよう。

日常の素朴心理学的な信念帰属がおしなべて正しくないと判明することはありうるのだろうか。……わたしの主張してきた解答によると、これは実際にまじめに受け取られるべき可能性である。……わたしの考えるところでは、素朴心理学に未来があるかどうかを述べるのは時期尚早なのである。

(FC, p. 242)

これまでの論証からもたらされる結論は、消去主義者による基本的な存在論的主張――信念や欲求といったものは存在しないという主張――が真でも偽でもない、というものだと思われる。その主張は確定した真理条件をまったく持っていないのである。わたしは、消去主義の真偽を決めることに、これまでの二〇年の大部分を費やしてきたのだから、そのことはかなり驚くべき結論だった。

(DM, p. 48)

引用からもわかるように、八〇年代から九〇年代に至るスティッチの思想展開は、消去主義に対する態度の変化だと述べることができる。消去主義のポイントは、信念や欲求といった、われわれが日常生活で使用する（素朴心理学的な）心的状態が実際には存在しない、と論じる点にある。そして一九八三年の著書であるFCでは、消去主義に対して一定の理解を示しているのに対し、一九九六年に出版されたDMでは、消去主義の主張は真でも偽でもないという論点が（以下で少し触れるように、そこへと至る論証は最終的に撤回されることになるが）まじめに検討されるのである。

それではスティッチのこのような思想の変化はなぜ生じたのだろうか。以下で見るように、時期的にFCとDMのあいだに位置する本書、とりわけ右で見た解釈関数をめぐる考察が、このようなスティッチの思想展開をつなぐ鍵としてきわめて重要なものだと思われる。

ＦＣで提案されるスティッチ流の消去主義のポイントは、認知科学には二種類のモデルが存在する、ということにある。それらは各々、心的状態のあいだの相互作用を説明する戦略として提示される。ひとつは心的状態に割り当てられる内容によって説明するという戦略であり、もうひとつは、構文論的性質に注目することで説明するという戦略である。そして、その戦略に応じて、提案される認知科学のモデルに相違が生じることになる。スティッチは、前者の戦略の背景にある認知科学のパラダイムを、「心の表象理論」(The Representation Theory of Mind、以下ＲＴＭ）と呼び、後者の背景にあるパラダイムを「心の構文論的理論」(The Syntactic Theory of Mind、以下ＳＴＭ）と呼ぶ[5]。それらがどのようなものかを順番に見ていくことにしよう。

ＲＴＭによると、心的状態のあいだの相互作用は、それに帰属される内容にもとづいて説明されることになる。ＲＴＭのもとで個別化される心的状態は、信念や欲求といった、普段われわれが他者を理解する際に使用する、素朴心理学的な概念の様々な特徴にうまくフィットする。それゆえＲＴＭは、次に見るＳＴＭと異なり、素朴心理学的な概念を用いる認知科学のモデルを提案するものだと理解される。

他方、ＳＴＭの基本的な考えはこうだ。ＳＴＭによると、お互いに相互作用することで行動をもたらすような心的状態は、抽象的な構文論的対象へと体系的に写像されうる。そして、心的状態のあいだの因果的相互作用は、各々の心的状態の写像先である抽象的対象が有する構文論的性質や関係の観点から記述することができる。つまりＳＴＭによると、心的状態のあいだの因果的相互作用は、その意味論的性質とは関係がなく、構文論的対象のあいだの形式的関係を反映するのである。それゆえＳ

ＴＭの提案する認知科学のモデルによると、ＲＴＭの場合とは対照的に、素朴心理学的な諸概念はまったく用いられず、心的状態の意味論的性質が仮定されないことになる。すなわち、認知科学はそのような性質に言及せずに営まれうると理解されるのである。

以上の考察のもとでＦＣにおいて取り組まれる中心的な疑問はこうだ。ＲＴＭとＳＴＭのどちらが認知科学のモデルとしてふさわしいのだろうか。スティッチによると、ＲＴＭは成熟した科学に求められるような一般化を定式化できず、それゆえ認知科学のモデルとしてはＳＴＭが採用されるべきであるとされる。

その論拠は、本書の第二章で論じられたものとほぼ同じものだ。われわれの行う内容帰属は、典型的には、様々な次元の「類似性基準」に訴えることでなされる。たとえば、われわれが相手に内容を帰属させる際、われわれと相手とのあいだで、信念のネットワークがある程度類似していなくてはならない。しかしこのように、類似性基準に訴えないと機能しない概念（信念などの素朴心理学的概念）を伴うということは、一般化を定式化する際にきわめて不都合である。たとえばその理由として、そのような概念が曖昧かつ文脈依存的であることが挙げられる。多くの場合、「ｐと信じる」という述語が適用できるかどうかは、文脈から離れると不明瞭になってしまうし、さらにそこにはある種の観察者相対性が組み込まれる。それゆえ、われわれの認知理論が本質的に素朴心理学の語彙に頼るのだとすれば、われわれとまったく類似していない信念のネットワークを持つ人々は視野から外れてしまうことになるだろう。つまり、われわれとそういった人々の双方をカバーするような重要な一般化が存在するとしても、ＲＴＭはそれを見逃してしまうことになるだろう。

対照的にＳＴＭ（にしたがう認知理論）の仮定する心的状態は、その意味論的性質ではなく、それが写像される構文論的対象によって特徴づけられる。それゆえＳＴＭは、「類似性」への訴えを消去することで、曖昧性のようなＲＴＭを苦しめる問題を回避できるのである。このような議論のもと、認知科学と素朴心理学の両立可能性についてさらに慎重な考察を加えた上で、スティッチはＦＣにおいて、消去主義に一定の理解を示す立場に関与することになる。

ＲＴＭ／ＳＴＭというモチーフが本書でも機能していることに注意しよう。ＲＴＭの基本的な考えは本書第二章で考察されたような内容帰属の理論とほぼ同じものだ。他方、心的状態を同定するにあたって意味論的性質に言及しないような認知科学のモデルを提案するＳＴＭは、本書第五章で見たような、意味論的性質にとらわれない豊かな心的状態カテゴリーの萌芽を示す。さらにＲＴＭを批判する際に本書第二章で論じられたものと本質的に同じ議論が採用されていたことを考えると、本書は、ＲＴＭ／ＳＴＭというＦＣにおける基本的なテーマを受け継ぎつつ、解釈関数をめぐる議論によってそれをさらに明晰にしたとみなすことができるだろう。

とはいえ、次のことに注意しなくてはならない。ＦＣではＲＴＭとＳＴＭのギャップ（さらにはＳＴＭの優位性）に焦点が当てられていたのに対し、本書では、解釈関数をめぐる考察によって、そのようなギャップよりむしろ、われわれの認識活動の豊かな可能性が強調されることになる。そしてこのような態度の変化によって、スティッチは、ＤＭにおける消去主義批判、さらには「開放的多元主義（open-ended pluralism）」と呼ばれる立場へと至ることになる。その道筋をもう少し詳しく見てみることにしよう。

解釈関数にまつわる議論のポイントはこうだった。直観的に認められる認識活動の領域は、実際には部分的で特異なものでしかない。そしてこの論点は、本書においては、認識論的プラグマティズムへと結実することになった（本書第六章）。しかしそれはまた後に、消去主義を批判するにあたっても重要な役割を果たすことになる。消去主義者が下したい結論は、信念や欲求といった心的状態が存在しないということだったことを思い出そう。それゆえ消去主義の真理条件は次のように表現されることになる。

消去主義が真なのは、「――は信念である」がなにも指示しないときまたそのときに限る (DM, p. 51)

解釈関数をめぐる考察は、右にある消去主義の真理条件をトリビアルなものにしてしまう。というのも、われわれが「指示」と呼ぶところの単語と世界を結ぶ関係は、歴史的、文化的偶然によって成立したものにすぎないからだ。スティッチはそのことを、DMの第一論文「心の脱構築」において、次のように表現する。

「――は信念である」がなにも指示しないとしてみよう。これはどれほど興味深い結論なのだろうか。それはなにか不安に思うようなことであろうか。そうだと考えるためには、指示――単語と世界をつなぐ写像で直観的に正しいとされるもの――になにか興味深いところや重要なところがあると想定しなくてはならない。というのも、指示以外の単語と世界をつなぐ写像で、「――は信念である」をなにか存在論的に問題のないものに実際に関係づけるようなものが、確かに数多くあるからだ。それゆえ、たとえ「――は信念である」がなにも指示しないとしても、それは数多くの事柄をおそらく指示*（そして指示**、指示***）するのである。指示と指示*の相違が単に、これら特異な写像のうちのひとつがたまたまわれわれの素朴意味論のうちに埋め込まれてきており他方はそうではなかった、ということにすぎないのだとしてみよう。すると、「――は信念である」の外延が空であるかどうかをわれわれが気にかける理由を見てとるのは難しい。指示**や指示***、その他多様にある単語と世界をつなぐ写像から、指示を区別する唯一の事情が歴史的偶然にあるのだとすれば、「――は信念である」がなにも指示しないという事実はとりわけ興味深くも重要なことでもない。しかし、そのことが興味深いことでないとすれば、信念が存在しないという事実も興味深いことではないのである（DM, p. 50）

信念や欲求といった心的状態が素朴心理学の措定物であること、そして、素朴心理学が誤った理論であること。これらの前提から、消去主義者は、信念や欲求といった状態が存在しないという結論を下すことを望む。しかし、信念や欲求といった状態が存在するかという問いへの答えが、右にあるように、「適切な指示関係の存在」にかかっているのだとすれば、そのような問題はなんら興味深いものではなくなってしまうことになる。というのも、スティッチが提供する解釈関数の部分性と特異性という論点は、（絶対的に）正しい指示関係など存在しないという主張を可能にするからだ。それゆえスティッチは、消去主義が真でも偽でもないという主張を真剣に考察することになるのである。最終的にこのような、存在論的評価を指示関係の問題に帰着させるラディカルな立場は撤回されることになるが、(6) この論点がスティッチに与えた思想的インパクトは大きなものだった。

指示関係は多種多様なかたちでもたらされうるのであり、それゆえ、その関係をなにか統一的な（絶対的な）視点から見ることはできない。このような主張によって、スティッチは、消去主義が想定する存在論的制約を無効にしようとした。それでは、そのような否定的な側面とは別に、その主張はどのような積極的な含意を持つのだろうか。以下で見るように、指示の多様性という主張は、存在論に「多元性」と「創造性」という側面をもたらすことになるように思われる。そしてスティッチは、そのような論点を通じて、「開放的多元主義」と呼ばれる哲学的立場に関与することになる（DM第六論文「自然主義、実証主義、多元主義」）。

指示の多様性はいかにして存在論に多元性という側面をもたらすことになるのだろうか。こう論じることができる。消去主義に限らず、志向的なものが自然の秩序に組み込まれうるかどうかを検討するプログラムの背景にあるのは、「われわれの世界は物理的な世界であり、「物理的な事実のほかには」いかなる事実も存在しない」(DM, p. 197) という、曖昧ではあるが堅固に保持された確信である。そして、心の哲学における自然主義的なプログラムは、志向性をそのような確信のもとで定式化される統一的な基準において扱えるかどうかを検討しようとする。スティッチはそのようなプログラムに代表される立場を、「ピューリタン的な自然主義 (puritanical naturalism)」と名づける（この立場は先に見た自然主義的認識論としばしば結びつけられるが、お互いに独立したものであることに注意しなくてはならない）。

しかし、解釈関数の議論が示すように、単語と世界をつなぐ関係が多種多様なもので、統一的な視点の提供を拒むようなものだとしてみよう。すると、様々な研究領域を横断するような統一的な存在論的視座を設定することもまたできないと考えるのが自然なことだと思われる。それゆえスティッチは、以下の引用にあるように、存在論にある種の多元性を認めることになる。

われわれの物理科学や生物科学の最良のものによって採用される存在論——それらが語る事物の範囲——は驚くほど多種多様なものだ。……さらに、社会科学の存在論を加えると、そのリストははるかに雑多なものになると思われる。……さて自然主義者によると、これらはすべて（あるいは、少なくとも本当にまともなものはすべて）物理学の性質となにか特別な関係になくてはならない、とされる。これはわたしにはとりわけもっともらしくない提案だと思われる。

わたしの論点は、現代科学の存在論における事物（あるいはそういったものを取り出す述語ないし性質）のなかには物理的性質といかなる関係にも立たないようなものがある、というものではない。関係とはチープなものだ。なんであれ、無数に多くの仕方で、それ以外のあらゆるものに関係づけられる。むしろわたしが主張しているのは、まともな科学において訴えられる性質のすべて、そしてそれだけが物理的性質に対して持つような、単一で特別な関係など存在しない、ということだ。

(DM, p. 197)

それでは、指示の多様性はいかにして存在論に創造性という側面をもたらすのだろうか。スティッチはこう論じる。厳格な自然主義者であれば、右で論じた議論を認めるとしても、依然として次のように応答するかもしれない。確かに、自然主義者に認められる性質が物理的性質に対して持たなくてはならない「単一の」関係など存在しないのだろう。しかしこのことは批判とはならない。というのも自然主義者は、「自然主義的に受容可能な性質が物理的性質に対して持ちうる関係」のリストを $(R_1, R_2, \cdots R_n$ というように) 完成させたら、それらを選言で結ぶことで受容可能な性質の基準を作ることができるからだ、と。

しかしスティッチからすると、このような自然主義者の応答は、科学が機能する図式を誤解したものだ。解釈関数の議論が無数のオルタナティブな指示概念の存在を示唆していたように、スティッチによると、物理的性質に対する関係は、その探究の目的（有用性）に応じて、無数の仕方で創造されうるものなのである。

実際には、科学の領域が異なれば、そこで訴えられる性質と物理的性質とのあいだの関係も異なる、というだけではない。科学が進歩するにつれて、新たな性質が有益だとわかり、そのうちのいくつかは物理的性質に新たな重要な仕方で関係づけられるのである。……このことが正しいとすれば、正当な関係からなる長い選言をこしらえても、自然主義者が必要とする関係を彼らに与えることはないだろう。というのも、わたしの図式によると、物理的なものに対して興味をそそる新たな関係に立つような新たな性質が、科学が進歩するにつれて付け加えられていくからだ。先立ってその関係を特定することはできないし、そのリストが無限に大きくなることはないだろうと想定する理由

もないのである。（DM, p. 198）

このように、解釈関数にまつわる議論がもたらした指示関係の多様性という論点は、存在論に多元性と創造性という側面をもたらすことになり、スティッチは自身の立場を「開放的多元主義」と称するに至る。ピューリタン的な自然主義は、固定された統一的視座のもとで、たとえば素朴心理学の措定する心的状態の実在性を検討しようとする。しかし開放的多元主義によると、そのような議論は本末転倒である。開放的多元主義は、実在／反実在という基準が事前に確定されたものだとはみなさない。そのような基準は、多様な目標のもとで多元的なしかたで定式化されるのであり、また知的活動の展開や新たに抱かれる目標に応じてさらに次々と創造されるのである。

4　主要著作リスト

現時点で出版されているスティッチの著書は以下のとおりである。

From Folk Psychology to Cognitive Science: The Case Against Belief, Cambridge, MA: MIT Press/Bradford Books, 1983.

The Fragmentation of Reason: Preface to a Pragmatic Theory of Cognitive Evaluation, Cambridge, MA: MIT Press/Bradford Books, 1990.（本書）

Deconstructing the Mind, New York: Oxford University Press, 1996.

Mindreading, Oxford: Oxford University Press, 2003. (Shaun Nicholsとの共著)

最後に、わたしの拙い訳文をお読みいただき、多くの貴重なアドバイスをしていただいた、京都大学の出口康夫先生、太田紘史君、大塚淳君、大西琢朗君、藤川直也君、槙原千尋君、そして今回翻訳の機会を与えていただいた名古屋大学の戸田山和久先生、勁草書房の土井美智子さんにお礼を申し上げたい。

注

(1) 自然主義的認識論を特徴づけてその諸バージョンを分類する主な試みとしては以下のものが挙げられる。J. Kim, "What Is 'Naturalized Epistemology'?" in James E. Tomberlin (ed.), *Philosophical Perspectives 2*, Atascadero: Ridgeview, 1988, pp. 381–405; P. Kitcher, "The Naturalists Return" *The Philosophical Review* 101, 1992, pp. 53–114; H. Kornblith, "Introduction: What is Naturalistic Epistemology?" in H. Kornblith (ed.), *Naturalizing Epistemology*, 2nd ed., Cambridge, MA: MIT Press, 1994, pp. 1–14.

(2) その典拠は、注1にも挙げた論文"The Naturalists Return"である。以下でわたしが論じる、自然主義的認識論を特徴づける歴史的な問題意識については、その論文におけるキッチャーの主張に多くを負っている。ただしキッチャー自身がスティッチの(ある面できわめてラディカルな)立場をどのように位置づけているかは別の問題であり、ここでは触れない。

(3) E. Gettier, "Is Justified True Belief Knowledge?" *Analysis* 23, 1963, pp. 121–123.［「正当化された真なる信念は知識だろうか」柴田正良訳、『知識という環境』森際康友編、名古屋大学出版会、一九九六年］

(4) このようなスティッチの立場に対する評価としては、たとえば H. Kornblith, "Epistemic Normativity" *Synthese* 94, 1993, pp. 357–376 を参照されたい。

(5) 実際にはFCにおいてRTMは強いバージョンと弱いバージョンに区別されているのだが、ここでは議論を簡潔にするためにその区別には触れず、主に強いRTMに焦点を当てる。

(6) スティッチは引用した箇所に続くところで、サールやジャクソンといった論者による批判を検討し、最終的にそれらの批判がある程度有効なものであることを認め、解釈関数の議論にもとづく消去主義批判を撤回することになる。DMでは、「合理的な存在論的推論の原理」(DM, p. 63) を見出すためのプログラムとして、規範的自然主義と反省的均衡を組み合わせたものを検討しつつも、存在論的推論に当事者のパーソナリティや政治的要因が関わると考える点で、自分の立場は社会構成主義だとみなされるかもしれない、とコメントしている (DM, p. 72) (この論点に関しては、一九九三年の論文「認識論を自然化すること――クワイン、サイモン、プラグマティズムの見通し」("Naturalizing Epistemology : Quine, Simon and the Prospects for Pragmatism" in C. Hookway and D. Peterson (eds.), *Philosophy and Cognitive Science*, Cambridge : Cambridge University Press, 1993, pp. 1–17) でも詳細に論じられており、あわせて参照されたい)。とはいえ、解釈関数の部分性と特異性が示唆する多元主義的な立場と、そこから開放的多元主義へとつながる論旨はスティッチの思想を捉えるうえで依然として重要なポイントであると思われる。

人名索引

サ 行

タ 行

ワ　行

事項索引

参考文献

Annis, D. (1973). "Knowledge and Defeasibility." *Philosophical Studies* 24.

Armstrong, D. (1973). *Belief, Truth, and Knowledge.* Cambridge: Cambridge University Press.

Barwise, J. and J. Perry (1983). *Situations and Attitudes.* Cambridge, Mass.: The MIT Press. A Bradford book. [『状況と態度』土屋俊・鈴木浩之・白井英俊・片桐恭弘・向井国昭訳、産業図書、1992年。]

Blake, R., C. Ducasse, and E. Madden (1960). *Theories of Scientific Method: The Renaissance through the Nineteenth Century.* Seattle: University of Washington Press.

Block, N, ed. (1980). *Readings in the Philosophy of Psychology*, 2 vols. Cambridge, Mass.: Harvard University Press.

Block, N. (1986). "Advertisement for a Semantics for Psychology." In P. French et al., eds., *Midwest Studies in Philosophy: Studies in the Philosophy of Mind.* Minneapolis : University of Minnesota Press.

Burge, T. (1974). "Demonstrative Constructions, Reference and Truth." *Journal of Philosophy* 71.

Burtt, E. (1932). *The Metaphysical Foundations of Modern Physical Science*, Rev. ed. New York : Doubleday Anchor Books. [『近代科学の形而上学的基礎：コペルニクスからニュートンへ』市場泰男訳、平凡社、1988年。]

Carey, S. (1985). *Conceptual Change in Childhood.* Cambridge, Mass.: The MIT Press. A Bradford book. [『子どもは小さな科学者か：J.ピアジェ理論の再考』小島康次・小林好和訳、ミネルヴァ書房、1994年。]

Chapman, L. J. (1967). "Illusory Correlation in Observational

Report." *Journal of Verbal Learning and Verbal Behavior* 6.

Chapman, L. J., and J. P. Chapman (1967). "Genesis of Popular but Erroneous Diagnostic Observations." *Journal of Abnormal Psychology* 72.

Chapman, L. J. and J. P. Chapman (1969). "Illusory Correlation as an Obstacle to the Use of Valid Psychodiagnostic Signs." *Journal of Abnormal Psychology* 74.

Cheng, P., and K. Holyoak (1985). "Pragmatic Reasoning Schemas." *Cognitive Psychology* 17 : 391–416.

Cheng, P., K. Holyoak, R. Nisbett, and L. Oliver (1986). "Pragmatic versus Syntactic Approaches to Training Deductive Reasoning." *Cognitive Psychology* 18.

Cherniak, C. (1981a). "Minimal Rationality." *Mind* XC.

Cherniak, C. (1981b). "Feasible Inference." *Philosophy of Science* 48.

Cherniak, C. (1983). "Rationality and the Structure of Human Memory." *Synthese* 57.

Cherniak, C. (1986). *Minimal Rationality*. Cambridge, Mass.: The MIT Press. A Bradford book. [『最小合理性』中村直行・村中達矢訳、勁草書房、近刊。]

Clark, R. (1970). "Concerning the Logic of Predicate Modifiers." *Nous* 4.

Cohen, J. (1979). "On the Psychology of Prediction : Whose Is the Fallacy?" *Cognition* 7.

Cohen, J. (1980). "Whose Is the fallacy? A Rejoinder to Daniel Kahneman and Amos Tversky." *Cognition* 8.

Cohen, J. (1981). "Can Human Irrationality Be Experimentally Demonstrated?" *Behavioral and Brain Sciences* 4.

Cohen, J. (1982). "Are People Programmed to Commit Fallacies? Further Thoughts about the Interpretation of Experimental Data on Probability Judgment." *Journal for the Theory of Social Behavior* 12.

Colby, B., and M. Cole (1973). "Culture, Memory and Narrative." In Horton and Finnegan (1973).

Conee, E. and R. Feldman (1983). "Stich and Nisbett on Justifying In-

ference Rules." *Philosophy of Science* 50.

Cooper, D. (1975). "Alternative Logic in 'Primitive' Thought." *Man* 10.

Coppée, H. (1874). *Elements of Logic*, rev. ed. Philadelphia : H. Butler & Co.

Crow, J. (1979). "Genes that Violate Mendel's Rules." *Scientific American* 240. [「ごまかし遺伝子」木村資生訳、『サイエンス』第9巻4号、1979年。]

Crow, J. (1986). *Basic Concepts in Population, Quantitative, and Evolutionary Genetics*. New York : W. H. Freeman & Co. [『基礎集団遺伝学』安田徳一訳、培風館、1989年。]

Daniels, N. (1979). "Wide Reflective Equilibrium and Theory Acceptance in Ethics." *Journal of Philosophy* 76.

Daniels, N. (1980 a). "Reflective Equilibrium and Archimedean Points." *Canadian Journal of Philosophy* 10.

Daniels, N. (1980b). "On Some Methods of Ethics and Linguistics." *Philosophical Studies* 37.

Davidson, D. (1967). "The Logical Form of Action Sentences." In N. Rescher, ed., *The Logic of Decision and Action*. Pittsburgh : University of Pittsburgh Press. [「行為文の論理形式」『行為と出来事』服部裕幸・柴田正良訳、勁草書房、1990年、所収。]

Davidson, D. (1968). "On Saying That." *Synthese* 19. [「そう言うことについて」野本和幸訳、『真理と解釈』野本和幸・植木哲也・金子洋之・高橋要訳、勁草書房、1991年、所収。]

Davidson, D. (1973). "Radical Interpretation." *Dialectica* 27. [「根元的解釈」金子洋之訳、『真理と解釈』野本和幸・植木哲也・金子洋之・高橋要訳、勁草書房、1991年、所収。]

Davidson, D. (1974). "On the Very Idea of a Conceptual Scheme." *Proceedings and Addresses of the American Philosophical Association* 47. [「概念枠という考えそのものについて」植木哲也訳、『真理と解釈』野本和幸・植木哲也・金子洋之・高橋要訳、勁草書房、1991年、所収。]

Davidson, D. (1975). "Thought and Talk." In S. Guttenplan, ed., *Mind and Language*. Oxford : Oxford University Press. [「思いと語り」

植木哲也訳、『真理と解釈』野本和幸・植木哲也・金子洋之・高橋要訳、勁草書房、1991 年、所収。]

Davidson, D., and G. Harman, eds. (1972). *Semantics of Natural Language*. Dordrecht, The Netherlands: Reidel.

Davidson, D., and G. Harman, eds. (1975). *The Logic of Grammar*. Encino, Calif.: Dickinson Publishing Co.

Dennett, D. (1978). *Brainstorms*. Cambridge, Mass.: The MIT Press. A Bradford book.

Dennett, D. (1980). "Reply to Prof. Stich." *Philosophical Books* 21.

Dennett, D. (1981a). "Making Sense of Ourselves." *Philosophical Topics* 12. Reprinted in Dennett (1987a). [「われわれ自身を理解する」『「志向姿勢」の哲学：人は人の行動を読めるのか？』若島正・河田学訳、白揚社、1996 年、所収。]

Dennett, D. (1981b). "True Believers." In A. Heath, ed., *Scientific Explanation*. New York : Oxford University Press. Reprinted in Dennett (1987a). [「本物の信念者：志向戦略はなぜ有効か？」『「志向姿勢」の哲学：人は人の行動を読めるのか？』若島正・河田学訳、白揚社、1996 年、所収。]

Dennett, D. (1981c). "Three Kinds of Intentional Psychology." In R. Healy, ed., *Reduction, Time, and Reality*. Cambridge : Cambridge University Press. Reprinted in Dennett (1987a). [「3 種類の志向戦略」『「志向姿勢」の哲学：人は人の行動を読めるのか？』若島正・河田学訳、白揚社、1996 年、所収。]

Dennett, D. (1982). "Beyond Belief." In Woodfield (1982). Reprinted in Dennett (1987a). [「信念を越えて」『「志向姿勢」の哲学：人は人の行動を読めるのか？』若島正・河田学訳、白揚社、1996 年、所収。]

Dennett, D. (1987a). *The Intentional Stance*. Cambridge, Mass.: The MIT Press. A Bradford book. [『「志向姿勢」の哲学：人は人の行動を読めるのか？』若島正・河田学訳、白揚社、1996 年。]

Dennett, D. (1987b). "Reflections: Instrumentalism Reconsidered." In Dennett (1987a). [「追記　道具主義再考」『「志向姿勢」の哲学：人は人の行動を読めるのか？』若島正・河田学訳、白揚社、1996 年、所収。]

Devitt, M. (1981). *Designation.* New York : Columbia University Press.

Devitt, M., and K. Sterelny (1987). *Language and Reality: An Introduction to the Philosophy of Language.* Cambridge, Mass.: The MIT Press. A Bradford book.

Doherty, M., C. Mynatt, R. Tweney, and M. Schiavo (1979). "Pseudodiagnosticity." *Acta Psychologica* 43.

Dretske, F. (1969). *Seeing and Knowing.* Chicago: University of Chicago Press.

Dretske, F. (1971). "Conclusive Reasons." *Australasian Journal of Philosophy* 49.

Dretske, F. (1988). *Explaining Behavior.* Cambridge, Mass.: The MIT Press. A Bradford book. [『行動を説明する：因果の世界における理由』水本正晴訳、勁草書房、2005年。]

Feldman, R. (1988). "Rationality, Reliability, and Natural Selection." *Philosophy of Science* 55 (2).

Feyerabend, P. (1978a). *Against Method: Outline of an Anarchistic Theory of Knowledge.* London: Verso. [『方法への挑戦：科学的創造と知のアナーキズム』村上陽一郎・渡辺博訳、新曜社、1981年。]

Feyerabend, P. (1978b). *Science in a Free Society.* London: New Left Bank Publishers.

Field, H. (1972). "Tarski's Theory of Truth." *Journal of Philosophy* 69.

Field, H. (1978). "Mental Representation." *Erkenntnis* 13. Reprinted in Block (1980).

Firth, R. (1981). "Epistemic Merit, Intrinsic and Instrumental." *Proceedings and Addresses of the American Philosophical Association* 55.

Fodor, J. (1975). *The Language of Thought.* New York: Crowell.

Fodor, J. (1978a). "Tom Swift and His Procedural Grandmother." *Cognition* 6. Reprinted in Fodor (1981a).

Fodor, J. (1978 b). "Propositional Attitudes." *The Monist* 61. Reprinted in Fodor (1981a).

Fodor, J. (1981a). *Representations.* Cambridge, Mass.: The MIT Press. A Bradford book.

Fodor, J. (1981b). "Three Cheers for Propositional Attitudes." In Fodor (1981a).

Fodor, J. (1987). *Psychosemantics*. Cambridge, Mass.: The MIT Press. A Bradford book.

Fong, G., D. Krantz, and R. Nisbett (1986). "The Effects of Statistical Training on Thinking about Everyday Problems." *Cognitive Psychology* 18.

Gellner, E. (1973). "The Savage and the Modern Mind." In Horton and Finnegan (1973).

Gettier, E. (1963). "Is Justified True Belief Knowledge?" *Analysis* 23. [「正当化された真なる信念は知識だろうか」柴田正良訳、『知識という環境』森際康友編、名古屋大学出版会、1996年、所収。]

Gladwin, T. (1964). "Culture and Logical Process." In W. Goodenough, ed., *Explorations in Cultural Anthropology*. New York: McGraw-Hill.

Godfrey-Smith, P. (1986). "Why Semantic Properties Won't Earn Their Keep." *Philosophical Studies* 50.

Goldman, A. (1976). "Discrimination and Perceptual Knowledge." *Journal of Philosophy* 73.

Goldman, A. (1986). *Epistemology and Cognition*. Cambridge, Mass.: Harvard University Press.

Goodman, N. (1965). *Fact, Fiction, and Forecast*. Indianapolis: Bobbs-Merrill. [『事実・虚構・予言』雨宮民雄訳、勁草書房、1987年。]

Goodman, N. (1966). *The Structure of Appearance*, 2nd ed. Indianapolis: Bobbs-Merrill.

Gordon, R. (1986). "Folk Psychology as Simulation." *Mind and Language* 1.

Grandy, R. (1973). "Reference, Meaning, and Belief." *Journal of Philosophy* 70.

Griggs, R., and J. Cox (1982). "The Elusive Thematic Materials Effect in Wason's Selection Task." *British Journal of Psychology* 73: 407–20.

Hallen, B., and J. Sodipo (1986). *Knowledge, Belief, and Witchcraft*. London: Ethnographica.

Harman, G. (1973). *Thought*. Princeton, N. J.: Princeton University Press.

Harman, G. (1986). *Change in View*. Cambridge, Mass.: The MIT Press. A Bradford book.

Holland, J., K. Holyoak, R. Nisbett, and P. Thagard (1986). *Induction*. Cambridge, Mass.: The MIT Press. A Bradford book. [『インダクション：推論・学習・発見の統合理論へ向けて』市川伸一他訳、新曜社、1991年。]

Hollis, M. (1982). "The Social Destruction of Reality." In Hollis and Lukes.

Hollis, M., and S. Lukes, eds. (1982). *Rationality and Relativism*. Cambridge, Mass.: The MIT Press.

Horton, R., and R. Finnegan, eds. (1973). *Modes of Thought : Essays on Thinking in Western and Non-Western Societies*. London : Faber & Faber.

Hutchins, E. (1980). *Culture and Inference : A Trobriand Case Study*. Cambridge, Mass.: Harvard University Press.

James, W. (1907). *Pragmatism*. New York : Longmans, Green & Co. [『プラグマティズム』桝田啓三郎訳、岩波書店、1957年。]

Jenkins, H. (1973). "Religion and Secularism : The Contemporary Significance of Newman's Thought." In Horton and Finnegan, eds. (1973).

Johnson-Laird, P. (1983). *Mental Models*. Cambridge, Mass.: Harvard University Press. [『メンタルモデル：言語・推論・意識の認知科学』海保博之監修、AIUEO訳、産業図書、1988年。]

Johnson-Laird, P., P. Legrenzi, and M. Legrenzi. (1972). "Reasoning and a Sense of Reality." *British Journal of Psychology* 63.

Johnson-Laird, P., and P. Wason (1970). "A Theoretical Analysis of Insight into a Reasoning Task, and Postscript 1977." In Johnson-Laird and Wason eds. (1977).

Johnson-Laird, P., and P. Wason, eds. (1977). *Thinking*. Cambridge : Cambridge University Press.

Kahneman, D., P. Slovic, and A. Tversky, eds. (1982). *Judgment under Uncertainty : Heuristics and Biases*. Cambridge : Cambridge Univer-

sity Press.

Kahneman, D., and A. Tversky (1973). "On the Psychology of Prediction." *Psychological Review* 80.

Kahneman, D. and A. Tversky (1979). "On the Interpretation of Intuitive Probability: A Reply to Jonathan Cohen." *Cognition* 7.

Kaplan, D. (1968). "Quantifying In." *Synthese* 19. Reprinted in Davidson and Harman, eds. (1975).

Kimura, M. (1983). *The Neutral Theory of Molecular Evolution*. Cambridge: Cambridge University Press. [『分子進化の中立説』向井輝美・日下部真一訳、紀伊國屋書店、1986年。]

Kitcher, P. (1985). *Vaulting Ambition*. Cambridge, Mass.: The MIT Press. A Bradford book.

Kitcher, P. (1990). "The Division of Cognitive Labor." In *Journal of Philosophy* 87.

Klein, P. (1981). *Certainty: A Refutation of Skepticism*. Minneapolis: University of Minnesota Press.

Kornblith, H, ed. (1985). *Naturalizing Epistemology*. Cambridge, Mass.: The MIT Press. A Bradford book.

Koyré, A. (1956). "Influence of Philosophic Trends on the Formulation of Scientific Theories." In P. Frank, ed., *The Validation of Scientific Theories*. Boston: Beacon Press.

Kripke, S. (1972). "Naming and Necessity." In Davidson and Harman, eds. (1972).

Kuhn, T. (1962). *The Structure of Scientific Revolutions*. Chicago: University of Chicago Press. [『科学革命の構造』中山茂訳、みすず書房、1971年。]

Lakoff, G. (1987). *Women, Fire, and Dangerous Things*. Chicago: University of Chicago Press. [『認知意味論：言語から見た人間の心』池上嘉彦・河上誓作他訳、紀伊國屋書店、1993年。]

Laudan, L. (1968). "Theories of Scientific Method from Plato to Mach: A Bibliographical Review." *History of Science* 7.

Lehrer, K. and T. Paxson (1969). "Knowledge: Undefeated Justified True Belief." *Journal of Philosophy* 66.

Levi, I. (1986). *Hard Choices: Decision Making under Unresolved Con-*

flict. Cambridge: Cambridge University Press.

Levy-Bruhl, L. (1966). *Primitive Mentality*. Boston: Beacon Press.

Levy-Bruhl, L. (1979). *How Natives Think*. New York: Arno Press.

Levi-Strauss, C. (1966). *The Savage Mind*. Chicago: University of Chicago Press.

Lewis, D. (1973). *Counterfactuals*. Oxford: Basil Blackwell. [『反事実的条件法』吉満昭宏訳、勁草書房、近刊。]

Lightfoot, D. (1989). "The Child's Trigger Experience: Degree-O Learnability." In *Behavioral and Brain Sciences* 12.

Loar, B. (1976). "The Semantics of Singular Terms." *Philosophical Studies* 30.

Loar, B. (1981). *Mind and Meaning*. Cambridge: Cambridge University Press.

Lukes, S. (1982). "Relativism in Its Place." In Hollis and Lukes (1982).

Lycan, W. (1984). *Logical Form in Natural Language*. Cambridge, Mass.: The MIT Press. A Bradford book.

Lycan, W. (1988 a). *Judgement and Justification*. Cambridge : Cambridge University Press.

Lycan, W. (1988b). "Toward a Homuncular Theory of Believing." In Lycan (1988a).

Lycan, W. (1988c). "Representation and the Semantics of Belief Ascription." In Lycan (1988a).

Lycan, W. (1988d). "Epistemic Value." In Lycan (1988a).

Lycan, W. (1988 e). "Conservatism and the Data Base." In Lycan (1988a).

Lycan, W. (1988 f). "Induction and Best Explanation." In Lycan (1988a).

Lycan, W. (1988 g). "Moral Facts and Moral Knowledge." In Lycan (1988a).

Lycan, W. (1988h). "Reliabilism." In Lycan (1988a).

MacNamara, J. (1986). *A Border Dispute: The Place of Logic in Psychology*. Cambridge, Mass.: The MIT Press. A Bradford book.

Manktelow, K., and J. Evans (1979). "Facilitation of Reasoning by Re-

alism: Effect or Non-Effect?" *British Journal of Psychology* 70.

McGinn, C. (1982). "The Structure of Content." In Woodfield (1982).

Millikan, R. (1984). "Naturalist Reflections on Knowledge." *Pacific Philosophical Quarterly* 65.

Montaigne (1933). *The Essays of Montaigne.* New York: Modern Library.

Moore, G. E. (1959). *Philosophical Papers.* London: Allen & Unwin.

Nei, M. (1987). *Molecular Evolutionary Genetics.* New York: Columbia University Press. [『分子進化遺伝学』五條堀孝・斎藤成也訳、培風館、1990年。]

Nisbett, R., and E. Borgida (1975). "Attribution and the Psychology of Prediction." *Journal of Personality and Social Psychology* 32.

Nisbett, R., G. Fong, D. Lehman, and P. Cheng (1987). "Teaching Reasoning." *Science* 238.

Nisbett, R., and L. Ross (1980). *Human Inference: Strategies and Shortcomings of Social Judgment.* Englewood Cliffs, N. J.: Prentice-Hall.

Nozick, R. (1981). *Philosophical Explanations.* Cambridge, Mass.: Harvard University Press. [『考えることを考える』坂本百大他訳、青土社、1997年。]

Papineau, D. (1987). *Reality and Representation.* Oxford: Basil Blackwell.

Parsons, T. (1972). "Some Problems concerning the Logic of Grammatical Modifiers." In Davidson and Harman, eds. (1972).

Popkin, R. (1968). *The History of Scepticism from Erasmus to Descartes.* New York: Harper & Row. [『懐疑：近世哲学の源流』野田又夫・岩坪紹夫訳、紀伊國屋書店、1981年。]

Putnam, H. (1973a). "Explanation and Reference." In G. Pearce, and P. Maynard, eds., *Conceptual Change.* Dordrecht, The Netherlands: Reidel. Reprinted in Putnam (1975b). [「説明と指示」『精神と世界に関する方法：パットナム哲学論集』藤川吉美編訳、紀伊國屋書店、1975年、所収。]

Putnam, H. (1973b). "Meaning and Reference." *Journal of Philosophy* 70.

Putnam, H. (1975a). "The Meaning of Meaning." In K. Gunderson,

ed., *Language, Mind and Knowledge: Minnesota Studies in the Philosophy of Science* 7. Minneapolis: University of Minnesota Press. Reprinted in Putnam (1975b). [「「意味」の意味」『精神と世界に関する方法：パットナム哲学論集』藤川吉美編訳、紀伊國屋書店、1975年、所収。]

Putnam, H. (1975b). *Mind, Language, and Reality*. Cambridge: Cambridge University Press.

Quine, W. (1960). *Word and Object*. Cambridge, Mass.: The MIT Press. [『ことばと対象』大出晃・宮館恵訳、勁草書房、1984年。]

Quine, W. (1969). "Epistemology Naturalized." In *Ontological Relativity and Other Essays*. New York : Columbia University Press. [「自然化された認識論」伊藤春樹訳、『現代思想』第16巻8号、1988年。]

Ramsey, F. (1931). *The Foundations of Mathematics and Other Logical Essays*. London: Routledge & Kegan Paul.

Ramsey, W., and S. Stich (1990). "Connectionism and Three Levels of Nativism." *Synthese* 82.

Rawls, J. (1971). *A Theory of Justice*. Cambridge, Mass.: Harvard University Press. [『正義論』矢島鈞次監訳、紀伊國屋書店、1979年。]

Rawls, J. (1974). "The Independence of Moral Theory." *Proceedings and Addresses of the American Philosophical Association* 48.

Rescher, N. (1977). *Methodological Pragmatism*. Oxford : Basil Blackwell.

Rescher, N. (1980). *Scepticism*. Totowa, N. J.: Rowman & Littlefield.

Rey, G. (1983). "Concepts and Stereotypes." *Cognition* 15.

Rey, G. (1985). "Concepts and Conceptions." *Cognition* 19.

Rips, L. (1983a). "Cognitive Processes in Propositional Reasoning." *Psychological Review* 90 : 38–71.

Rips, L. (1983b). "Reasoning as a Central Intellective Ability." In R. Sternberg, ed., *Advances in the Psychology of Human Intelligence*. Hillsdale, N. J.: Erlbaum.

Rorty, R. (1982a). *Consequences of Pragmatism*. Minneapolis: University of Minnesota Press. [『哲学の脱構築：プラグマティズムの帰結』室井尚他訳、御茶の水書房、1985年。]

Rorty, R. (1982 b). "Introduction : Pragmatism and Philosophy." In Rorty (1982a). [「序論 プラグマティズムと哲学」吉岡洋訳、『哲学の脱構築：プラグマティズムの帰結』室井尚他訳、御茶の水書房、1985 年、所収。]

Ross, L., and C. Anderson (1982). "Shortcomings in the Attribution Process: On the Origins and Maintenance of Erroneous Social Assessments." In Kahneman, Slovic, and Tversky (1982).

Ross, L., M. Lepper, and M. Hubbard (1975). "Perseverance in Self Perception and Social Perception: Biased Attributional Processes in the Debriefing Paradigm." *Journal of Personality and Social Psychology* 32.

Salmon, W. (1957). "Should We Attempt to Justify Induction?" *Philosophical Studies* 8.

Schick, F. (1984). *Having Reasons: An Essay on Rationality and Sociality*. Princeton, N. J.: Princeton University Press.

Schiffer, S. (1981). "Truth and the Theory of Content." In H. Parret and J. Bouverese, eds., *Meaning and Understanding*. Berlin: Walter de Gruyter.

Schwartz, S. (1977). Introduction to *Naming, Necessity, and Natural Kinds*. Ithaca, N. Y.: Cornell University Press.

Sextus Empiricus (1933). *Outlines of Pyrrhonism*, vol. 1. R. G. Bury, trans. London: Heinemann.

Shope, R. (1983). *The Analysis of Knowing*. Princeton, N. J.: Princeton University Press.

Skyrms, B. (1975). *Choice and Chance*. Belmont, Calif.: Wadsworth.

Slovic, P. (1990). "Choice." In D. Osherson et al., eds., *An Invitation to Cognitive Science*. Cambridge, Mass.: The MIT Press. A Bradford book.

Smedslund, J. (1963). "The Concept of Correlation in Adults." *Scandanavian Journal of Psychology* 4.

Smith, E. (1990). "Categorization." In D. Osherson et al., eds., *An Invitation to Cognitive Science*. Cambridge, Mass.: The MIT Press. A Bradford book.

Smith, E., and D. Medin (1981). *Categories and Concepts*. Cambridge,

Mass.: Harvard University Press.

Soames, S. (1984). "What Is a Theory of Truth?" *Journal of Philosophy* 81.

Sober, E. (1981). "The Evolution of Rationality." *Synthese* 46.

Sober, E. (1984). *The Nature of Selection*. Cambridge, Mass.: The MIT Press. A Bradford book.

Sosa, E. (1974). "How Do You Know?" *American Philosophical Quarterly* 11.

Sperber, D. (1982). "Apparently Irrational Beliefs." In Hollis and Lukes (1982).

Stalnaker, R. (1968). "A Theory of Conditionals." In N. Rescher, ed., *Studies in Logical Theory*. Oxford: Basil Blackwell.

Stalnaker, R. (1984). *Inquiry*. Cambridge, Mass.: The MIT Press. A Bradford book.

Stich, S. (1970). "Dissonant Notes on the Theory of Reference." *Nous* 4 (4).

Stich, S. (1976). "Davidson's Semantic Program." *Canadian Journal of Philosophy* 4 (2).

Stich, S. (1978). "Empiricism, Innateness, and Linguistic Universals." *Philosophical Studies* 33 (3).

Stich, S. (1981). "Dennett on Intentional Systems." *Philosophical Topics* 12 (1).

Stich, S. (1982 a). "On the Ascription of Content." In Woodfield (1982).

Stich, S. (1982b). "Genetic Engineering: How Should Science Be Controlled?" In T. Regan and D. VanDeVeer, eds., *Individual Rights and Public Policy*. Towota, N. J.: Roman & Littlefield.

Stich, S. (1983). *From Folk Psychology to Cognitive Science*. Cambridge, Mass.: The MIT Press. A Bradford book.

Stich, S. (1984a). "Relativism, Rationality, and the Limits of Intentional Description." *Pacific Philosophical Quarterly* 65 (3).

Stich, S. (1984b). "Life without Meaning." *Proceedings of the Russellian Society* (Sydney University) 9.

Stich, S. (1984c). "Armstrong on Belief." In R. Bogdan, ed., *D. M. Arm-*

strong. Dordrecht, The Netherlands: Reidel.

Stich, S. (1985). "Could Man Be an Irrational Animal?" *Synthese* 64 (1). Reprinted in Kornblith (1985).

Stich, S. (1988 a). "Reflective Equilibrium, Analytic Epistemology, and the Problem of Cognitive Diversity." *Synthese* 74.

Stich, S. (1988 b). "Review of MacNamara, *A Boader Dispute : The Place of Logic in Psychology*." *Journal of Applied Psycholinguistics* 9.

Stich, S. (1996). "The Dispute over Innate Ideas." In M. Dascal et al., eds., *Sprachphilosophie, Ein Internationales Handbuch Zeitgenossischer Forschung*. Berlin: Walter de Gruyter.

Stich, S., and R. Nisbett (1980). "Justification and the Psychology of Human Reasoning." *Philosophy of Science* 47.

Stove, D. (1986). *The Rationality of Induction*. New York: Oxford University Press.

Strawson, P. (1952). *Introduction to Logical Theory*. New York: John Wiley. [『論理の基礎：日常言語と形式論理学』常俊宗三郎他訳、法律文化社、1974–1976 年。]

Stroud, B. (1984). *The Significance of Philosophical Scepticism*. Oxford: Clarendon Press. [『君はいま夢を見ていないとどうして言えるのか：哲学的懐疑論の意義』永井均監訳、岩沢宏和・壁谷彰慶・清水将吾・土屋陽介訳、春秋社、2006 年。]

Tarski, A. (1956). "The Concept of Truth in Formalized Languages." In A. Tarski, *Logic, Semantics, and Metamathematics*, J. H. Woodger trans. New York: Oxford University Press.

Templeton, A. (1982). "Adaptation and the Integration of Evolutionary Forces." In R. Milkman, ed., *Perspectives on Evolution*. Sunderland, Mass.: Sinaver.

Tversky, A., and D. Kahneman (1983). "Extentional versus Intuitive Reasoning: The Conjunction Fallacy in Probability Judgment." *Psychological Review* 90 (4).

Tweney, R., M. Doherty, and C. Mynatt, eds. (1981). *On Scientific Thinking*. New York: Columbia University Press.

Ward, W., and H. Jenkins (1965). "The Display of Information and

the Judgment of Contingency." *Canadian Journal of Psychology* 19.

Wason, P. (1968a). "Reasoning about a Rule." *Quarterly Journal of Experimental Psychology* 20: 273–81.

Wason, P. (1968b). "On the Failure to Eliminate Hypotheses . . . —A Second Look." In Wason and Johnson-Laird, eds. (1977).

Wason, P. (1977). "Self-contradiction." In Johnson-Laird and Wason, eds. (1977).

Wason, P., and P. Johnson-Laird (1970). "A Conflict between Selecting and Evaluating Information in an Inferential Task." *British Journal of Psychology* 61 : 509–15.

Wason, P., and P. Johnson-Laird, eds. (1968). *Thinking and Reasoning*. Harmondsworth: Penguin.

Weinstein, S. (1974). "Truth and Demonstratives." *Nous* 8.

Wheeler, S. (1972). "Attributives and Their Modifiers." *Nous* 6.

Williams, G. (1966). *Adaptation and Natural Selection*. Princeton N. J.: Princeton University Press.

Woodfield, A, ed. (1982). *Thought and Object*. Oxford: Oxford University Press.

スティーヴン・P・スティッチ（Stephen P. Stich）
1943年、ニューヨーク市生まれ。1968年、プリンストン大学にて博士号を取得。現在はラトガーズ大学教授、シェフィールド大学名誉教授。他の主著に *From Folk Psychology to Cognitive Science: The Case Against Belief*（MIT Press, 1983）, *Deconstructing the Mind*（Oxford University Press, 1996）, *Mindreading*（共著、Oxford University Press, 2003）がある。

薄井尚樹（うすい　なおき）
1978年、滋賀県生まれ。2006年、京都大学大学院文学研究科博士後期課程研究指導認定退学。主論文に「クワインの自然主義」（『哲学論叢』第30号、2003年）。

断片化する理性
認識論的プラグマティズム　　双書 現代哲学 4

2006年8月20日　第1版第1刷発行

著　者　スティーヴン・P・スティッチ
訳　者　薄　井　尚　樹
発行者　井　村　寿　人

発行所　株式会社　勁《けい》　草《そう》　書　房
112-0005　東京都文京区水道2-1-1　振替　00150-2-175253
（編集）電話 03-3815-5277／FAX 03-3814-6968
（営業）電話 03-3814-6861／FAX 03-3814-6854
理想社・鈴木製本

ISBN4-326-19950-4　Printed in Japan

http://www.keisoshobo.co.jp